前　言

　　审计作为独立的经济监督形式，在社会主义市场经济中发挥着越来越重要的作用，注册会计师审计尤为突出，其从业组织和人员不断壮大，业务范围逐渐扩展，作用也就越来越大；与之相对应的，注册会计师的职业风险也就越来越高，所承担的法律责任也越来越形式多样、越来越复杂。现实中的问题，一方面表现为注册会计师执业中的失误或过失越来越多，越来越多样化，其影响也越来越大；另一方面，由于主观和客观的多种原因，注册会计师舞弊问题，也像阴影一样挥之不去，其危害不容忽视。这两方面问题的结果是：注册会计师承担着也应该承担着越来越重的法律责任。然而，现实中也确实存在着另外一种情况，即注册会计师事实上遵循了职业准则，遵守了职业道德，履行了审计职责，但却被误解，以致被推向被告席。这就有一个如何确定注册会计师是否存在过失和舞弊的问题。若存在，注册会计师则应承担法律责任；若不存在，则解除责任。而这一问题的确定不论在理论上，还是在实务上，都是十分复杂的，甚至是非常困难的。另外，从一般意义上如何规避、防范注册会计师的法律责任也是十分现实和重要的问题。综合来讲，注册会计师审计的法律责任，是一个理论上和实务中的重要课题。研究这一课题，有助于注册会计师更好地履行其职责，有助于整个社会正确理解和支持

注册会计师审计事业，加快其发展和壮大。

目前理论界对这一问题的深入研究大多集中或局限在注册会计师法律责任形成的原因、法律责任的形式、注册会计师避免法律责任的一般途径等方面浅层次上，而缺乏从动态的和系统的角度寻找法律责任形成的根源，缺乏准确界定注册会计师承担法律责任的前提条件、理论依据。因此，也就不能找到恰当和有效的相对满足不同利益者的规避、防范和解除注册会计师法律责任的途径和措施。

在本书中，我们研究了以下问题：（1）注册会计师审计法律责任形成。注册会计师审计法律责任的形成有自身的原因及外部原因，有社会因素、法律因素、经济因素等，但需要从系统的角度研究其深层次原因。本书以"审计期望差"为切入点，从主客观、内外部、上下层进行研究，并通过数学模型予以量化，找出主要原因，为寻找防范、避免与解除注册会计师法律责任的措施和途径奠定基础。（2）注册会计师承担法律责任的前提和依据。形成注册会计师法律责任的因素多种多样，但不意味着都应追究其法律责任，所以，这就应该界定在什么条件下注册会计师应承担法律责任，依据什么追究其应承担的法律责任，承担什么形式的法律责任等。本课题从系统角度将这些内容逻辑化，以期解决现实中未能恰当追究注册会计师法律责任的问题。（3）注册会计师审计法律责任的形式。注册会计师审计法律责任的形式包括行政责任、民事责任和刑事责任三种，它们之间存在着密切关系。（4）注册会计师审计法律责任的判定。注册会计师审计法律责任的判定需要依据特定的依据，这种依据既包括理论上逻辑关系，也包括相关法律法规等。（5）注册会计师法律责任的规范。在研究上述问题的基础上，设计规范注册会计师审计法律责任的措施和途径。措施和途径包括注册会计师自身的和外部的，有宏观的和微观的，有长期的和短期的。对所设计的措施和途径，描述其内在的逻辑关系，整合其完整的体系。分析和探讨所设计措施和途径运用主体、运作环境、条件，以构建成良好的运行机制。

　　本书由北京工商大学赵保卿教授和谢志华教授主笔，成员有曹欲晓、李君、张燕凌、姜志华、王继荣、杜彬。欢迎广大读者朋友对于本书的批评指正。

作者
2005 年 10 月

目 录

第一章 导 言

一、审计责任纠纷与诉讼的现实 (1)
  (一) 从"银广夏"事件到"安然"事件 (2)
    1. "银广夏"事件 (2)
    2. "安然"事件 (3)
  (二) 广为关注的现实问题 (4)
    1. 注册会计师审计法律责任的理论内涵 (4)
    2. 注册会计师审计法律责任的实践价值 (5)

二、会计界与法律界的分歧 (6)
  (一) "真实"与"虚假"之争 (6)
    1. 争论的内容与过程 (6)
    2. 值得思考的问题 (8)
  (二) 独立审计准则权威性之争 (8)
    1. 争论的内容与过程 (9)
    2. 值得思考的问题 (9)

三、必须进一步研究的问题 (10)
  (一) 理论研究 (10)

    1. 需要研究的问题 (10)
    2. 理论价值与现实意义 (11)
  (二) 实证调查 (12)
    1. 样本设计、发放情况及内容 (12)
    2. 样本情况分析 (13)

第二章　注册会计师审计法律责任的形成

一、注册会计师审计法律责任的形成基础 (14)
  (一) 两权分离与委托受托经济责任 (14)
    1. 两权分离 (15)
    2. 委托受托经济责任 (17)
    3. 两权分离与委托受托经济责任 (21)
  (二) 委托受托经济责任与注册会计师审计 (21)
    1. 委托受托经济责任与所有权监督 (22)
    2. 注册会计师审计产生于所有权监督的需要 (23)
  (三) 注册会计师审计法律责任的市场含义 (29)
    1. 注册会计师审计法律责任的产生以审计市场复杂化为背景 (29)
    2. 注册会计师审计法律责任的界定以市场约束机制为基础 (30)
    3. 注册会计师审计法律责任的规范以市场有效化为环境 (33)

二、注册会计师审计法律责任的形成过程 (37)
  (一) 萌芽期 (38)
  (二) 产生期 (40)

目 录

　　（三）发展期　　　　　　　　　　　　　　　　（42）
　　（四）规范期　　　　　　　　　　　　　　　　（44）
三、注册会计师审计法律责任的形成机理　　　　　　（46）
　　（一）注册会计师审计法律责任形成原因综合分析　（46）
　　　1. 社会公众方面引起注册会计师承担法律责任的
　　　　　原因分析　　　　　　　　　　　　　　　（47）
　　　2. 被审计单位方面引起注册会计师承担法律责任的
　　　　　原因分析　　　　　　　　　　　　　　　（49）
　　　3. 会计师事务所方面引起注册会计师承担法律责任的
　　　　　原因分析　　　　　　　　　　　　　　　（51）
　　　4. 注册会计师方面引起注册会计师承担法律责任的
　　　　　原因分析　　　　　　　　　　　　　　　（52）
　　　5. 法律环境方面引起注册会计师承担法律责任的
　　　　　原因分析　　　　　　　　　　　　　　　（55）
　　　6. 市场机制方面引起注册会计师审计法律责任的
　　　　　原因分析　　　　　　　　　　　　　　　（62）
　　（二）注册会计师审计法律责任的形成机理　　　（64）
　　　1. 审计期望差距及其构成　　　　　　　　　（64）
　　　2. 审计期望差距的形成机理　　　　　　　　（67）
　　（三）审计期望差距的动态平衡分析　　　　　　（68）
　　　1. 从审计期望差距构成要素的不同性质角度分析（68）
　　　2. 从审计期望差距构成要素的内在关系角度分析（70）
四、注册会计师审计法律责任形成的实证调查分析　　（71）
　　（一）调查结果　　　　　　　　　　　　　　　（71）
　　（二）情况分析　　　　　　　　　　　　　　　（74）
　　　1. 一致的看法　　　　　　　　　　　　　　（74）

2. 不同的看法 (75)
3. 结论 (76)

第三章 注册会计师审计法律责任的形式

一、注册会计师审计的行政责任 (78)
(一) 注册会计师审计行政责任的一般形式 (79)
1. 针对注册会计师的行政责任 (79)
2. 针对会计师事务所的行政责任 (80)
(二) 我国关于注册会计师审计行政法律责任方面的规定 (80)
1. 《中华人民共和国注册会计师法》的规定 (80)
2. 《公司法》的规定 (81)
3. 其他相关法规的规定 (81)

二、注册会计师审计的民事责任 (82)
(一) 注册会计师审计的民事责任的一般形式 (83)
1. 停止侵害 (83)
2. 消除影响 (83)
3. 赔偿损失 (83)
(二) 我国关于注册会计师民事责任的相关规定 (83)
1. 《中华人民共和国注册会计师法》的规定 (83)
2. 《民法通则》的规定 (84)
3. 其他相关法规的规定 (84)

三、注册会计师审计的刑事责任 (85)
(一) 注册会计师审计刑事责任的一般形式 (86)
1. 主刑 (86)
2. 附加刑 (86)

（二）我国关于注册会计师审计刑事责任方面的相关规定 (87)
1. 《中华人民共和国刑法》中的相关规定 (87)
2. 《中华人民共和国注册会计师法》的规定 (88)
3. 《中华人民共和国公司法》的规定 (88)
4. 其他相关法规中的规定 (89)

四、注册会计师审计法律责任不同形式之间的关系 (90)
（一）三种法律责任形式的不同之处 (90)
1. 三种法律责任形式的性质和特点不同 (90)
2. 处罚的力度和法律强制程度有所不同 (91)
3. 处罚的范围有所不同 (92)
4. 三种法律责任在法律诉讼程序上有所不同 (114)
（二）三种法律责任形式的相同之处 (123)
1. 三种法律责任形式所规范的对象一致 (123)
2. 三种法律责任形式所规范的方式一致 (127)
3. 三种法律责任形式的作用一致 (127)
（三）注册会计师审计的法律责任体系 (130)
1. 不承担任何责任 (131)
2. 单独或者同时使用 (131)
3. 三种法律责任形式相互辅助使用 (133)
4. 三种责任形成一个统一的整体 (134)

五、注册会计师审计法律责任形式的实证调查分析 (135)
1. 对注册会计师法律责任形式的有效性的认知 (135)
2. 对注册会计师审计法律责任承担主体的认知 (136)
3. 注册会计师审计法律责任相关法规的认知情况 (136)

第四章 注册会计师审计法律责任的判定

一、注册会计师审计法律责任的判定依据 (139)
 （一）独立审计准则及其他法律法规：注册会计师审计法律责任界定的依据 (139)
 （二）审计的独立性 (141)
  1. 审计独立性的内容 (141)
  2. 审计独立性的影响因素 (145)
  3. 审计独立性原则的应用 (146)
  4. 审计独立性的完善途径 (147)
 （三）注册会计师对第三者的责任 (152)
  1. 对第三者责任形成的社会经济原因 (152)
  2. 第三者的界定 (153)
  3. 习惯法下对第三者的民事责任 (154)
  4. 成文法下对第三者的民事责任 (158)
  5. 我国确立注册会计师对第三者法律责任的意义 (160)
 （四）被审计单位错误、舞弊、违法行为和经营失败等客观事实的存在 (162)
  1. 错误、舞弊、违法行为和经营失败 (162)
  2. 存在及其证据 (164)
 （五）注册会计师违约、过失或舞弊客观事实的存在 (166)
  1. 违约、过失和舞弊 (166)
  2. 存在及其证据 (172)
 （六）注册会计师违约、过失和舞弊造成损失 (175)
  1. 损害事实的客观存在 (175)

2. 存在证据　　　　　　　　　　　　　　　　　（175）
　（七）成立注册会计师审计法律责任的专家鉴定委员会（178）
二、注册会计师审计法律责任的判定基础　　　　　　（180）
　（一）注册会计师的审计责任　　　　　　　　　　（180）
　　1. 会计责任和审计责任的区分　　　　　　　　　（180）
　　2. 经营失败和审计失败　　　　　　　　　　　　（181）
　（二）注册会计师审计法律责任的归责原则　　　　（183）
　　1. 归责原则：审计界与法律界的对立　　　　　　（186）
　　2. "孰是孰非"　　　　　　　　　　　　　　　　（188）
　　3. 为何青睐"过错推定原则"　　　　　　　　　　（190）
　（三）认定程序的规范化　　　　　　　　　　　　（193）
　（四）连带责任或比例责任　　　　　　　　　　　（194）
三、注册会计师审计法律责任的判定逻辑　　　　　　（197）
　（一）注册会计师执业过程　　　　　　　　　　　（198）
　　1. 注册会计师无违约、过失或欺诈行为　　　　　（198）
　　2. 注册会计师存在违约行为　　　　　　　　　　（198）
　　3. 注册会计师存在过失行为　　　　　　　　　　（198）
　　4. 注册会计师存在欺诈行为　　　　　　　　　　（200）
　（二）注册会计师执业结果　　　　　　　　　　　（200）
　　1. 信息使用者未受损失　　　　　　　　　　　　（200）
　　2. 信息使用者受到损失　　　　　　　　　　　　（201）
　（三）注册会计师执业过程和结果的矩阵关系　　　（202）
　　1. 矩阵关系图　　　　　　　　　　　　　　　　（202）
　　2. 矩阵关系综合分析　　　　　　　　　　　　　（203）
四、注册会计师审计法律责任判定的实证调查研究（207）
　（一）实证调查结果　　　　　　　　　　　　　　（207）

1. 关于注册会计师审计法律责任的判定依据　　(207)
　　　2. 关于注册会计师审计法律责任的判定逻辑　　(208)
　　（二）实证调查情况分析　　(211)

第五章　注册会计师审计法律责任的规范

一、完善注册会计师审计法律责任的规范体系　　(214)
　　（一）现在注册会计师审计法规有关法律责任规定的
　　　　　缺陷分析　　(214)
　　　1. 规定上的空白　　(214)
　　　2. 规定上的矛盾　　(221)
　　　3. 规定的不当　　(222)
　　（二）完善注册会计师审计法律法规责任规定的建议　　(227)
　　　1. 应有原则性规定　　(228)
　　　2. 应体现过程与结果的逻辑关系　　(229)
　　　3. 应明确界定会计责任与审计责任　　(229)
　　　4. 应防止将会计师事务所的审计责任转嫁于
　　　　　注册会计师　　(231)
　　　5. 应明确注册会计师所承担民事责任的限度　　(232)
　　　6. 强化会计师事务所的法律责任　　(233)

二、注册会计师审计法律责任的规避　　(236)
　　（一）注册会计师审计法律责任规避的必要性　　(236)
　　（二）注册会计师审计法律责任规避措施　　(238)
　　　1. 从一般角度规避注册会计师审计法律责任的措施　(239)
　　　2. 从会计师事务所和注册会计师的角度规避注册
　　　　　会计师审计法律责任的措施　　(242)

三、注册会计师审计法律责任的解除 (253)
（一）注册会计师审计法律责任解除的必要性 (253)
（二）注册会计师审计法律责任解除措施 (255)
1. 注册会计师自身采取措施 (255)
2. 外在措施 (262)

四、注册会计师审计法律责任规范的实证调查分析 (264)
（一）实证调查结果 (264)
1. 关于注册会计师审计法律责任的规范体系 (264)
2. 关于注册会计师审计法律责任的规避与解除 (265)
（二）实证调查情况分析 (270)
1. 关于注册会计师审计法律责任的规范体系实证调查情况分析 (270)
2. 关于注册会计师审计法律责任的规避与解除实证调查情况分析 (271)

第六章　结束语

一、所研究的问题及基本结论 (274)
二、需要进一步研究、处理和解决的问题 (276)
1. 健全现代市场体系 (277)
2. 协调媒体、公众与注册会计师行业三方关系 (279)
3. 研究虚假报告鉴定制度问题 (281)
4. 完善注册会计师审计的有关法规和规范 (283)

参考文献 (285)
附录　注册会计师审计法律责任的调查问卷 (289)

第一章 导 言

一、审计责任纠纷与诉讼的现实

20世纪60年代以来，西方的注册会计师行业进入了"法律诉讼爆炸"的时代。注册会计师的法律诉讼像瘟疫一样迅速传染开来，这在一定程度上也刺激了专家学者对注册会计师法律责任的研究，有关注册会计师法律责任问题的理论和法规等也日益完善。

而在我国，虽然从注册会计师行业恢复至今仅20多年的历史，但也经历了"琼民源"、"红光实业"、"ST郑百文"等一系列的法律诉讼案件，注册会计师的法律责任问题也引起了人们的重视。尤其是"银广夏"事件发生后，社会公众对注册会计师的法律诉讼达到一个新高潮，注册会计师行业形势严峻，面临着空前严峻的信用危机。同时我国的现实情况是，与注册会计师法律责任相关的法律建设，尤其是民事责任的配套法规等的建设却远远落后于国内注册会计师审计事业的发展，落后于西方国家的发展现状。以至于对"银广夏"等上市公司的重大造假案件仍只能施以行政处罚和刑事制裁，却无法进入正常的民事赔偿诉讼程序，这本身就与市场经济的要求不相符合。

但随着资本市场的进一步发展，经济的全球化对注册会计师职业将提出更高的要求，中国加入世贸组织以后，注册会计师及事务所承担的法律责任必将逐步与国际惯例接轨。面对世界潮流和中国现状，我国的会计界和法律界等要积极地行动起来迎接挑战。为了解决注册会计师行业的信用危机，保证这一行业的健康发展，我们有必要对我国注册会计师审计的法律责任这一问题进行进一步的研究。

（一）从"银广夏"事件到"安然"事件

1."银广夏"事件

2001年8月3日新闻媒体对银广夏1999年、2000年业绩严重造假进行曝光后，引起了社会的广泛注意。证监会就此事派出了20人的核查组进行详细调查。

调查结果表明，银广夏集团公司通过伪造购销合同、伪造出口报关单、虚开增值税专用发票、伪造免税文件和伪造金融票据等手段，虚构主营业务收入、虚构巨额利润。而对银广夏进行审计的中天勤会计师事务所也由于没有保持应有的职业谨慎，没有严格执行独立审计准则，对银广夏公司出具了严重失实的无保留意见的审计报告而被告上法庭。

在事情真相大白之后，银广夏集团进入了"PT"公司的行列。中天勤会计师事务所也由于此案件的影响，信誉全失，签字注册会计师刘加荣、徐林文被吊销注册会计师资格；事务所的执业资格被吊销，其证券、期货相关业务许可证也被吊销，同时，中天勤会计师事务所的负责人也被追究责任。经过此事件之后，深圳中天勤这个全国最大的会计师事务所解体了。

证监会已依法将李有强等银广夏事件涉嫌证券犯罪人员共7

名移送公安机关追究其刑事责任。此次被移送司法机关的犯罪嫌疑人包括：原银广夏总裁、副董事长李有强，银广夏财务总监兼总会计师丁功民，原天津广夏董事长董博，原天津广夏总经理阎金岱以及深圳中天勤事务所会计师刘加荣三人。

2. "安然"事件

安然公司是美国的500强公司，它的收入在美国也几乎是最多的。2000年《财富》500强中安然排名第16位；连续四年获《财富》杂志"美国最具创新精神的公司"称号。但好景不长，2001年10月16日，安然公司宣布第三财季亏损达63800万美元；2001年11月28日，安然公司有6亿美元的债务到期，但没有钱来还；同时它的股价也从30美元跌到了60美分，在这种情况下，安然公司只好宣布破产。

美国证监会的调查表明，安然公司的破产并不是一天两天造成的。安然公司本身就存在很多问题，但是它为了稳定股价，将这些问题利用一些财务手段掩盖过去了。主要有：利用"特别目的实体"高估利润、低估负债；通过空挂应收票据，高估资产和股东权益；通过设立众多的有限合伙企业、自我交易等手段，操纵利润。

安然公司存在这么明显的财务欺骗，但作为资深审计机构的安达信会计师事务所却仍然为其出具了带说明段的无保留的审计意见，从而造成了众多投资者的投资失误，安达信作为安然的财务审计公司自然难辞其咎。所以，在安然事件中，安达信会计师事务所也是被指责的最多的一个。虽说事务所与被审计单位是两个独立的个体，但实际上他们是一荣俱荣、一损俱损的关系。安然公司的破产直接造成了安达信的名誉扫地——而这恰恰是事务所最重要的东西。现在，安达信已经被起诉，要求被赔偿损失。

从以上两个事件的介绍中，我们可以看出，注册会计师面临的法律责任是非常严重的。注册会计师一旦面临法律诉讼，最轻者会影响事务所的名誉，重者甚至可以导致一个百年名所的解体。所以，我们要把这个问题重视起来。

（二）广为关注的现实问题

注册会计师的法律责任问题是一个广为关注的现实问题。愈演愈烈的法律诉讼暴露出了我国有关理论以及法律规定上的不完善，从一个侧面反映出对注册会计师审计法律责任进行研究的重要性。

1. 注册会计师审计法律责任的理论内涵

（1）委托受托经济责任是注册会计师产生的前提条件。随着市场经济的发展，财产所有权与经营管理权逐渐分离。企业的所有者只能依据企业的财务报表来了解企业的经营成果和财务状况以及评价经营者的经营业绩。这时候就需要一个来自企业外部的持独立、客观、公正立场的第三者来对企业财务报表的公允性发表意见。于是，注册会计师审计便应运产生。由此可见，注册会计师审计是在财产所有权与经营管理权分离所形成的委托受托经济责任关系下，基于经济监督的客观需要而产生的。委托受托经济责任关系的确立是民间审计产生的前提条件。

（2）审计责任与审计法律责任。审计责任是注册会计师作为被审计会计报表合法性、公允性和会计处理方法一贯性的证明人所应尽的义务。它由两部分内容构成：一是注册会计师应对审计报告的真实性负责；二是注册会计师应对审计报告的合法性负责。审计法律责任是注册会计师因履行审计责任中存有问题而所应受到的法律上的惩治。

审计责任与审计法律责任之间具有密切的联系,不明确审计责任,就很难追究注册会计师审计的法律责任。因为注册会计师的审计责任的履行情况是注册会计师是否承担法律责任以及承担何种程度法律责任的重要依据。客户或第三者对注册会计师提起法律诉讼后,法官一般是根据注册会计师负有的审计责任来判定其相应的法律责任。一般说来,如果注册会计师存在对社会公众造成损失的审计责任,他就应该承担一定的法律责任。

然而在现实中,通常是审计责任与审计法律责任的对应不够严格,对注册会计师的法律责任的追究不力,注册会计师和事务所缺少了来自法律责任的压力,使独立审计也逐渐的失去了最根本的约束机制。这也正是我国部分注册会计师敢于做假、不怕犯错的原因。

2. 注册会计师审计法律责任的实践价值

我国注册会计师行业从恢复以来,经过短短 20 多年的发展,已经取得了举世瞩目的成绩。注册会计师已经成为市场经济中不可或缺的重要角色,与此同时注册会计师的法律责任也在不断地增加。1992 年至 1993 年发生了"深圳原野"和"长城机电"案件以后,初步引起了国家有关部门以及社会公众对注册会计师法律责任的关注,我国先后出台了《企业会计准则》、《中华人民共和国注册会计师法》和《中国注册会计师独立审计准则》,在一定程度上规范了注册会计师的工作和职责。我国会计界的学者也开始初步对注册会计师的法律责任问题进行理论研究。

随着"银广夏"事件的曝光,以注册会计师为首的中介机构再次成为我国证券行业打假的新焦点。注册会计师法律责任的有关问题重新暴露了出来。例如,注册会计师法律责任的判定依据不是很明确,相关的法律、法规不甚完善,会计界与法律界及社

会公众之间就注册会计师法律责任的若干问题还没有达成共识。但是，随着资本市场的进一步发展，经济的全球化对注册会计师职业将提出更高的要求。中国加入了世贸组织，注册会计师与事务所承担的法律责任也将迟早与国际惯例接轨。

鉴于以上存在的各种问题及需要，我们有必要对注册会计师审计的法律责任问题进行系统的研究，从理论和法律规范上完善这一问题。使注册会计师的法律责任成为一把真正的"双刃剑"，既能影响注册会计师审计的发展，又能为注册会计师审计的质量提供外在保证。这也正是我们研究这个课题的目的之所在。

二、会计界与法律界的分歧

会计界和法律界关于注册会计师承担法律责任的判定是存在分歧的。主要表现在审计报告的真实和虚假的判定标准以及独立审计准则的权威性两个方面。

（一）"真实"与"虚假"之争

1996年4月4日，最高法院对四川省高级人民法院就德阳会计师事务所出具虚假验资报告的法律责任问题出具复函（即56号函）后，注册会计师由于出具"虚假"的验资报告而开始被不断推上被告席，也从而引发起会计界与法律界关于"虚假"与"真实"之间的争议。

1. 争论的内容与过程

对于"虚假"与"真实"，会计界与法律界的定义是完全不同的。在会计界，审计准则明确提出了"真实性"与"合法性"的概念，要求注册会计师对审计报告的真实性与合法性负责。由中国注册会计师协会制定、财政部颁布的《独立审计具体准则第7号——审计报告》的第六条规定："注册会计师应对其出具的审计报告的真实性、合法性负责。"并解释到："审计报告的真实性是指审计报告应如实反映注册会计师的审计范围、审计依据、已实施的审计程序和应发表的审计意见"。换句话说，"真实性"意味着对执业准则的遵循。如果严格按照独立审计准则的上述要求去做了，其审计报告就是真实的。

从上面所引的"真实性"的定义来看，审计准则中的"真实性"是对一个过程的表述，即注册会计师的审计报告应当如实地反映整个审计过程，包括审计范围、审计依据、已实施的主要审计程序和应当发表的审计结论。因此，当我们说"审计报告符合真实性要求"，我们的真实意思是指注册会计师的审计履行了正当的程序。但是，"真实的程序"并不一定导致"真实的结果"。由于审计内在的局限，由于注册会计师只是"合理的保证"而不是"完全的保证"，因此，进行审计活动的注册会计师尽管恪守了执业准则，仍然存在难以发现出资人提供的证明文件中的虚假或者隐瞒之处的可能性，从而导致出具的审计报告与事实不符。

然而，法律在这个领域要求的"真实"却是"内容的真实"、"结果的真实"，而不仅仅是程序的真实。法律上的"虚假"是与"内容真实性"对立使用的。"虚假报告"即是指"内容不真实的报告"。这种解释可以在有关的法律条文中找到旁证。例如，《股票发行与交易管理暂行条例》第十八条与第七十三条。法律上之所以确认注册会计师这个职业作为中介为公众投资人传递财经信息，并且让这个职业垄断财经信息的传递通道，其目的在于使公众投资人能够得到真实的、据以决策的信息。因此，法律首先考虑的是信息本身是否真实，而不是传递信息的程序是否被遵循。

法律上"虚假"概念只针对审计报告的结论,而不是审计过程。

2. 值得思考的问题

在法律界看来,如果说只要注册会计师的工作满足了审计准则的"真实性"要求,就不能认为其工作的结果是"虚假"的,其逻辑是很荒唐的。这就等于说:审计报告的作用仅仅在于向世人昭示:看,注册会计师切实执行了其执业准则的规范程序。显然,人们对这种逻辑唯一的反应只能是:那么,我们还需要注册会计师和审计报告干什么?一个职业存在的合理性首先不在于这个职业是如何工作的,而在于它能否、是否发挥了社会期待它发挥的作用。对于注册会计师而言,其存在的制度基础就是社会需要其作为市场经济的卫士,尽管它由于内在的局限性而不可能扮演"侦探"的角色。

由此可见,审计准则中的"真实性"与法律上的"虚假性"不是同一个层次上的概念,承认前者,并不必然排斥后者,二者完全可能共存于同一个行为之上。形式逻辑中的"非真即假",不能用来表述会计界的"真实性"与法律界的"虚假性"之间的关系。实际上,考察审计产生与发展的历史可以发现,会计界的"真实性"与法律界的"虚假性"之间的矛盾,即过程的真实性与结果的虚假性之间的矛盾,是审计活动的本质所蕴涵的,与注册会计师的主观状态无关。也就是说,在审计成本原则的约束下,审计的固有风险是永远存在的,注册会计师"合理的保证责任"无法彻底避免或者消除审计结果的"虚假性"。

(二)独立审计准则权威性之争

在会计界与法律界对于"虚假"与"真实"这一问题进行争议的过程中,又引发出了人们关于"独立审计准则权威性"的争论。

1. 争论的内容与过程

会计界人士认为，我国的独立审计准则是由国家财政部发布的，应当具有相当高的权威性和官方效力。如果注册会计师严格遵循了独立审计准则，尽管审计结论在客观上仍与实际不符，也不需要承担法律责任。专业人士都知道，注册会计师的审计并不是一种担保，现有的专业标准只不过是在考虑成本效益的基础上，提供一种较为科学、合理的程序，并非绝对保证。对于那些内外勾结、精心伪造的舞弊，注册会计师是无能为力的。如果注册会计师严格遵循了准则仍然存在被判定为违法行为的可能性，注册会计师势必陷入有法律约束而无法律保障的困境。因此，独立审计准则也应该成为我国司法界判定注册会计师法律责任的最重要的依据。

而非会计界专业人士却认为：如果遵循行业准则就可以避开法律责任，那么每个行业都可以制定这种准则。因此，人们对于审计准则的权威性反而要发生疑问。这是非常危险的。法律界的观点是：独立审计准则在很大程度上体现着注册会计师行业的某些自利性利益要求，倘若主要以审计准则为法律依据来评价注册会计师的责任，那么公众的利益就处于难以保障的境地。这对于法律来说是无法容忍的。事实上，会计界在审计诉讼中常常以审计准则的条文据理力争，这也不是一种最佳的策略。如果注册会计师、法院和公众都逐渐倾向于把独立审计准则视为保护注册会计师职业自身的手段，那么审计准则甚至注册会计师存在的意义也就失去了其基础。

2. 值得思考的问题

实际上，审计这一行业的产生，本质上是为了维护股东或者

作为潜在的股东的公众投资人的利益；独立审计准则固然有减少注册会计师执业风险的作用，但其最根本的目的应该是最有效地、最经济地维护股东以及公众投资人的利益。只有这样，独立审计准则这个行业规则才会为社会所认可，才会在法律上取得相应的地位。也只有这样，恪守审计准则的注册会计师才应当受到法律的保护，哪怕他最终出具的审计报告有瑕疵，或者验资报告是不实的。

对于会计界来说，如果因为无法与法律界或者公众进行有效的沟通，结果使自己的生存方式与生存原则不能得到法律界的尊重与公众的认同，那么这才是这个职业最大的悲剧。公众对注册会计师的期望永远是高于注册会计师的能力的，这种"期望差距"，来源于公众不了解审计活动特性。所以，会计界有责任也必须采取行动来缩小这种"期望差距"，要么教育公众理解、接受会计界的概念，要么改进自己的准则以尽可能符合公众的期望。否则，会计界将一直陷于被动挨打或者与公众对立的境地，法律界与会计界的对抗不过是这种对立的一个缩影。

三、必须进一步研究的问题

我们的研究包括两个大的方面：理论研究和实证调查。下面我们分别简单介绍一下。

（一）理论研究

1. 需要研究的问题

随着2001年"银广夏"、"安然"事件的曝光，以注册会计师为首的中介机构再次成为证券行业打假的新焦点，人们对注册会计师行业陷入了空前的信用危机。注册会计师法律责任的有关问题重新暴露了出来。例如，注册会计师法律责任的判定依据不是很明确，相关的法律、法规不甚完善，会计界与法律界及社会公众之间就注册会计师法律责任的若干问题还没有达成共识，等等。鉴于以上暴露出的各种问题，作为会计专业人士，我们有责任对注册会计师审计的法律责任问题进行系统的研究，从理论上和法律规范上来完善它。

具体说来，我们将从注册会计师审计法律责任的形成、形式、判定和规范四个方面进行研究。

在"注册会计师审计法律责任的形成"中，我们先从理论上对法律责任的形成基础进行分析，然后重点分析法律责任的形成机理，主要从"审计期望差异"动态平衡的角度来阐述注册会计师审计法律责任的形成原因。

在"注册会计师法律责任的形式"中，主要从行政责任、刑事责任和民事责任的三种法律责任的形式方面分类介绍我国目前法律法规中的有关规定。

在"注册会计师审计法律责任的判定"中，我们以一个全新的角度提出了注册会计师法律责任的判定依据应该是审计过程与审计结果的结合点，论文以矩阵图的形式详细指出了注册会计师在何种情况下承担法律责任以及承担怎样程度的法律责任。

在"注册会计师审计法律责任的规范"中，我们总结了现有注册会计师审计法律责任规定方面存在的缺陷及空白之处，然后对症下药，提出了一些法律责任的规避和解除措施。

2. 理论价值与现实意义

如前所述，注册会计师的法律责任是一把"双刃剑"，它既能影响注册会计师审计事业的发展，又能为注册会计师审计的质

量提供外在保证。在"诉讼爆炸"的世界大环境下，世界各国的注册会计师都采取了积极的应对态度，在不断提高自身服务质量的同时，积极寻求各种解决办法，以减轻注册会计师的法律责任压力。

目前，我国涉及注册会计师审计法律责任的有关法律法规还不能充分体现注册会计师的行业特征及其法律特征。在一些判例中，法院的判决依据往往只是一些司法解释，如法函［1996］56号，而没有考虑他们的法律效力。实际上，我国的司法解释严格来说并不是法律的正式渊源，不宜作为法院判决的直接依据。因此，在目前的法律现状下，对注册会计师审计法律责任的研究就显得尤为迫切。将注册会计师的行业特征与其法律特征结合起来，统一考虑及规定注册会计师审计法律责任的归责原则、赔偿制度以及规避措施等，是具有重要的理论意义及现实意义的。

加强注册会计师的法律责任，其目的是为了保证注册会计师的工作质量，提高会计信息的可信性，从而维护资本市场的有序运行。中国在加入WTO以后，如何在新的"游戏规则"下构建我国注册会计师的法律责任体系，更是我们研究的重点及方向。

（二）实证调查

为了能够系统、全面地研究注册会计师审计法律责任问题，我们进行了问卷调查。

1. 样本设计、发放情况及内容

本次调查问卷是依据本研究课题，充分分析了相关书籍、期刊和论文等资料而设计的，并且为了避免问卷出现内容遗漏、用语不当和语句混淆等情形，我们整个课题小组经过了数轮的讨论，对初步设计的问卷加以修改，删除不当部分，并加入修正意见，最终形成了目前这份调查问卷。

本次调查共发放问卷 150 份，全部收回；又由于采取的是面对面的调查方式，故所有试卷全部有效。问卷的调查对象包括社会上的各类人员，我们把他们分为两大类：会计专业人士和非专业人士。具体的问卷数量分配比例详见下表。

专业人士（60%）			非专业人士（40%）		
类型	人数	所占比例	类型	人数	所占比例
注册会计师	60	40%	法官	15	10%
会计人员及相关人员	30	20%	律师	15	10%
			其他社会公众	30	20%
合计	90	60%	合计	60	40%

整份问卷主要包括两大部分共 25 个问题：第一部分是法律责任的问题部分；第二部分是个人资料部分。第一部分又包括基本问题、法律责任的形式、法律责任的判定、法律责任的形成及法律责任的规范五个小部分组成。

2. 样本情况分析

从回收的样本情况来看，整体情况存在以下问题：所有类型的调查人群都知道注册会计师有自己的一套执业标准，大部分的被调查者认为应该以审计过程与审计结果的结合情况来判断注册会计师是否应当承担法律责任，会计专业人士认为目前的法律法规不能完全适应需要，法官和律师也表示凭自己目前的会计知识来解决有关注册会计师的法律诉讼尚有一些困难，等等。具体的问卷的情况我们将在下面的各个部分中详细分析。

第二章 注册会计师审计法律责任的形成

我们将从注册会计师法律责任的形成基础谈起,继而探讨我国注册会计师法律责任的形成过程,接下来将结合我国的现实情况详细的研究造成注册会计师法律责任的原因所在,最后我们以审计期望差异动态平衡的原理谈谈注册会计师法律责任的形成机理。

一、注册会计师审计法律责任的形成基础

两权分离后产生了委托受托经济责任,从而产生了所有权监督的需要,注册会计师审计出于满足这一需要应运而生。伴随着注册会计师审计市场的复杂化,注册会计师法律责任问题逐渐浮现出来。

(一) 两权分离与委托受托经济责任

对于两权分离和委托受托经济责任具体含义的正确理解是我们接下来探讨其他问题的基础。现在理论界对这两个概念说法不一,究竟哪种最准确很难有客观的衡量标准。

1. 两权分离

（1）两权分离的内涵。两权分离有广义和狭义两种含义，通常所说的两权分离是指企业财产所有权与经管权的分离，这是狭义的理解。广义地说，只要所有者拥有的财产不是自己保存和运用，而是委托他人经营，那么，就产生了财产所有者拥有的所有权与财产经管者拥有的经管权的分离。财产的经管权具有两个方面的含义：一是对所有者的财产在非生产领域（抑或消费性领域）的保存和运用的权利，其运用通常是消费性的；二是对所有者的财产在生产领域（抑或再生产领域）的保存和运用的权利，其运用是生产性的，并要求带来效益。有人称前一种权利为管理权，后一种权利为经营权，为叙述方便，我们把两者统一起来都称为经管权。实际上经管权是相对所有权而言的，如果站在经营者管理企业的角度，经管权本质上就是管理企业一切事务的权利，它表现为一种管理。我们所说的两权分离是从广义而言的。

（2）两权分离的条件。财产所有权与财产经营管理权分离是在一系列条件下形成的。其中最重要的两个条件是：

①作为财产所有者，必须是财产增值的人格化代表。其行为目标是单一化的，即只追求资源的最有效利用或财产收益的最大化。只要财产能够有效利用或增值，财产所有者就宁愿把财产的占有、使用权让渡出去，而成为只要有效利用或获取收益的"单纯所有者"。

②财产的所有者与经营管理者之间必须完全是一种经济上的契约关系，而没有任何超越经济的强制或依附关系。这种契约关系规定经营管理者对所有者的财产负有增值责任和在授权内进行经营管理的责任，否则，所有者有权依契约规定撤销或收回经营管理者的经营管理权；同时，也规定只要经营管理者能够实现财

产增值和在授权内经营管理，财产所有者就没有权力和理由任意干预经营管理者的经营管理活动。

（3）两权分离的内容。伴随两权分离过程，两权分离的内容也不断扩展和延伸。从整体上看，两权分离包括四个层次：

①终极所有权与投资权抑或资本经管权的分离，这里终极所有权是指国家或自然人对企业财产的所有权，当社会大众都加入出资者行列时，如何寻找投资机会，进行投资运作就成为投资大众迫切需要解决的问题，相应投资专家或投资公司等应运而生，他们执行终极所有者的投资功能。

②终极所有权与通常所说的经管权抑或资产经管权的分离，这里资产经营是指利用出资人投入的资本所形成的资产从事购进、生产、销售，抑或服务的活动。它与资本经营不同，资本经营是站在出资人角度投出资本、监管资本的运用，并对存量资本结构进行调整的活动。

③终极所有权与法人所有权的分离。独资和合伙企业都是自然人企业，自然人自身的财产，也就是企业财产，自然人对企业承担无限责任，以自己的行为代表企业的行为；但是，公司制企业的出资人对公司承担有限责任，自然人自身的财产并不就是公司的财产，自然人只是将其部分财产投入公司，其余财产则为自用。加之，两权分离，自然人自身的行为并不是公司行为，这样，就产生了自然人与公司行为分离的情况，为此，就必须把公司设定为一个独立的行为主体即法人主体，它能像自然人一样对外行使权力，承担责任。此外，各出资人投入公司的财产要能真正为经营者所经营，必须使公司实际的拥有这些财产的占有、使用、处置、分配的权利，这当然属于所有权的范畴，只是这种权利归为法人所有（或公司所有），从而形成终极所有权与法人所

有权的分离,使得资本经营者和资产经营者不仅拥有了经管权,而且拥有了法人所有权。

④法人所有权与部分资产经管权的分离。伴随企业规模的扩大,在企业内部纷纷设立分公司、分厂和分店,并委派经理经营管理,结果,企业的部分财产被交托分公司、分厂和分店的经理经管,相应产生了公司法人对其部分财产的所有权与经管权的分离,我们称之为法人所有权与部分资产经管权的分离。

综上所述,两权分离的结果是终极出资人将财产交托给资本经营者(或投资公司),资本经营者又将其交托给资产经营者,资产经营者作为法定代表人再将其交托给作为部分资产经营管理者的分公司、分店和分厂的责任者。这里形成了一个资产的委托受托经营关系链。

2. 委托受托经济责任

(1) 委托经济责任。委托经济责任是作为委托方的终极所有者应承担的经济责任。终极所有权与经管权分离后,所有者在拥有监督经营者的权利的同时,也必须履行一定的义务,即不能任意干涉经营决策,尤其在股份公司出现以后,两权分离演变为终极所有权与法人所有权的分离,法人主体拥有独立的产权,成为独立行为主体,并以这一独立主体对外行使权力,承担义务。所有者以股东的身份存在,只能以其股份为基础,以资本的保值和增值为目标,在权利范围内监督经营者的经营行为。所有者与法人主体相互独立,各就各位,各行其是。作为委托方的终极所有者必须承担其委托经济责任。

(2) 受托经济责任。对于受托经济责任的涵义,历来存在许多不同的认识和观点。

在我国,杨时展教授较早倡导"受托责任"的概念,他认为,"这种责任,虽大多数是由于资源的委托受托行为而发生的,其解除方式,却往往以人事上是否继续给予托付和信任的形式来表现,不以经济为限,因而称之为受托责任"[1]。

阎金锷教授指出,"不论在两权分离下,还是在多层次管理经营体制下,由于委托人的授权,都会形成一种受托经济责任关系。当受托经济责任关系确立后,客观上就存在授权委托者对受托管理者实行经济监督的需要"[2]。

最高审计机关国际组织(INTOSAI)认为,受托经济责任(accountability)是指授予一个被审查个人或实体的责任,显示他或它已经根据资金提供的条件对委托给他或它的资金进行了管理或控制。

美国审计总署认为,受托经济责任是指受托管理并有权使用公共资源的政府和机构向公众说明它们全部活动情况的义务。

加拿大审计长公署(OGA)则认为,受托经济责任是指对授予的某项职责履行义务,作出回答。它假设至少存在两方:一方授予职责;另一方接受这一职责,并承担对履行这一职责的方式作出报告。

从以上各种解释中,我们可以抽象出受托经济责任的基本含义,亦即:受托经济责任就是按照特定要求或原则经管受托经济资源并报告其经管状况的义务。这可从以下四个方面理解这一概念:①受托责任存在于一种委托与受托关系之中。②受托经济责任包括行为责任与报告责任两个方面。③受托经济责任中"责

---

[1] 杨时展:《中国会计的现代化审计》(中),载自《财会通讯》,1989(2),第1页。

[2] 审计署干部培训中心:《审计理论研究》,第20页,中国审计出版社,1992年。

任"的实质按特定要求或原则行事，即按特定要求经管受托经济资源和按特定要求报告其经管状况。④受托经济责任应具有可计量性，即能够通过货币形式或其他标准以计量，并通过一定的形式（如财务报告和会计报告）对计量结果予以报告。

受托经济责任有狭义和广义之分。理解这一点，有助于我们认识受托经济责任存在普遍性与广泛性。①狭义的受托经济责任是一种法律概念，它是指受托人（经管人）对资源的法定的直接利益所有者（委托人）的责任。按照狭义的受托经济责任观，受托人只向其委托人即直接利益所有者报告资源之经营状况，这也就是其所应承担并履行的受托经济责任。在狭义受托经济责任观下，责任的指向是单一的，因为其委托人是单一的。狭义的受托经济责任观，也叫传统受托经济责任观。②广义的受托经济责任是一种社会概念，它是指受托人对其有关的所有利益关系人的责任。这些利益关系是一个群体，除了法定的直接利益所有者外，还包括虽不具有法定所有权但与受托人所代表的组织有着某种经济或社会联系的其他关系人，按照广义的受托经济责任观，也叫现代受托经济责任观，所有这些方面都是受托人应予负责的对象。广义的受托经济责任还应包括由于管理分权制形成的组织内部下级管理部门对上级管理部门的受托经济责任。这实际是组织的最高管理当局，把从外部委托人那里取得的授权与承担责任再转授和分解给下属管理部门而形成的，这是一种组织内部的受托经济责任。如企业中的下级（或中间）管理层对最高管理的责任，行业的基层企业对主管部门的责任，地方政府对中央政府的责任等等都是组织内部受托经济责任的表现形式。

前已述及，受托经济责任是按照特定要求和原则经管受托经济资源和报告其经营状况的义务。由此，我们将受托经济责任划分为行为责任与报告责任两大方面。从这一定义中还可看出，受托经济责任的实质是按照特定原则行事，其内容是一系列的特定要求，它们来自委托人群体对受托人理想行为的期望与要求。由于委托人群体中的成员来自社会的各方面，因而委托人的这种期望与要求是从低级向高级、由简单到复杂不断变化发展的，因而受托经济责任的内容也是由单一到多样不断扩展着的。行为责任方面的主要内容是按照保全性、合法性、经济性、效益性、效果性和社会性以及控制性等要求经管受托经济资源，它们分别构成受托经济责任的某个方面，我们分别赋予其特定的名称，即保全责任、守法遵纪责任、节约责任、效率责任、效果责任和社会责任以及控制责任。

保全性，即要求受托人在经管过程中必须保证受托经济资源的保全完整。为此要求诚实经营、诚实管理、尽可能防止作弊行为的发生。

合法（规）性，即要求经管行为必须符合有关法律、法令、制度、政策、预算等的要求。为此，必须防止违法、违规和违纪行为的发生。

效率性，是指产出与投入的对比关系。它要求受托经济资源的运用必须产出要大于投入，以较少的投入获得同样的产出，或以同样的投入获得更多的产出。

效果性，是指计划、预算或经营目标的实现程序。它要求经营行为应该或必须全面实现各项计划、预算或预期经营的目标。

社会性，是指经管行为必须符合社会需要与要求，必须符合社会整体利益的要求并为社会作出贡献。为此，要求尽可能消除或减少经管行为对社会造成或带来的不利影响，如环境污染、失业、劣质商品与服务等。

控制性，是一个从属于以上所有要求的一个总要求，即为了实现以上要求，必须建立严密的控制结构（系统），对经管行为及其过程实施严密的控制。因此，建立并实施控制也是受托经济人的必然内容。即如，内部控制结构（系统），它包括会计控制与管理控制两方面，用以保证组织内部的经济信息真实可靠、财产物资安全完整、法规制度得以遵循，经营方针政策得到贯彻和经营目标得以实现。

报告责任实际是说明或反映行为责任履行状况的责任，它应包括两层含义：一是设计能反映行为责任内容的完整的受托经济责任报告体系，即公司报告体系；二是按特定要求编报这些报告以说明行为责任之履行状况。

3. 两权分离与委托受托经济责任

委托受托经济责任是两权分离的必然产物。具体地说，一方面财产所有者将财产授权或委托给经营管理者进行经营管理，并授予其使用、处分财产的权限。在授权范围内，财产所有者不应对经营管理者的管理行为进行干涉，除非发现经营者损害所有者的意图和事实。一旦财产经管权委托出去以后，所有者就应承担委托经济责任。另一方面，经营管理者作为合法的代理人，自由支配和使用财产，对日常经营管理活动实施决策和指挥，并要直接对所有者承担受托经济责任，保护财产安全完整，加强经营管理，提高经济效益，并负责向所有者提出业绩报告。财产所有者为了考核并确定经营管理者履行受托经济责任的情况，就必须对经营管理者的经营管理业绩进行审查、评价和证明，以便确定或解除经营管理者的委托，与此同时，财产所有者也负有按契约规定不得干涉经营管理的义务。

（二）委托受托经济责任与注册会计师审计

委托受托经济责任出现后，为了保证委托受托经济责任的有效履行就产生了所有者对委托受托经济责任进行了解，控制和监督的需要，所有权监督应运而生。但随着企业市场的复杂程度加深，所有者自身无法独自完成所有权监督，注册会计师审计随即产生了。

1. 委托受托经济责任与所有权监督

伴随着两权分离，产生了委托受托经济责任。所有者由于不直接参与企业的经营，为了对经营者履行受托经济责任的情况进行了解和控制，必然要对经营者进行监督，这就出现了所有权监督。而随着企业规模的扩大和业务的日益复杂，作为受托方的经营者，无法单独直接经营管理组织的各个部门和各分支机构。于是便代表财产所有者行使财产所有权的职能，把部分财产委托给下级经营管理者进行经营管理，与此相连的是下级经营管理者就应承担相应的受托经济责任。为了考察和控制下层执行者对受托经济责任的履行情况，上一层管理者必然要对下一层执行者进行监督，这种管理者对执行者的监督为经管权监督。总括来说，在两权分离后，经济领域中存在两种基本权利，即所有权和经管权，凭借这两种权利，基于对受托经济责任监督的需要产生了所有权监督和经管权监督。

所有权监督和经管权监督的产生有着不同的客观基础。所有权监督是以两权分离为前提。如果所有权与经管权合二为一，财产的保存和运用是由所有者自己进行的，那么，所有权监督就没有存在的必要。在社会经济发展到一定水平时，两权发生分离，所有者为了对经管者保存和运用财产的状况进行控制，便需要一种相应的监督形式——所有权监督为之服务,这就出现了所有权监督。与此不同,经管权监督是以管理职能和执行职能的分离为基础的。当管理职能与执行职能合二为一时,由于管理活动是从事经济活动者自身的职能,因此当事人对自己是否执行管理要求的监督就没有必要。当管理职能化,管理职能与执行职能分离时,管理者对其所制定的目标是否被执行者(相对高层管理者而言,下层管理者也归属于执行者的范畴)实施,必须实行监督,反映这种经管权的要求,便需要一种相应的监督形式——经管权监督为之服务,这就出现了经管权监督。

2. 注册会计师审计产生于所有权监督的需要

关于注册会计师审计产生与发展的客观基础,20 世纪 80 年代流行着监督会计的需要或经济监督的需要的观点。后来,很多学者从委托受托责任关系的角度进行论证,认为注册会计师审计产生于维系或解除委托受托责任关系的需要。我们认为,两权分离后便形成了委托受托责任关系,出现了所有权监督和经管权监督,在维系或解除委托受托责任关系时,注册会计师审计更多的是从维护所有者利益的角度出发,或者直接说,注册会计师审计产生和发展于所有权监督的需要。这种观点是有着理论和历史依据的。

(1) 注册会计师审计监督具有所有权监督的特点。注册会计师审计监督具有所有权监督的特征,而与经管权监督的特征不一致,表现在:

①经管权监督是整个管理控制的有机环节,离开了管理活动,经管权监督也就不复存在,而没有经管权监督,管理活动就难以彻底进行,决策目标难以最终贯彻。与此不同,注册会计师审计监督是一种独立的经济监督活动,它存在的基本条件就是不

能参与任何经营管理活动，这就决定了注册会计师审计监督不可能是经管权监督，而只能属于所有权监督的范畴。

②经管权监督形成于管理职能与执行职能的分离，这种分离包括两种意义：一是在分层管理的条件下，高层管理者制定管理决策与下一层执行管理决策的职能相分离；二是管理职能与生产经营的分离。这种分离使得上一层管理机构（人）要监督生产经营的执行机构（人），从而形成一个经管权监督链。这里监督者也成为了被监督者（下层管理机构或人相对上层管理机构或人）。但是，作为所有权监督的注册会计师审计没有分层进行的特征。

③经管权监督是一种从上至下的监督，这样，在管理层体系的最高层——企事业单位是经营者（厂长、经理等）、政府职能部门是最高负责人，经管权监督不能涉及。但是，由于注册会计师审计产生于两权分离所引起的经济监督需要，它接受财产所有者的委托，正是要对经营者或最高负责人进行监督，这种注册会计师审计监督被称为高层次监督，这是经管权监督所不能具有的。

④经管权监督是直接服务于管理者自身的，但是注册会计师审计监督从来都不是为自身服务，它服务于委托（委派）者——财产所有人。当然，也不可否认，在注册会计师审计发展的历史进程中，审计结论不仅为财产所有者——委派（委托）审计方所使用，而且还广泛地被银行、税务等职能管理部门所使用，这并不否认注册会计师审计的目的是为作为委派（委托）审计方的财产所有者提供审计结论。

（2）从历史上看，注册会计师审计的产生和发展都是建立在所有权监督需要的基础上的。由职业会计师进行的注册会计师审计，是伴随着资本主义商品经济的兴起而蓬勃发展的。15～16

世纪，地中海沿岸的商业城市已经初具规模，沿岸国家的商品贸易得到发展，由此，私人财产所有权与经管权发生分离，对受托经营贸易的经营管理者进行监督成为必要。于是私人所有者便聘请具有良好会计知识、技能、专门承担独立检查、监督使命的专业人员，对受托经营管理者进行监督。这就是早期的处于萌芽状态的注册会计师审计。

现代意义的注册会计师审计是伴随18世纪初期至19世纪中叶产业革命的完成而开始的。在英国，产业革命使资本主义生产力得到了迅猛发展，企业的所有权与经管权进一步分离，企业所有者开始雇用职业经理人员管理日常经营活动，自身逐渐脱离生产经营过程。为此，企业所有者要借助外部的专业人员来检查和监督他们所雇用的经理人员，防止可能出现的错弊行为。相应地在英国出现了第一批以查账为职业的独立会计师，他们接受所有者的委托审查企业会计账目，防止错弊发生，其审查结果也只向业主报告。1844年英国政府为了保护广大股票持有者的利益，颁布了《公司法》，规定股份公司必须设监察人，负责审查公司账目。监察人一般由股东担任，他们大多并不熟悉会计业务和审查的专门方法，不能做到有效监督。1845年英国修订了《公司法》，规定股份公司可以聘请执业会计师协助此业务。1853年在苏格兰的爱丁堡成立了"爱丁堡会计师协会"，这是世界上第一个职业会计师的专业团体，它就得到了英国政府的特许执照。该协会的成立，标志着独立审计职业的诞生。

20世纪初，美国的短期信用发达，为了证明企业偿债能力保护债权人利益，主要进行资产负债表审计，即信用审计。20世纪20年代以后，随着资本市场的发育成熟，证券交易的业务量发展迅速。为了满足现实投资人和潜在投资人以及社会各方面的要求，资产负债表审计已无法满足需要，美国开始了会计报表的审计。从20世纪中叶至今，注册会计师审计进入现代审计阶段，注册会计师审计机构在发展中开始呈现集中化的趋势。

我国注册会计师审计起步较晚，1918年北洋政府农商部颁布了我国第一部注册会计师审计法规《会计师暂行章程》。谢霖被获准成为我国的第一名注册会计师，他创办的正则会计师事务所是我国的第一家注册会计师审计机构。我国注册会计师审计的产生与发展是适应民族资本主义工商业的发展之所需的。1929年《公司法》的公布以及后来有关《税法》和《破产法》的施行，对注册会计师审计的发展起了推动作用。

80年代初，随着经济体制改革的推行，多种经济成分并存的局面产生，外资也纷纷进入，如何维护非国有经济的投资人利益就成为一个现实问题。1980年底，财政部颁发了《关于成立会计顾问处的暂行规定》。此后，各地会计师事务所陆续恢复或建立。1988年，国务院颁布了《中华人民共和国注册会计师条例》，这是新中国第一部注册会计师的法规。次年，中国注册会计师协会正式成立。1993年10月《中华人民共和国注册会计师法》颁布并于1994年起实施。1995年底，第一批中国注册会计师独立审计准则颁布实行。

综观中西方注册会计师审计的产生过程，我们可以得出以下结论：

①注册会计师审计是适应私人对企业财产的所有权与企业经管权的分离而产生的，这种分离使得私人财产所有者不再直接参与企业经营管理活动，而是委托经营者对其财产进行保存和运用，为了监督经营者保存和运用财产的状况，私人财产所有者便委托专门的监督机构和人员对经营者实施监督。于是，注册会计师审计产生了。可见，注册会计师审计产生于私人财产所有权与

私人财产经管权的分离，是凭借私人所有权进行监督的形式。

②注册会计师审计的重要性伴随着私人财产所有权与私人财产经管权的分离程度而不断提高。从两权分离的程度而论，企业经历了早期合伙企业的分离、有限责任公司的分离、股份公司的分离，以至当今上市公司的分离，其两权分离程度越来越高，注册会计师审计所代表的委托人数量也不断增加，相应注册会计师审计的重要性不断加强。

③注册会计师审计受托于私人所有者，由于私人所有者都具有各自的财产利益，这意味着注册会计师审计不像国家审计只能代表国家一个所有者的利益，而是能代表各种不同所有者的利益。

④尽管早期也出现过由所有者直接监督经营者的情况，但很快这种监督就为专门或职业的会计师所进行。之所以这样，根本原因在于：审计是一种专业化的职业，企业的所有者大多缺乏这种专业训练和技能；同时，一个企业特别是上市公司有众多的所有者，他们不可能都亲自进行审计，而是委托一个处在第三者立场，能代表他们共同利益的职业机构和人员进行审计。

不仅注册会计师审计的产生和发展是建立在所有权监督需要的基础上，其他审计形式即国家审计和内部审计的产生和发展也是建立在所有权监督需要的基础上的。

早期国家审计的产生，是由于作为国家象征的皇帝或国王，将自己的财产或国家财产交由专人或专门的部门管理和运用，这样，皇帝或国王对财产的所有权与对财产的实际占有、使用、分配、处置权相分离。于是，皇帝或国王便委派专门的监督机构或人员对保存和运用其财产的专人或专门部门进行监督，国家审计也就产生。在进入现代意义的国家后，国家经由预算收入等渠道取得财产，并通过预算支出交由政府各部门管理和运用，这样，就使得国家对预算收入等渠道所形成的财产所有权,与这些财产被政府各部门实际占有、使用、分配、处置权相分离。于是,国家便委派专门的监督机构或人员对保存和运用其财产的部门进行监督,国家审计得到进一步强化。在国家开始投资于企业后,国有企业产生。国家作为企业的财产所有者拥有所有权,而国有企业的经营者则拥有财产的经管权,这种形成于国家与企业之间的两权分离,也需要国家委派专门的监督机构或人员对经营者保存和运用财产的状况进行监督。这就使国家审计的监督职能得到了进一步扩展。国家审计一经产生,就以专门的机构或人员而存在,并采取了直接隶属国家机构的形式,受国家之委派行使监督权。

  内部审计的历史可以追溯到奴隶社会。奴隶主拥有大量田产,并将自己的私有财产委托给精明的代理人去管理和经营,奴隶主会不定期地委派自己的亲信去审查代理人履行职责的状况。这可以说是内部审计的萌芽,这显然是所有权监督。进入中世纪以后,内部审计有了进一步发展。主要是寺院审计、城市审计、行会审计、银行审计、庄园审计等形式。第二次世界大战后,资本主义经济得到空前的发展,股份公司纷纷出现,企业规模不断扩大,市场环境日趋变化。一方面,股份公司的出现,要求强化其内部治理结构,以保护股东权益。为此,在企业内部要求建立监事会。监事审计是一种凭借私人所有者集团或不同所有制的所有者集团的所有权进行的监督。另一方面,企业规模的扩大,要求企业内部实行分层管理,从而产生了部门内部审计。集团公司、母公司或投资公司等资本经营主体所设立的内部审计,实质上是产生于某一所有者集团的终极所有权与资产经营权相分离的需要,它是凭借所有权进行的监督,我们可以称之为亚终极所有权监督,是附属于终极所有权监督的。

（三）注册会计师审计法律责任的市场含义

1. 注册会计师审计法律责任的产生以审计市场复杂化为背景

市场经济中，任何一种产品或劳务的价格和质量要求取决于该种产品或劳务的市场供需状况。经济学原理告诉我们，生产产品、提供劳务所耗费的社会资源，是决定该种产品或劳务价值的客观基础，但价值的实现是一个社会过程，取决于社会资源配置的客观约束。

在审计委托受托活动中，国家审计与内部审计有其相似性，即这种委托受托关系并不以具体的契约所表现出来，而是以具有长期效能的特定的规定所体现。这种关系在一定程度上具有隶属关系和行政关系。而注册会计师审计活动则不同，它具有明确的、具体的委托受托责任关系，这种关系更多地体现出市场行为，体现出注册会计师的审计服务特性。

注册会计师所提供的审计服务，是服从于市场经济客观规律的。从需求角度看，对注册会计师专业服务社会需要是多方面的，涉及社会不同的利益团体，有企业管理当局，有企业所有者（股东大会或董事会），有政府，有企业的潜在投资者、有债权人、供应商、顾客以及企业员工；从审计的内容（目标）看，涉及公允性、一贯性、合法性，舞弊违法行为的检查，持续经营能力的检查，内部控制状况的检查，经营的经济性、效率性、效果性以及与客户议定的其他特定目标。正是对注册会计师专业服务的特定社会需要的形成和变化，成为注册会计师职业存在与发展的源泉和外在动力。

从供应角度看，注册会计师能够提供的服务种类、质量，取决于注册会计师自身的数量、专业素质及会计师事务所管理水平等因素。为了满足对注册会计师审计的特定社会需要，必然要将一定的社会资源分配用于注册会计师职业，使得会计师事务所在经济上的自立与发展得到保障。经济利益是注册会计师职业发展的基本内在动因。当然，作为理智成熟的职业，注册会计师确信尽可能高质量地满足社会需要是其长远发展的根本所在。

然而，在特定社会的特定历史时期，注册会计师专业服务的供求之间可能是不平衡的。当供大于求时，或者依靠优胜劣汰而将部分供应者挤出市场，或者通过创造或寻求新的需求，从而形成新的平衡。当供小于求时，则需要有新的社会资源投入注册会计师行业；或者，如果行业进入具有相当难度且无替代选择，客观上则要求调整社会需求。否则，在新的平衡形成之前，就会出现注册会计师无法很好地满足社会需求，以致服务质量下降的状况。

为了界定和保障注册会计师审计的质量，就需要将对审计服务的质量要求上升为法律，如果注册会计师的审计服务达不到审计质量要求，将被追究法律责任。当信息使用者因质量差的审计服务而利益受损时，他们就要求注册会计师予以赔偿。

综上所述，审计委托者与受托者表现为审计产品的需求方与供应方，双方与参与审计活动的有关方面（如被审计者等）共同构成了审计市场并依各自利益生成了不同的市场行为。随着社会经济的不断发展，审计市场逐渐多元化与复杂化，与之相适应，审计责任关系也逐渐多元化与复杂化，在这种背景下，注册会计师审计法律责任问题随之产生了。

2. 注册会计师审计法律责任的界定以市场约束机制为基础

注册会计师审计法律责任是审计者、审计委托者、被审计者及有联系的各方在审计活动中所形成的相互责任关系。审计委托者、被审计者以及与审计活动相关的利益者从审计委托成立之日起，就要对其各自的相关行为及其结果承担法律责任，这种普遍意义上的法律责任是对审计活动参加者的一种无形的、持续的约束，发挥着规范审计行为的积极作用。但是，注册会计师审计法律责任具体形式的落实是以审计活动中有关参加者发生质量与责任纠纷为前提的，注册会计师应否承担法律责任以及承担何种形式的法律责任，要以注册会计师是否在审计活动中确实存在失误或舞弊行为为事实依据，并且要有真实、充分的证据予以证实，否则，注册会计师不应承担任何形式的法律责任，这种特定意义上注册会计师审计法律责任的内涵，对审计质量和效果有着消极的影响。

  注册会计师法律责任这种含义的界定是以市场约束机制为基础的。在市场经济特别是资本市场环境下，由注册会计师实施的会计报表审计发挥着不可或缺的重要作用，这种作用具体体现在监督、预警和经济补偿三方面的市场约束机制中。注册会计师审计法律责任的内涵，正是由这三方面内容所构成的市场约束机制所决定的。

  (1) 所有权与经营权的分离是现代企业制度基本特征之一，在发达的资本市场中，这种分离更为彻底。为了保护投资者的利益，有关法律（如美国的《证券法》和《证券交易法》）明确规定，股票上市公司的财务报表必须公开披露，公司的管理当局必须对报表的质量承担法律责任。然而，由于利益冲突、专业知识、时间等方面条件限制，信息不对称问题始终存在。由注册会计师进行的会计报表审计，从专业角度就报表质量发表意见赋予报表可信性，可以在一定程度上解决信息不对称问题，形成对受托管理公司的当局履行其确认、计量、记录与报告会计信息责任的独立监督。正是这种独立监督构成了维护和加强财产委托人与受托人之间的相互信任、合理保障各自利益的基础。但是，一旦这种监督有失独立、客观与公正，财产委托者与受托者之间的正常的经济责任关系得不到保证与维护，审计者与财产委托者和受托者之间的审计责任关系也就会发生紊乱，审计法律责任的内涵就会随之得以界定。

（2）资本市场能否健康稳定发展，对国民经济的发展有着直接的影响，资本市场愈发达，这种影响愈大。资本市场在发挥其资源配置的功能中，信息是最基本、最重要的要素之一。投资者根据公司公布的财务报表及其他信息作出自己的投资决策。信息失真，就会导致投资者决策失误和社会资源的不合理配置，甚至导致巨大经济危机。通过注册会计师的审计，使得社会资源能够尽快、尽早地从管理差、缺乏社会需要和发展潜力的企业中撤离，重新配置到社会所需要的企业或领域。正是这种微观上对单个企业的预警，可以有效地避免因问题被掩盖起来的众多企业日积月累后一次性暴露、爆发而给社会及投资者带来的惨重损失。但是，注册会计师审计作为一种独立的职业，时间和成本上的约束使他们难以在结果上向信息需求者提供会计信息准确无误的保证，只能是"合理地保证"，在这种情况下，其预警作用就有一定的局限性，甚至发生大的偏差，这样，由审计活动各方所形成的审计法律责任问题就有了特定的含义。

（3）注册会计师提供服务取得费用，经济利益的驱动有可能使注册会计师在工作中有失公正。在法律上规定注册会计师对其提供服务质量及发表的意见承担责任，要求注册会计师事务所采用无限责任合伙制或其他证明其承担责任能力和意愿的其他组织形式和手段。注册会计师对财务报表表达了不恰当的审计意见而造成投资者损失的，应当给予经济上的补偿。正是这种补偿机制，成为社会信任注册会计师执业质量的制度及心理保证。它一方面可以在一定程度上减少投资者实际承担的损失，更重要的是在投资者心中建立起对注册会计师执业质量的信任，并督促注册会计师不断地根据社会需要和预期改进工作质量，以质量促发展。应该说，注册会计师审计这种经济补偿制度的本身就反映了注册会计师审计法律责任的一定含义；当注册会计师对会计报表表达不恰当意见的原因是主观要素，并且由此给审计委托者及其他会计报表和审计报告使用者造成重大损失，或者审计责任关系的其他方在审计活动中由于特定原因给注册会计师或有关方面造成重大损失时，注册会计师审计法律责任的含义就会得以更全面界定。

3. 注册会计师审计法律责任的规范以市场有效化为环境

注册会计师审计法律责任是在市场背景下产生并在市场条件下界定的，当然也需要在市场环境中得以规范和完善。

（1）完善业务委托关系。规范注册会计师审计法律责任，需要提高注册会计师审计的质量。在市场有效化条件下，所有者需求决定对审计质量的要求。注册会计师审计监督机制主要是为了保护所有者的利益，审计收费是所有者为了避免受托经营一方损害其利益而付出的成本的一部分。因此，委托人对审计质量的要求，取决于审计对其利益影响的重要性。在我国，由于经济体制尚处于转轨过程，国有股份所有者"虚位"现象仍较为严重。因而尽管有法律、法规的各种规定，要求对国有企业及含有国家股份的企业进行审计，但如果国有代表并不真正需要审计，或者说并不需要高质量的审计，则审计只是一种形式，审计收费越少，他们自身的利益越多。

另外，在我国，所有者不到位的另一个表现是上市公司虚假报告通常只受到国家监管部门的惩处，体现出一种行政关系，股东或潜在投资者通过民法关系与市场行为保护自身利益的不具普遍性。证券市场投资者期望得到回报的主要渠道不是上市公司的良好业绩，而是市场投机，政策保护。

因此，必须完善市场有效化条件下的审计业务委托关系，科学的审计业务委托关系表现为：审计业务必须由审计信息最重要的需求者来委托。由此，我们可以为审计业务委托关系的改善提出以下建议：

其一，通常情况下，审计业务应由企业所有者来委托；

其二，在企业所有者分散的情况下，应由所有者集体来委托；

其三，当相关利益主体成为审计信息最重要的使用者时，应由相关利益主体来委托。

（2）淡化国家对注册会计师审计行为的直接干预。注册会计师审计产生于两权分离后所有权监督的需要，并随着市场经济发展而发展，其法律责任得以逐步界定。规范和完善注册会计师审计的法律责任，需要继续在优化的市场环境中进行，需要提供给有利于注册会计师执业行为的优化的、有效的市场经济环境。在我国，目前尚处于由计划经济向市场经济转换过程中，国有企业和国有经济成分占有主导地位，国家从行政管理者和所有者双重身份出发，制定了具体的各种法规来约束、规范企业的行为，其中有些是为了保护国家所有者的利益，有的是为履行国家发展经济职能，有的则关系到国民经济或市场经济的运行秩序。因此，在我国，检查违反法规行为意味着注册会计师担负着更大的任务和责任，需要更多的经济资源。会计研究成果表明，财务会计信息只能满足利益有关各方的一般需求,如果要求企业提供能够满足各方面特殊需求的信息,在社会资源有限的情况下,成本太高难以实现。同理,政府宏观管理的需要是多方面的,要求注册会计师满足所有特殊需求,也必然因要求耗费过多的社会资源而无法实现。

因此,在我国建设市场经济体制、转变政府职能的过程中,国家应当明确,在有限的社会资源条件约束下,给注册会计师执业提供有效的市场环境和条件,为国家进行宏观监控发挥作用是最为重要的。国家管理经济由行政导向转为市场导向,是合理确定注册会计师审计质量目标与质量要求,充分利用有限的注册会计师审计资源的另一重要的制度基础。

(3)完善会计师事务所的责任约束机制。注册会计师应在有效的市场环境中进行执业,会计师事务所应建立符合市场要求的约束机制。会计师事务所发挥其社会功能的前提条件之一,是注册会计师不仅在专业水平上,而且在经济基础方面,确有能力对注册会计师审计的质量承担责任。在发达国家,无限责任合伙制一直是会计师事务所的主要组织形式,直至20世纪80年代末90年代初,才开始在法律上允许成立有限责任合伙制和有限责任公司制的会计师事务所。即使在法律上解除了禁令,各会计师事务所仍然十分谨慎,若干年后才采用有限责任合伙制这一形式。迄今为止,很少有事务所采用有限责任公司的组织形式。究其原因,不是因为会计师事务所不愿意规避风险,而是因为怕失去公众的信任、丧失保障和提高审计质量的动力。在法律上允许采用有限合伙制和有限责任公司制,一方面讲是由于法律诉讼之多已危及注册会计师职业界的生存和发展,从另一方面讲,则是由于会计师事务所经过多年的发展已积累了较强的经济实力,职业责任保险也已具备了相当的规模。如果没有这样的经济基础,投资者及其他审计报告使用者对注册会计师的信任就会丧失一条重要的心理保障。法律的变化,正是利益相关团体基于客观实际的变化相互协调的结果。

深入考察会计师事务所约束机制问题,还涉及会计师事务所规模与客户规模相对应的内在要求。如果会计师事务所规模从经济上、人员数量与素质等方面与客户的规模不对应,则其审计的质量难以保障。国际五大会计师事务所包揽了百分之八十五以上国际上最大的跨国公司的审计业务,正是这种内在要求的必然结果。

在我国,对会计师事务所执业责任的检查逐步走向规范化、经常化,对违反职业道德弄虚作假的注册会计师和会计师事务所,均给予了必要的惩处。但是,经济方面要求注册会计师和会计师事务所给予赔偿则远远不够。在美国,为解决法律诉讼,会花费9%~12%的审计和会计服务收入,涉及的诉讼金额高达300亿美元。我国迄今据报道已有1000多例起诉的案件,但集中在少数地区和个别所且主要涉及验资业务。证券市场上曾发生许多起因虚假会计信息给投资者造成巨额损失的事件,注册会计师及会计师事务所则很少被人起诉,即使是起诉或证监会给予惩处,涉及金额也十分有限。在国有企业审计中,几乎没有注册会计师及会计师事务所因审计质量被起诉而给予经济补偿的。会计师事务所及注册会计师对审计质量承担责任的经济约束缺乏刚性和力度,是注册会计师审计质量保障机制重要的制度缺陷。

因此,会计师事务所必须建立完善的约束机制,以提高审计质量,防范和规范注册会计师审计法律责任。完善的会计师事务所约束机制主要体现在具有健全的组织形式、合理的工作流程、系统的审计结果考评方法、科学的奖惩制度等方面。

（4）完善独立审计准则的生成机制。独立审计准则是规范与保护注册会计师执业行为的一把双刃剑。从国内外审计失败的教训看，注册会计师不遵守独立审计准则是导致审计失败的主要原因，遵守了独立审计准则不仅有利于避免审计失败，还可以为其摆脱因接受不良客户导致的诉讼提供充分的法律依据。因此，必须制定健全有效的独立审计准则。制定健全有效的独立审计准则，关键在于完善独立审计准则的生成机制。注册会计师审计是一种市场行为，其行为准则的制定无疑应体现出市场经济的运行规则。正如前述应淡化国家对注册会计师审计行为的直接干预一样，应淡化独立审计准则制定上的行政色彩。当然，淡化不是拒绝，问题是政府部门在独立审计准则制定及修订过程中，均应建立科学的协调与决策机制，强调民主化与透明度，理顺社会与注册会计师职业界的沟通渠道，使确定的注册会计师审计目标及质量要求能够兼顾社会需要与职业界水平之间的平衡。

二、注册会计师审计法律责任的形成过程

改革开放给我国注册会计师行业创建了广泛的发展空间。注册会计师自80年代初恢复以来，在社会主义市场经济建设中发挥了其他行业不可替代的作用。然而，它毕竟只走过近20年的历程，较之国际会计师行业150多年的发展历史，还显得较为年轻。因此有必要对注册会计师及其法律责任的发展过程作细致的总结研究，掌握注册会计师法律责任的历史背景，并从理论上探讨注册会计师法律责任的规范。中国注册会计师行业在恢复初期，审计理论界对注册会计师法律责任的研究未能引起足够的重

视,这同当时的社会历史背景具有密切的关系,由于当时在执业实践中还没有出现有关注册会计师法律责任的诉讼案例。进入90年代以后,由于改革开放的纵深发展,市场经济建设的不断推进,注册会计师因验资业务纠纷而被推上民事法庭的事件越来越多,并逐渐蔓延到审计、工商年检、评估、盈利预测等所有注册会计师参与的业务之中,形成一股注册会计师行业始料不及的诉讼浪潮。根据中国近年来发生的一些较有影响的典型案例和相继出台的法律法规,我们把注册会计师法律责任的发展过程划分为萌芽期、产生期、发展期和规范期四个阶段。

(一)萌芽期

这一时期可以从1981年在上海成立中国经济体制改革后的第一家会计师事务所开始,它标志着我国注册会计师行业得以恢复建立。大约持续到1991年共计10年时间,注册会计师行业可谓生活在"世外桃源"之中,① 客户几乎没有就审计业务同审计职业界发生法律纠纷,而主管该行业的财政部门也从未因注册会计师工作过失对他们进行任何处罚,这一段时间可以称为中国注册会计师法律责任的萌芽期。

在法律责任发展的萌芽期,有其特定的社会经济环境:

就职业外部来讲,注册会计师行业是新生事物,处于发展初期,人数也相当有限,也没有对社会经济环境产生太大的影响。同时,国家出于促进注册会计师行业发展的需要,更多地从政策方面保护注册会计师职业界的利益,在体制上把注册会计师看作

---

① 李若山、周勤业:《注册会计师法律责任理论与实务》,中国时代经济出版社,2002年,第63页。

国家干部，把事务所作为国家事业单位，没有从法律上考虑注册会计师是否应承担法律责任。

就审计客户来讲，当时会计师事务所面临的审计对象大部分是三资企业，这些企业的特点是投资各方一般都直接参与了企业的经营管理，而不像股份公司那样，存在明显的所有权与经营权的分离，这些企业财务报表的编制与使用基本上是同一层次的。一些国家行政机构尽管在一定程度上也要求三资企业提供财务报表与审计报告，如税务、工商以及外资管理机构都有这样的要求。但这些机构只是出于形式上的要求，他们更多地相信自己的实地审核，故对审计结果并不过于依赖。因此，他们较少去关注及追究审计人员在工作中是否存在过失。

就审计报告使用者来讲，当时的一些股份企业尚处于试点阶段，加之国家经济当时处于一种求大于供的状态，企业经营风险很小，很少发生因企业经营不善而破产清算的情况。投资者在作出投资决策时很少考虑企业的财务状况和审计报告。

就职业内部来看，审计准则及职业道德准则缺位，职业技能的参差不齐及职业机构的不完善，使得审计质量缺乏统一的衡量标准。当时的审计程序大量依赖经验判断，外界很难评判审计工作质量的优劣，加之国家保护、社会也没有惩处审计职业界质量低劣的服务要求，因而注册会计师在这一阶段也就根本谈不上承担法律责任。

综合以上因素，我们可以看到，在这一阶段，审计各方都很不成熟，存在很多隐患，客观地说，审计风险很大，只是由于特定地内外环境导致在当时审计风险没有得到应有的暴露，注册会计师职业界没有感到外部压力，因此，从表面上看，在这一阶段，注册会计师行业发展较为顺利，没有任何法律诉讼。但这并不表明注册会计师就可以不承担任何法律责任，随着环境的变化，隐患会逐渐的爆发出来，萌芽期终将过去，注册会计师法律责任的产生如箭在弦上，一触即发。

（二）产生期

这一时期的时间为1992～1995年。当时宽松的经济环境与对商品经济发展的强烈要求，使得中国几乎是以几何级数的速度创办了无数个各种各样的企业，这些企业的创办带来的验资与审计业务，为处于成长状态的注册会计师行业的生存和发展奠定了坚实的物质基础。但同时，随着市场经济体系的建立，企业法人及社会个人的风险意识也逐渐加强，对企业财务信息及质量有了较高的要求。1992～1993年，深圳原野公司事件和北京长城公司事件的发生，引起了人们对深圳特区会计师事务所和北京中诚会计师事务所法律责任的关注，并揭开了中国对注册会计师法律责任认识的序幕。[①] 而国家有关部门和中国注册会计师协会也意识到了注册会计师的发展必须与其责任同步，因此，对注册会计师行业的法律责任重新予以审定，在明确注册会计师的法律责任的同时，从法规制定、制度建设、职业惩处三方面，对注册会计师行业的行为进行规范。这些规范以法规方式表现在如下几个方面：

1993年4月国务院颁布《股票发行与交易管理暂行条例》，规定了注册会计师在证券市场中的责任，其中第七十三条规定了注册会计师对源于自身过失和欺诈行为所应承担的法律责任。

---

① 李若山、周勤业：《注册会计师法律责任理论与实务》，中国时代经济出版社，2002年，第65页。

1993年7月1日开始实施《企业会计准则》，使注册会计师判定会计报表是否公允表达有了依据。

1993年8月国务院证券委员会发布《禁止证券欺诈行为暂行办法》，明确规定了注册会计师在证券市场上对出具虚假、误导性报告所应负的责任。

1993年12月29日发布了《中华人民共和国公司法》，确立了公司年度报表审计制度，从法律上明确了注册会计师的法律责任（源于自身过失和欺诈行为），要求注册会计师承担更大的职业风险。

1994年1月1日《中华人民共和国注册会计师法》实施，确定了注册会计师如有欺诈行为应承担法律责任，并为过失行为及第三者的责任作出了更进一步的规定。

同时，从1992~1995年，我国注册会计师行业主管部门对影响全社会的三大审计案件，即深圳原野公司、北京长城公司和海南中水集团公司中的有关注册会计师进行了严肃处理。其中有些注册会计师因重大过失或故意欺诈而受到了刑事处罚。这一系列审计案件的处理及相关法律、法规的出台，标志着注册会计师法律责任产生时期的形成。

上述三件审计案例的发生，除了我国注册会计师本身职业道德与素质之外，也与注册会计师没有意识到他们因工作过失或出现故意行为时，要对此承担法律责任有关。

实际上，由于环境改变，社会公众对注册会计师行业的作用有了越来越多的了解，因此，对他们的期望也越来越高，一旦这种期望落空，他们就会运用法律手段来保护自身利益；而另一方面，注册会计师们的法律意识却仍处于空白阶段。注册会计师法律观念淡薄，还将自己的思想观念停留在不必承担任何责任的第一阶段。正是这种意识上的差距或者说期望的差距迫使注册会计师们承担上述三大审计案例中的连带责任。实际上，这三大审计案例是公众及政府对注册会计师职业界敲响了警钟，推动注册会计师法律责任逐步发展。然而，由于这三个审计案例尽管有很大的社会影响，但面对 4000 多家会计师事务所，这毕竟还属于个案。行业主管部门虽然做了严肃处理，但事过境迁，很快就被迅速发展的形式所淡忘。注册会计师法律责任的危机仍然存在，特别是民事责任方面。随着形式的进一步发展，我国注册会计师行业的法律责任逐步由产生期转向发展期。

（三）发展期

上述三大审计案件是公众及政府对注册会计师职业界敲响了警钟，推动了注册会计师法律责任向更深层次发展。1996 年 1 月 1 日《中国注册会计师独立审计准则》的发布，以及 1996 年 4 月 4 日最高人民法院 56 号法函规定，揭开了注册会计师法律责任纵深发展的序幕。[①]《中国注册会计师独立审计准则》确立了注册会计师行为上的执业标准，使社会公众对注册会计师工作质量有了衡量尺度，提供了识别注册会计师有无过失行为的依据。最高人民法院第 56 号法函更是成为注册会计师出具虚假验资报告的民事法律责任的第一个专门司法解释，也使得社会公众对注册会计师的民事责任有了更深刻的关注。这些法规的出现标志着注册会计师法律责任走向了纵深发展阶段，并为注册会计师法律责任的界定奠定了法律基础。

---

① 李若山、周勤业：《注册会计师法律责任理论与实务》，中国时代经济出版社，2002 年，第 67 页。

1994年6月,当四川省德阳市东方贸易公司与山西太原南郊化工厂因债务纠纷案而将四川德阳市会计师事务所牵涉进去以后,给当地法院如何依据有关法规来处理注册会计师民事责任带来了新的课题。无奈之下,他们只得将这一新课题向中国的最高司法机构——最高人民法院予以请示。1996年4月4日,最高人民法院以法函[1996]56号的方式,作出了《最高人民法院关于会计师事务所为企业出具虚假验资证明应如何处理的复函》,第一次以具体的司法解释进一步明确注册会计师应向谁负责,应如何负责。尽管以法律规范来看,这一司法解释比较原则与抽象,但其历史意义却是相当深远的。

最高人民法院56号法函的回复很快流传,以至于每当涉及经济债务纠纷案时,原告都会援引56号复函,首先复查注册会计师当时的验资报告,只要发现验资报告的结果与事实有出入,立即将注册会计师列为第三被告、第四被告……直至第十七被告。由此掀起了一股状告注册会计师的猛烈风潮。

而与"原野"、"长城"、"新华"三大审计案件不同的是,56号函不仅第一次以司法解释的形式确定中国注册会计师在开展业务过程中要对业务的委托人负责,而且也要对与此有关的第三者负责;不仅要负一般民事责任,而且还要承担具体的经济赔偿责任。德阳事件表明,随着我国市场经济的发展,财务报表、验资报告以及审计结果的影响得以扩大,使审计结果从原来只对委托人负责,逐步发展到了对股东、债权人、顾客、政府及一般公众负责,从只负责诚实经营扩大到还要合法使用资金和承担社会责任。审计功能在市场经济中的重要性日益凸显,人们对它的认识也日益深刻。这些职业外部的变化,使客户、不确定的利益关系人、国家行政机关等越来越依赖审计所提供的信息,无疑对注册会计师的审计质量提出了更高的要求，也无疑加大了注册会计师的经济责任和法律责任。而在职业内部，会计师事务所的逐步脱钩改制，部分切断了其原来的行政保护，使注册会计师意识到需对自己的行为负责，一旦发生过失和故意行为而使社会公众利益遭到损害时，受害人会借助法律手段追究注册会计师的经济责任和法律责任，这些变化也促使注册会计师逐步重视自身的法律责任。

（四）规范期

2001年爆发的银广夏事件，引起了会计界和法律界广泛的关注，展开了一场对于注册会计师法律责任的大讨论，从而掀起了注册会计师法律责任规范的序幕。

2001年8月3日，一支深受投资者追捧的2000年度沪深股市的大牛股，在《财经》杂志一篇题为《银广夏陷阱》的文章发表之后，终于被彻底地揭开了美丽的面纱。经中国证监会查明，银广夏公司通过伪造购销合同、伪造出口报关单、虚开增值税专用发票、伪造免税文件和伪造金融票据等手段虚构主营业务收入，进而虚构巨额利润达7.45亿元（其中1999年1.78亿元，2000年5.67亿元），而作为承担银广夏审计业务的深圳中天勤会计师事务所及其签字注册会计师刘加荣和徐林文严重违反有关法律法规，为银广夏公司出具了严重失实的审计报告。银广夏事件，无疑是一颗重磅炸弹，给证券市场与会计市场带来了巨大的冲击。而对作为"不吃皇粮的经济警察"、"社会公众的终极委托者"的注册会计师及其所从事的社会审计行业，所造成的影响和伤害尤为严重。

从银广夏业绩的奇迹性转折，到银广夏的股价神话，乃至摆在人们面前的整个骗局的曝光，给各界带来震惊之余，也引发了多方面的思考。

　　注册会计师审计在我国恢复、发展的历史不过 20 多年，各监管机构包括省级以上财政部门、中国证监会、中国注册会计师协会，为中国注册会计师行业的规范和发展、完善注册会计师行业的管理体制、加强行业自律和注册会计师审计质量控制倾注了大量的心血，制定了一系列的法律法规，包括《中国注册会计师法》、《证券法》等等，但注册会计师却屡越红线，从琼民源事件到黎明事件、麦科特事件，直至银广夏事件，监管部门打假可谓不遗余力，但造假事件却屡禁不绝、层出不穷，一次比一次严重，一次比一次更具破坏力，很难不使人们对监管机构的监管能力与监管水平提出质疑。

　　人们在讨论注册会计师承担法律责任的同时，却发现现有的相关法律法规在实际运作中存在很多问题。有关法律法规不统一，对于同样的事件，不同的法律适用不同的处罚规定。有关用语不具体，缺乏操作性。常见的是"情节严重"；"构成犯罪的，依法追究刑事责任"等等，究竟怎样才算情节严重？怎样才构成犯罪？等等，没有一个具体的标准。会计界、会计学界普遍认为注册会计师法律责任界定的依据应当是《中国注册会计师独立审计准则》，而法律界和公众等非专业人士认为《中国注册会计师独立审计准则》是一种行业规范，不能将其作为注册会计师规避法律责任的依据。那么到底以何为依据，怎样界定注册会计师法律责任呢？会计界和司法界的另一个分歧在于对注册会计师法律责任的追究是以结果真实为前提还是以过程真实为前提，而会计界与法律界的分歧怎样弥合？已有的法律法规不全面，对于注册会计师在哪些情况下要承担责任，承担什么责任，承担到什么程

度等问题都没有完整全面的规定，这给合理界定注册会计师的法律责任，判定具体的处罚带来了很大障碍。

所有这些都是摆在人们面前的亟待解决的问题，社会各界包括学者、公众、媒体、政府和司法等来自社会的各方面都纷纷加入了讨论行列，积极的献计献策，期待着我国注册会计师法律责任规范体系的早日构建成熟。

银广夏事件的爆发就像一个引擎，激发全社会对注册会计师法律责任的广泛关注，同时也将注册会计师法律责任的规范问题提到了日程上。到目前为止，学术界和实务界已经涌现出了大量针对政府监管和法律完善的改革思路，其中有一些已经得到相关人士和部门的认可，相信在不久的将来，必将出台一系列有力措施，切实解决我国当前注册会计师法律责任问题。可以说，从银广夏事件至今直至未来的一段时间，将是我国注册会计师法律责任规范体系不断成熟和完善的时期。我们也期待着，随着相关措施的完备，注册会计师行业能够迎来春天。

三、注册会计师审计法律责任的形成机理

了解了注册会计师法律责任的形成过程，我们不禁要问造成注册会计师法律责任形成原因何在，形成机理又是怎样发挥作用的呢？只有深刻的认识这一问题，才能为下面界定注册会计师法律责任和注册会计师法律责任的规范提供依据。

（一）注册会计师审计法律责任形成原因综合分析

注册会计师审计行为涉及很多方面，有构成注册会计师审计市场的基本当事人包括社会公众、被审计单位、会计师事务所、

注册会计师四个方面；还有对注册会计师审计产生间接影响的法律环境、市场机制、环境变化三个方面。所有这些因素综合起来，构成了注册会计师法律责任形成的原因。下面我们将详细的对这些因素进行分析，看看他们是如何对注册会计师法律责任的形成产生影响的。

1. 社会公众方面引起注册会计师承担法律责任的原因分析

社会公众是审计业务的使用者，也是对注册会计师提起诉讼的主体。由于其对于专业知识的缺乏以及与审计职业界相比对审计期望过高，往往对注册会计师应当承担的法律责任有所高估。而且，随着其法律意识的增强，一旦受到损失，就想到运用法律武器追究注册会计师的责任，以降低损失的程度。在这种情况下，不可避免对注册会计师的法律诉讼此起彼伏。

（1）社会公众对会计和审计责任、经营失败和审计失败界定不清。社会公众往往对会计责任和审计责任区分不清，一旦出现问题，倾向于将所有的责任都归结为审计责任，增加了注册会计师法律责任的范围。建立健全内部控制，保护资产的安全、完整，保护会计资料的真实、合法、完整是被审计单位的会计责任；而审计责任是指注册会计师按照独立审计准则的要求出具审计报告，保证审计报告的真实性、合法性。注册会计师审计的目的在于通过其审计，对被审单位会计报表的可靠程度作出合理保证，而非百分之百的保证。注册会计师只应对审计报告的真实性、合法性负责，不应承担被审计单位的会计责任。如果注册会计师没有尽到合理注意的义务，工作粗疏，不能查出被审计单位会计资料中存在的明显的、重大的错误或舞弊等违法行为，发表了不恰当的审计意见，给根据该会计报表进行信息决策者造成了损失，则应承担相应的法律责任。

另外，对经营失败和审计失败的混淆也是造成注册会计师法律责任增多的一个重要原因。企业常常面临着失败、亏损甚至破产，这就是经营风险。经营风险的极端情况就是经营失败。企业作为市场经济中独立的生产者和经营者，应自主经营、独立核算、自负盈亏、自担风险。经营失败的损失只能由企业自己承担，而不能把损失转嫁给其他任何一方，包括注册会计师。而审计失败则是指注册会计师由于没有遵循公认审计准则而形成或提出了错误的审计意见。导致审计失败的原因是注册会计师未能遵循独立审计准则，比如：对被审计单位情况不够了解；未实施必要的审计程序；明知被审计单位的会计报表有重大错误、舞弊而不揭露等，其结果是注册会计师签发了错误意见的审计报告。审计失败和经营失败不一定同时出现，出现经营失败时，审计失败可能存在，也可能不存在。

（2）相比注册会计师审计职业界，社会公众对审计期望值过高。公众是注册会计师法律责任形成的重要因素。公众对审计应起作用的理解与审计人员及审计职业界自身对审计业绩的看法之间存在差异，即审计期望差距。公众总期望注册会计师能够保持职业上应有的认真和谨慎态度，依据审计准则的要求，通过实施必要和适当的审计程序，查找并发现所有失实的错误与舞弊，防止企业公布容易产生误导的财务报告，并及时报告企业难以持续经营的有关情况。但由于现代社会经济现象十分复杂，用会计语言表达经济业务有一定局限性，以及现代造假技术十分高超等，使得注册会计师在鉴别会计信息的真伪时受到相当大的限制，审计结果常带有很大的不确定性；另外，审计本身存在固有的限制，决定了审计不可能发现报表中的所有差错。首先，出于成本效益原则的考虑，现代审计不可能是详细审计，只能利用抽样方法；其次，现代审计以对企业内部控制的审查为基础，而企业内部控制不可避免地会存在缺陷，或由于人为因素使内部控制失效；再次，审计离不开审计人员的专业判断。应通过多渠道的宣传，使社会公众特别是财务报表使用者正确认识注册会计师的实际作用。注册会计师只是在一定程度上提高了财务信息的可信性，而不是对会计信息可靠性的绝对保证，注册会计师不可能揭示所有舞弊，特别是那些精心伪造的舞弊。但是社会公众往往将审计意见视同对会计报表的担保或保证。一旦发现所依据的会计报表存在错报和漏报，以致影响了他们的决策，就会想到把注册会计师送上被告席。这种公众的期望值与注册会计师实际审计能力之间的差异，经常会导致审计纠纷，使注册会计师承担一定的法律责任。

(3) 社会公众法律意识增强。公众法律意识的增强是注册会计师法律责任形成的又一重要因素。随着社会的进步，公众的法律意识不断增强。同时我国的法制建设也日趋成熟和完善，人们越来越注重利用法律手段来维护自己的合法权益。在现代复杂多变的经济环境中，由于企业经营失败或管理当局舞弊造成的破产倒闭的事件剧增，使投资者和债权人蒙受很大的损失，从而指控注册会计师未能及时揭示或报告这些问题，并要求其赔偿损失。基于我国的立法原则和迫于社会的压力，法院的判决有逐渐倾向于保护投资者利益的趋势。若受害人胜诉，可获得潜在利益，而若败诉则遭受的损失却极小。因此对注册会计师的诉讼案件日渐增多，从而加重了注册会计师的法律责任。

2. 被审计单位方面引起注册会计师承担法律责任的原因分析

被审计单位提供的会计资料不实是注册会计师承担法律责任

的导火索。被审计单位为了达到其单方面利益要求，出具虚假的会计信息；或由于其自身体制问题，无意中产生了不实的会计信息。无论出于何种情况，都对注册会计师审计制造了障碍，引起注册会计师法律责任的产生。

（1）被审计单位内部控制体系不完善。现在的实务中，大部分采用了制度基础审计，即依据审计人员对被审单位的内部控制制度的评价基础上的抽样审计。被审单位的内部控制制度是基础，如果被审单位的内部控制制度不健全或虽然健全但执行不好时，制度基础审计也就失去了意义。而我国由于市场经济的发展处于初级阶段，大部分企业内部控制体系很不健全，无法发挥应有的作用，这必然会限制以内控制度为基础的审计业务的进行，加大了审计风险。另外，不论被审计单位的内部控制制度设计和运行得多么有效，一旦企业内部人员串通舞弊，内部控制制度就会失去作用。此外，以内控为基础的抽样理论虽然是建立在科学的基础上，但在实际应用中，不能保证所抽取的样本一定能代表整体，加之内控本身存在问题，进一步影响了样本的代表性和准确性。因此，不能指望注册会计师通过审计查出会计报表中所有的错误和舞弊，注册会计师即使恪尽职守，保持应有的职业谨慎，仍然不能保证查出会计报表中存在的全部错报。

（2）被审计单位内部治理结构的不完善。在我国的股份公司中，股东大会、董事会不能真正起到对公司经营管理层应有的控制作用，很多公司经理本身就是董事长或董事会重要成员，来自于发起人或控股股东的经营者事实上集公司决策权、管理权、监督权于一身，股东大会形同虚设。在这种治理结构下，经营者既是被审计人，又是审计的实际委托人。在审计交易中，经营者决定着会计师事务所的聘用、续聘、收费等事项，会计师事务所明显处于被动地位，难免造成注册会计师屈从于管理当局的压力，出具不实证明材料，致使其牵涉到法律诉讼之中。

3. 会计师事务所方面引起注册会计师承担法律责任的原因分析

会计师事务所作为审计业务的承接方，以其整体对外承担责任，正常情况下，没有理由不关注其审计风险并竭力避免承担法律责任。但是，我国现阶段会计师事务所存在许多弊病，使其很难在审计中保持独立性，保证审计质量，从而导致其承担法律责任事件的产生。

（1）会计师事务所的经济因素。注册会计师组织是一个自我经营、自我发展的群众组织，它自收自支，独立核算，依法纳税，不依附于任何机构，它的生存和发展都必须以一定的经济利益为基础。一方面注册会计师组织要履行社会鉴证和经济监督职责；另一方面又必须同其服务对象进行合作，以寻求一定的经济利益。在我国一些政府部门为注册会计师组织制定了最低的收费标准，但这些收费标准都以资产或资本额为参照，较少地考虑具体项目的复杂程度、审计风险等因素。同时行业间的竞争十分激烈，在经济利益的驱动下，个别注册会计师组织为了争夺客户，竞相杀价，降低收费，甚至为片面追求创收而迎合被审计单位的不合法要求，其业务质量可想而知。为了生存，注册会计师不得不降低审计成本或为了追求更大的经济利益而为被审计单位出具不真实的审计报告。因此某些注册会计师组织盲目追求经济利益，而不注重服务质量成为注册会计师承担法律责任的一个重要因素。

（2）会计师事务所与被审计单位关系复杂。由于历史遗留和经济原因，我国目前大部分会计师事务所与被审计单位有着审计业务之外的复杂的联系，审计独立性较低。这是造成现阶段注册会计师法律责任泛滥的一个重要原因。以前我国会计师事务所隶属于行政机关，客户大都由行政机关指定且保持稳定的合作。在长期的业务往来中建立了密切的关系。虽然脱钩改制后，情况有所改善，但事务所与原挂靠单位有着千丝万缕的联系，许多客户仍旧是脱钩改制前保留下来的老客户，这些都为提高审计独立性带来了隐患。事务所不仅对被审单位的虚假报告视若无睹，甚至为其出谋划策，积极参与造假，审计独立性遭到严重破坏，加大了承担法律责任的几率。从经济角度看，事务所为了扩大收入，拓展业务范围。不仅从事审计业务，还涉足咨询、代理建账、代理纳税等业务。为了维持高额的其他业务收入，不惜屈从于被审计单位的不合理要求，降低审计质量，出具虚假报告。

（3）会计师事务所体制不顺。我国目前绝大多数事务所都采取了有限责任公司的形式。注册会计师以其出资额为限承担法律责任，几十万元的注册资本承担的却是涉及几个亿、数十亿数额的业务。在这种责任有限的情况下，事务所的败德成本很低，潜在收益却很高，注册会计师便容易进行职业冒险。发达国家的审计实践证明：不经过对信用体系的培养和酝酿，直接逾越合伙制而采取有限公司制是不可行的。

4. 注册会计师方面引起注册会计师承担法律责任的原因分析

我国注册会计师自身对于其所承担的法律责任具有不可推卸性。某些注册会计师在审计过程中缺乏起码的职业道德和职业谨慎，不注重后续学习提高自身的职业素质，没有基本的风险防范和法律意识，导致其不得不承担大量的法律责任，因此纠正自身的行为才是解决问题的关键。

(1) 某些注册会计师缺乏职业道德和职业谨慎。职业道德是指注册会计师在执业时应遵循的职业道德、职业纪律、职业责任等行为规范的总称。在执行审计业务时，注册会计师对特殊事项未予回避而偏离独立原则；或不以客观事实为依据，掺杂个人主观，牺牲一方利益而使另一方受益，违背独立、客观、公正的原则，与被审计单位管理当局相互勾结、弄虚作假，出具不真实的审计报告，欺骗公众；承接自己不能胜任、按时按质完成的业务；在工作中缺乏应有的敬业精神，对业务、事务责任心不强，不能严格按专业标准的要求执行业务、出具报告，对某些明显的错误未能及时发现并指出等，这些很可能加剧审计风险，导致法律诉讼。

职业谨慎是指在进行审计业务时应保持的职业关注。许多审计人员或对交易事项缺乏应有的专业怀疑，或收集的审计证据明显不足，或运用不当的审计程序，或过分信赖管理当局，或对客户舞弊的研究与重视不够。不谨慎的执业态度必然会导致法律责任的承担。如对银广夏进行年报审计的中天勤会计师事务所未能对关键证据如海关报关单、银行对账单、重要出口商品单价等亲自取证，也是其审计失败的一个重要因素。

(2) 某些注册会计师能力素质低下。审计工作中需要运用经验判断，而判断能力的强弱直接关系到注册会计师的审计质量。由于客观环境的不断变化，审计内容的复杂与广泛，审计人员的经验与能力总是有限的。况且注册会计师在现阶段主要是通过考试取得从业资格，有些人的审计经验还不足，对有关的法律法规的理解不够，在审计工作中难免会出现一些差错，以致造成了被控告的隐患。加之当前我国会计体系正处于同国际接轨的阶段，加入WTO等也加快了这一进程。如：新准则、新法规不断颁

布，加之拓展业务的要求，即使已取得了资格考试合格证书，也应不断加强后续学习和培训。但许多注册会计师对此不甚重视，也不去拓展自己的知识面以适应业务发展日益复杂的需要。

（3）某些注册会计师进行风险防范和承担法律责任的意识淡薄。由于我国注册会计师行业的产生与发展，是在我国经济转型环境中进行的，因此，绝大多数注册会计师比较习惯计划经济模式中的行政管理方式，而缺少市场经济中的法律意识。许多注册会计师不知道与他们责任有关的民法通则的内容，也不知道新刑法规定了注册会计师因工作过失要承担刑事责任。即使是专门针对注册会计师的法律规范，有的注册会计师也未必予以关心。这就造成了注册会计师在执行审计业务的过程中，常常忽略责任，使得注册会计师承担法律责任的可能性大为增加。

当前，我国注册会计师只注重区分上市公司和非上市公司、私营企业和国有企业、大公司和小公司，而不区分不同类型客户的不同风险，均实施一视同仁的审计程序，导致了不必要的审计失误。以通常的审计程序来审计高风险的企业，难免会遭受审计失败。在审计高风险行业的客户时，审计人员应注意评价该客户的内部控制。一般而言，金融行业的固有风险都非常高，这是由金融行业本身的业务性质所决定的。在其他条件不变的情况下，可接受的检查风险就非常低。这就要求审计人员搜集更多的审计证据，以支持审计结论。上市公司的审计风险也很高。由于存在股价压力，上市公司一般都会在销售收入的确认上放弃稳健原则，提前确认销售收入，有时甚至不惜采取一些非法手段，夸大销售收入，而在费用计算方面，却常将本应作为当期的费用资本化。在审计上市公司时，注册会计师往往在高报酬的诱惑下，忘记了风险的存在。

5. 法律环境方面引起注册会计师承担法律责任的原因分析

我国当前法律环境的不完善是引起现阶段注册会计师诉讼爆炸的一个重要原因。法院对"深口袋"理论的广泛运用加大了注册会计师承担法律责任的深度和广度。另外，我国法律本身存在的诸多不足使得在对注册会计师应承担的法律责任进行判定时产生疑惑，很难找到统一的标准，这又为注册会计师的法律责任问题蒙上了一层阴影。

（1）法律界习惯用"深口袋"理论判定注册会计师法律责任。"深口袋"理论是指任何看上去拥有经济财富的人，不管其是否有过错或应受惩处的程度如何，其所受到的法律起诉的可能性往往大于一般的普通公众。[①] 根据公众的一般社会道德标准和习惯，人们总是倾向于同情"受害者"、弱者或穷人，而忽视该结构产生的真正原因。这种现象在有关注册会计师的法律诉讼问题上显得十分突出。社会公众日益感到注册会计师是拥有较多财富的团体，不管他们是否真正有错，只要在经济纠纷中将他们推上被告席，就很有可能获得经济上的补偿。由于会计师事务所具有相当的经济赔偿能力，当其他部门对工作要求方面的法律约束处于空白，或者其广度和力度不及注册会计师行业时，往往出现对注册会计师判罚过重的倾向。在有的案件中，注册会计师作为连带责任人成为第三、第四甚至第十七被告，而其判罚甚至比直接责任人还要重。而发生在美国的近30年来的判例，也在某种程度上支持了社会公众的这种"逻辑"。

"深口袋"理论加大注册会计师法律责任的深度和广度。将一部分不应由注册会计师承担的责任归责到注册会计师的身上，

[①] 文广伟：《注册会计师的法律责任》，企业管理出版社，2002年5月，第8页。

将应该由几方面当事人共同承担的责任归属为注册会计师一方。例如：对于一些"皮包公司"的注册追究责任时，除了为其验资的注册会计师以外，为其出具资金证明的银行和办理登记的工商部门是否也应承担必要的责任？一些公司的改制和并购是在有关部门的授意下进行的，而会计师事务所的工作则成为简单地履行手续，在追究报告失实责任时，谁又应该负责呢？总的来说，当诉讼案件有共同过失责任时，由于法律的不对称性和不均衡性，导致对其他过失人和责任人的判罚缺乏足够的法律依据，司法部门只能采用"理性无限连带责任"的判例原则，运用"深口袋"理论确定责任。这一理论的贯彻，表面上起到平衡社会机制的作用，但实际上，由于责任与权利不相匹配，注册会计师经常成为法律责任的主要承担者。这也变向鼓励了一些不承担经济责任或承担能力较差的部门和个人出具假报告、假证明，而把责任转移给注册会计师。因此，制定相关的法规，明确相关部门的法律责任，是我国今后法制建设的一个重要内容。

（2）法律规定之间存在矛盾。我国关于注册会计师法律责任问题的规定由于颁布时间不一致，以及散落在不同的法律体系中，出现了一些不统一甚至相互矛盾的规定。主要体现在以下两个方面：

①不同法律规定之间存在矛盾。随着国家近几年法制建设的逐步完善，明确规定注册会计师对出具虚假、误导性的审计及验资报告承担法律责任的主要法规有《注册会计师法》、《证券法》、《公司法》、《刑法》及《股票发行与交易管理暂行条例》（以下简称《条例》）等。然而，各种法规对注册会计师法律责任的解释存在一定的矛盾。

例如在《证券法》第一百七十三条和《注册会计师法》第二

十一条中，强调注册会计师的工作结果与应承担法律责任之间的联系。按照《证券法》和《注册会计师法》的规定理解，只要注册会计师的工作程序符合有关专业标准的要求，即使其工作结果与实际情况不一致，注册会计师也不一定要承担法律责任。这实际考虑了注册会计师自身能力的局限性的影响，只要求注册会计师对自己的过失行为承担责任。而其他法规判断注册会计师是否承担法律责任的标准，则是注册会计师工作结果与实际情况是否相符，即强调工作结果的真实性。只要注册会计师的审计（验资）报告所反映的内容与事实不符，注册会计师就应当承担法律责任，这实际上把注册会计师的工作结果视为对相关会计信息的绝对保证，而不是合理保证和公允反映。不同的法律规定之间的矛盾，给司法审判带来诸多的问题，也造成法官与注册会计师之间的分歧与争执。

又如《注册会计师法》、《公司法》、《证券法》等对会计师事务所处罚数额是违法所得的1~2倍罚款，而《股票发行与交易管理暂行条例》则没有具体罚款范围，只规定根据不同情况单处或并处罚款。针对同一违法行为——提供虚假证明文件，依据《注册会计师法》对会计事务所的行政处罚是"给予警告，没收违法所得，可以并处违法所得一倍以上五倍以下的罚款，并可以由省级以上人民政府财政部门暂停其经营业务或者予以撤销"；依据《公司法》对此的行政处罚是"没收违法所得，处以违法所得一倍以上五倍以下的罚款，并可由有关主管部门依法责令该机构停业"；依据《股票发行与交易管理暂行条例》对此的行政处罚是"根据不同情况，单处或并处警告，没收违法所得、罚款；情节严重的暂停其从事证券业务或撤销其从事证券业务许可"。各法对注册会计师的行政处罚也各异：《注册会计师法》为"警告，情节严重的暂停其执行业务或吊销证书"；《股票发行与交易管理暂行条例》为"警告或并处三万元以上三十万元以下的罚款；情节严重的，撤销其从事证券业务的资格"。由此可见，《公司法》的处罚未涉及警告和暂停执业，与其他法律相比似乎更为严厉。另外，依据《股票发行与交易管理暂行条例》被撤销从事证券业务资格的注册会计师是否同时适用《注册会计师法》中的"暂停其执行业务或吊销注册会计师证书"；以及依据《股票发行与交易管理暂行条例》对会计师事务所的罚款不必限定在"违法所得一倍以上五倍以下"……这就带来了执法依据是本着"从严"的原则，还是一法为主兼顾其他的问题。

②不同司法解释之间存在不协调。最高人民法院曾就注册会计师验资赔偿责任先后下发了三个司法解释文件，即法函〔1996〕56号，法释〔1997〕10号和法释〔1998〕13号，对如何确定会计师事务所的赔偿定额作了说明。这三个文件已成为各地司法判决的重要依据。然而，这三个司法解释之间也存在矛盾。法函〔1996〕56号和法释〔1998〕13号，都规定"会计师事务所在其证明金额的范围内承担赔偿责任"，法释〔1997〕10号则要求"该验资单位（会计师事务所）应当对公司债务在验资报告不实部分或者虚假资金证明金额以内，承担民事赔偿责任。"按照两种不同的司法解释，对于给第三方造成的损失，会计师事务所的赔偿金额可能会迥然不同，特别是第三方的经济损失金额很大时，会计师事务所很可能被判决在证明金额内承担赔偿责任。除此之外，司法解释文件都没有说明因金融机构出具虚假的资金证明导致注册会计师的验资报告内容与事实不符，并给第三方造成损失的情况下，金融机构和会计事务所应如何承担各自相应的会计责任和审计责任。法释〔1997〕10号将金融机构和会

计事务所视为共同承担赔偿责任的民事主体，但仍没有说明赔偿责任应如何划分。

（3）法律对注册会计师法律责任的界定依据不合理。会计学界普遍认为注册会计师法律责任界定的依据应当是《中国注册会计师独立审计准则》，而法律界和公众等非专业人士认为《中国注册会计师独立审计准则》是一种行业规范，不能将其作为注册会计师规避法律责任的依据。独立审计准则是为了规范注册会计师的执业行为，提高执业质量，维护公众利益而制定的一套专业标准，具有相当高的权威性和官方效力。如果说注册会计师在执业过程中严格遵循了独立审计准则的要求，却因审计结论与客观实际不符，就被判为虚假、不真实，需要承担法律责任的话，显然有失合理、缺乏公正。因为现有的专业标准只不过是在考虑成本效益的基础上，提供一种较为科学、合理的程序，并非绝对保证。对于那些内外勾结、精心伪造的舞弊，注册会计师是无能为力的。例如，对于银行出虚假验资证明的虚假投资，注册会计师就难以认定。但社会公众和法律界等非专业人士很难理解注册会计师执业的特殊性，只要注册会计师出具的验资报告与实际不符就会被认为不真实，具有虚假性。在司法实践中也常以此来判断注册会计师的法律责任。根据最高人民法院的"法函〔1996〕56号复函"规定，注册会计师出具的验资报告无论有无特殊注明，只要对委托人、其他利害关系人造成损失的，就应承担民事赔偿责任。在现有的许多判例中，在认定是虚假验资报告时，法院一般都是以实收资本是否实际到位为标准，而不管注册会计师是否遵循了当时的专业标准。如果遵循了专业标准仍然存在被判定为违法的可能性，注册会计师势必会陷入有法律约束却无法律保障的困境。

(4) 鉴定注册会计师法律责任的机构缺乏专业知识。对于注册会计师法律责任的认定，应该有一个合理的可操作的程序和法定的鉴定机构，一方面有利于保护委托人和其他利益关系人的合法权益，另一方面也有利于正确界定注册会计师的法律责任，起到惩戒或保护注册会计师的作用。但目前，我国注册会计师行政处罚的裁定和实施权归属于省级以上人民政府的财政部门（省级以上注册会计师协会处理日常工作）；民事制裁和刑事制裁的裁定和实施归属于人民法院。随着市场经济向法制化方向发展，特别是我国已正式成为世贸组织成员国之一，民事责任及刑事责任将成为注册会计师法律责任的重要方式，而法院无疑将成为最终的裁判机构。但当涉及的诉讼案件专业性很强，技术复杂程序很高时，法院将难以独立对案件的会计责任和审计责任作出合理界定。例如，已认定一项会计信息是虚假的，但如何来界定这项会计信息的产生是故意还是过失，这对提供虚假会计信息的被审单位或人员量刑时，是非常重要的。前者不仅要承担民事赔偿责任，而且要承担刑事责任；而后者要依据过失的大小确定不同的民事责任。这即使对专业人士，有时也是难以确认的。可能的结果是，司法机构依据以前的判例或运用"深口袋"理论加重注册会计师的法律责任。

(5) 法规体系不完善。虽然我国出台了《中华人民共和国注册会计师法》、《中华人民共和国公司法》、《中华人民共和国证券法》、《中华人民共和国刑法》、《股票发行与交易管理暂行条例》等相关法律法规，但这一系列法律、法规对法律责任的界定并没有一个明确的标准，而且有些法律用语模糊，有关处罚弹性较大，缺乏可操作的刚性标准，这造成了注册会计师在审计执法中无所适从，从而为法律责任的承担埋下了隐患。具体来讲，主要有以下几个方面的问题：

①关于注册会计师的权利和义务。我国众多的法律、法规都涉及了注册会计师的法律责任，但从内容上看全是如何惩处注册会计师，而没有保护注册会计师的条款，就连《注册会计师法》也不例外。只规定义务，不予以权利，这对注册会计师是有失公平的。

②关于独立性。我国注册会计师职业道德守则中，对独立性原则的规定十分抽象，仅列举了是否任过职，是否有直接经济利益，是否存在亲属关系等。虽然要求注册会计师在有妨碍独立性的事项时，应予以回避，但没有明确指出哪些属于妨碍独立性原则的事项。另外，只考虑执业前与执业过程中的独立性，很少考虑到注册会计师执业后的独立性问题。比如有些客户，为了掩饰自己的非法行为，在审计过程中，向注册会计师许诺，以后将高薪聘请其到本公司。对于类似情况，职业道德守则中应予以考虑。"脱钩政策"使会计师事务所的独立性有所加强。在会计师事务所成为一个独立的法人单位后，面对的是市场经济的复杂系统。因此，除了单纯的审计业务外，会计师事务所也会像其他企业一样，发生一些拆借、投资、经济担保等非审计类的经济业务。这些行为不可能完全杜绝，如果要求其完全杜绝则不符合市场经济的规律，也不利于会计师事务所的发展。职业道德准则中没有详细规范这些行为，未能从法律法规上规定如何使注册会计师既保持独立性又不妨碍正常的经营。

③关于责任对象、责任范围和责任程度。我国相关法律中对于注册会计师法律责任的三个方面——责任对象、责任范围和责任程度未给予明确规定，造成注册会计师经常受无谓诉讼的干扰。第一，责任对象。《注册会计师法》第四十二条的规定中，

明确了注册会计师要对委托人与利害关系人负法律责任。这里所谓的利害关系人，就是预期第三者。但它没有对利害关系人作具体界定，致使有的注册会计师陷入许多不合理的诉讼纠纷中。第二，责任范围。与注册会计师不存在合同关系的第三者，由于使用了审定后的财务报表而受到损失，注册会计师应否负责任，在多大范围内负责任？这方面除了上市公司有些规定外，法律规定基本上仍然是个空白。法院在判定时往往倾向于过多的归责于注册会计师，增加了注册会计师法律责任。再有，相关法规中没有对"普通过失"、"重大过失"和"欺诈"的具体判定标准，在涉及诉讼时，很难给予注册会计师公平合理的判决。另外，随着市场经济向法制化方向发展，民事责任必将成为注册会计师法律责任的最重要内容。然而在我国的《民法》和其他法规中，对于独立审计民事责任的内容规定几近空白。第三，责任程度。注册会计师法中并没有明确会计责任与审计责任的界限，尚未以"法"的高度明确规定注册会计师的审计责任不能替代、减轻或免除被审计单位的会计责任，从而消除法院越过第一被告直接判处会计师事务所赔偿全部经济损失的做法。当被审计单位出现财务危机或破产情况后，不论是信息使用者还是法官，都倾向于从有支付能力的注册会计师身上获得赔偿。实际上，被审计单位是造假者，应作为第一责任人承担主要责任。但在现实中，却总是发生绕过被审计者而要求注册会计师承担全部或主要责任的情况。

6. 市场机制方面引起注册会计师审计法律责任的原因分析

我国社会主义市场经济刚刚建立不久，市场机制方面存在很多问题，还不能充分发挥其调节经济行为的作用。许多理应正常发挥相互促进，相互制约的经济制度和行为被扭曲，使得市场经济的优势在一定程度上被埋没，反映在注册会计师审计市场上，主要有以下几个方面的缺陷：

（1）我国公司治理结构存在严重缺陷。我国上市公司股权结构畸形，国有股东缺位，"内部人控制"现象十分严重。经营者集决策权、管理权、监督权于一身，由被审计人变成了审计委托人。注册会计师在激烈的市场竞争中迁就上市公司，默许上市公司造假，几乎成了一种"理性选择"。

（2）制度改革存在舞弊。我国的上市公司大多是从国有企业转化而来。根本不具备上市条件的国有企业在短期内摇身一变成为上市公司，为了上市"解困"，只能靠做假账。

（3）地方政府不当干预。目前，我国仍然存在着地方保护主义盛行的弊病。为解决地方上的就业、社会稳定和经济发展问题，为了取得更多的财政收入，地方政府往往极力支持和包庇上市公司的造假行为。

（4）监管不得力。2000年年报中，175家公司的财务报告被注册会计师出具了非标准意见的审计报告，但是仅对部分上市公司进行了调查和惩处。监督体系薄弱，监管手段不成熟，监管人员严重不足，上市公司造假难以被及时发现查处。

另外，随着市场经济的迅猛发展以及改革开放的持续深入，经济环境日益复杂，各种经济组织之间的交易类型、交易工具都处于不断变化之中，如破产、兼并收购、关联方交易、非货币性交易和或有事项等情况的发生，以及衍生金融工具的发展等，使得企业经营风险不断增加，也使得注册会计师的业务范围不断扩大、审计任务日趋复杂。在这种瞬息万变的经济环境下，会计准则或审计准则可能滞后，致使审计风险程度不断提高，一旦审计结果出错，报告使用者必然要求注册会计师承担相应的法律责任。科学技术的发展使会计的手段也发生了变化。随着计算机应

用于会计领域，产生了会计电算化，它已成为会计未来的发展方向。会计的载体由账本向计算机转移改变了会计的反映形式，但这一转变给审计人员带来了很多困难。由计算机进行会计处理，使审计线索不再清晰，审计人员原来所熟悉的稽核关系也发生了改变，如果审计人员不及时更新知识，很可能因为跟不上环境的变化，无法保质保量地完成审计工作，提高了审计风险并扩展了承担法律责任的范围。因此，经济环境的不断变化促成了注册会计师法律责任的加重。

（二）注册会计师审计法律责任的形成机理

审计期望差距及其形成构成了注册会计师审计法律责任的形成机理。那么如何理解审计期望差距，它的构成怎样，审计期望差距的形成机理是怎样运作的以及如何实现审计期望差距的动态平衡就将成为我们接下来重点探讨的问题。

1. 审计期望差距及其构成

（1）审计期望差距的概念。美国1974年设立的审计人员责任委员会（委员长是科恩，所以也称"科恩委员会"）最早提出了"期望差距"的概念。该委员会在调查审计人员责任过程中指出，公众对审计的期望与审计人员自身对审计工作与结果的期望之间存在着期望差距，并认为差距存在的责任主要不在财务报表使用者，而在于审计准则的明了化和严密化以及审计人员所采取的审计方法的有效性还不够。这些都被当时美国职业审计人员所接受。

到20世纪80年代，审计期望差距成为一个审计界广为关注的前沿问题。1985年美国又成立了政府法律与国家安全小组委员会以及能源和商业委员会的意见和调查小组委员会两个组织。

这两个委员会的成立主要缘于许多著名公司的破产所导致的对审计人员的失信。加拿大特许会计师协会1986年成立的审计公众期望研究委员会（麦克唐纳委员会）专门调查公众对审计的期望，并分析其与审计人员业绩之间的差距。

从审计期望差距概念的提出到后来诸多方面所进行的调查和研究都表明，会计信息使用者等公众与审计人员自身对审计工作过程与结果的期望之间确实存在着差距。一般地，会计信息使用者总是希望能用钱换来他们据以决策的会计信息的可靠性，期望法定审计可以保证财务报告的准确性、保证企业财务状况良好、可以预防和发现公司中的所有错弊行为，如果发现自己因受不准确的会计信息误导而利益受损，他们就认定注册会计师有工作失误甚至有与被审计单位的管理当局串通舞弊的行为；而审计人员则认为，企业经营管理过程的复杂使经济事项不可避免地存在着不确定性，这种不确定性不可能做到保证经审计的会计信息是准确无误的，认为审计承担的只能是"合理地保证责任"，并不担保经过审计的会计信息没有任何错误，对于遵循了职业准则，却未能揭示出的错弊，不承担责任。

由此，审计委托者、利益相关者、社会大众等业外群体与注册会计师、会计师事务所、自律组织等业内群体对审计监督过程和结果的期望构成了一种差距，这种差距反映了双方对审计监督及其结果的不同性质的认识和理解。

（2）审计期望差距的构成。审计期望差距的构成包括了诸多要素，这些要素依其具体内容对审计监督过程与结果有着不同的作用和影响。加拿大特许会计师协会的审计公众期望委员会在1988年的研究报告中用图式（见图2-1）描述了期望差距的构成要素[1]。我们可以根据这一图式分析审计期望差距所形成的积极和消极两个方面的影响。

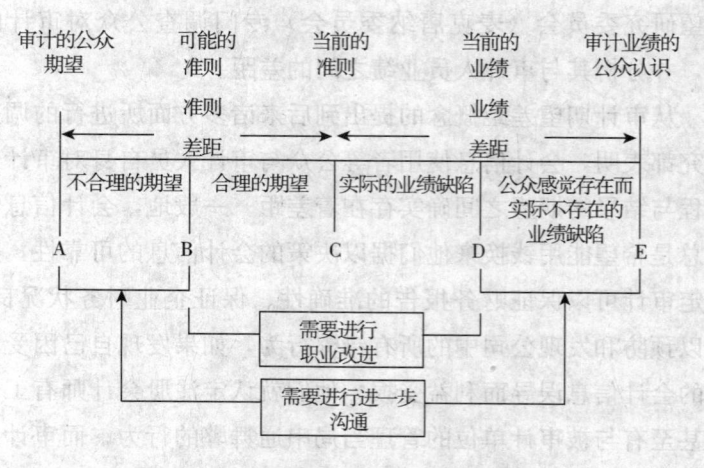

```
审计的公众      可能的        当前的        当前的        审计业绩的
   期望         准则          准则          业绩         公众认识
              准则                        业绩
         ←———— 差距 ————→          ←———— 差距 ————→
   不合理的期望  合理的期望   实际的业绩缺陷  公众感觉存在而
                                           实际不存在的
                                             业绩缺陷
      A          B             C             D          E
                        需要进行
                        职业改进
                       需要进行进一步
                           沟通
```

图2—1　审计期望差距构成要素图示

由上图可以看出，期望差距包括准则差距和业绩差距两部分。从构成期望差距要素的不同性质分析，准则差距中合理差距的存在可以促使审计准则制定部门修订和完善审计准则，业绩差距中实际业绩缺陷的存在可以促使审计职业界来改进工作。根据这两个方面的期望差距，可以确定审计期望差距的存在可以发挥其促进强化审计质量管理、提高审计业绩水平的积极作用；但是，准则差距中还存在着公众对审计的不合理期望以及对已实施的审计的业绩不恰当的认识和理解。这种不合理期望和不恰当的认识与理解，尽管可以通过审计职业界和公众双方的沟通来尽量解决，然而，由于主客观环境和条件的限制，通常情况下无法达成一致甚至相差甚远，这就会造成对审计监督过程和结果的消极

---

[1] 赵保卿：《注册会计师法律责任研究》，《审计研究》，2002年第（3）期。

影响。从构成期望差距要素的内在关系分析,不论是哪种性质的期望差距都因其存在的客观性与必然性而促使审计责任各方对其正确认识、对待和控制,从而对审计监督过程和结果形成积极影响和作用,同时也因其形成原因的复杂性和主观性而会使审计责任各方强调各自的立场和利益,从而对审计监督过程或结果形成消极影响和作用。

2. 审计期望差距的形成机理

审计期望差距构成注册会计师审计法律责任形成的机理。首先,从绝对意义上讲,审计期望差距是客观地、永久地存在的,在某一特定历史时段,这一差异可能趋于接近,之后又可能开始加大;但从总体上讲,随着公众对注册会计师的职责及审计目标的逐步了解与理解,公众期望会缓慢下调,随着注册会计师执业水平的不断提高,业界期望则逐渐上升。两种期望的一个下调与另一个上升使得审计期望差距渐近。但是,这种趋势是一个缓慢的过程,而且只能接近,不能弥合。审计期望差距的这一特性与注册会计师审计法律责任的内涵是相一致的。上已述及,注册会计师审计法律责任强调审计者、审计委托者、被审计者及有联系的各方在审计活动中所形成的相互责任关系,而这一责任关系总是由于某一方或几方的主观或客观原因而发生程度不同的摩擦甚至紊乱,始终需要进行磨合与协调,这种摩擦与紊乱、磨合与协调正是审计活动各方对审计活动及其结果所应达到或能达到的目标的理解与期望不同而形成的。其次,从相对意义上讲,公众期望与业界期望有着不同的关注点,公众由于要依据审计结果作出有关判断与决策,故其关注审计结果,期望审计结果无缺陷,而业界由于注重动态质量控制,故其关注审计过程,期望审计过程无缺陷。这种情况就决定了两种期望都包含了不合理的因素或成

67

分，如公众总是期望审计报告能对会计信息的可信程度作出绝对保证，这是不现实的；业界总是期望审计活动没有风险，注册会计师不承担法律责任，这也是不可能的。注册会计师审计法律责任也同样体现出审计期望差距的这一性质，即构成审计法律责任关系的各方有着不同的考虑问题的角度，存在着不同的利益考虑，由于二者方向的相悖性，故都存在着不尽合理甚至"谬误"的成分或因素。根据国际会计师组织联合会 1995 年对其 36 个国家 47 个成员组织（代表全球 90%的注册会计师）的调查，以会计信息使用者为代表的公众与以注册会计师为代表的业界之间的期望差异是造成诉讼泛滥的重要原因。在我国，审计期望差距自然也体现着上述特点并成为审计质量与责任纠纷的内因。综合而言，注册会计师审计法律责任的形成原因可以从不同角度、不同层面进行分析和研究，但是，审计期望差距构成了注册会计师审计法律责任形成的基本点。现在的问题是，怎样根据审计期望差距及其形成过程准确界定注册会计师审计法律责任及其变化规律。

（三）审计期望差距的动态平衡分析

审计期望差距及其形成，构成了注册会计师审计法律责任的形成机理，但是，这一机理功能的发挥是一个完整的过程，是在公众期望和业界期望之间寻求一种协调关系。由上述分析我们知道，审计期望差距由诸多要素所构成，每个要素都影响着审计期望差距形成的动态过程并有着特定的变化趋势。审计期望差距的动态平衡分析就是研究审计期望差距由诸多要素形成的过程及其所表现出来的变化趋势等问题。

1. 从审计期望差距构成要素的不同性质角度分析

图 2-1 中的合理期望其实是一种期望差距，它是由现行的

审计准则所存在的缺陷形成的。审计准则应成为规范审计活动和行为的基本标准，但由于主观和客观因素的限制，现行审计准则往往存在诸多缺陷，以致形成期望差距。如已经颁布实施的有关审计准则没有（有时也确实不能）根据实际需要和环境的变化及时加以修订，实际工作需要但由于条件限制或主观因素制约而未能及时制定出可行的审计准则，现行准则有的内容缺乏可操作性等。可能的审计准则会随着环境和条件的变化而变化，其水平要求一般呈不断提升的趋势，现行的准则也会根据工作的需要和可能的准则的水平要求而不断修订和完善，二者之间会永远存在着一种差距并会在各种不同情况下求得一种动态平衡，这种平衡的总体趋势是逐渐缩小差距，其方向一般是现行的审计准则向可能的准则靠近。

与准则差距中合理期望具有相同性质的是业绩差距中的实际业绩的缺陷，它是由于审计执业者的职业道德和执业水平的缺陷所形成的一种期望差距。审计准则对实务规范的作用在一定程度上取决于审计人员的职业道德和执业技能水平的高低。审计人员在执业中应恪守独立、客观、公正的职业原则，独立、客观、公正是审计职业道德的精髓。由于审计人员自身及客观等诸多要素的影响，审计职业道德的这一精髓有时不能得到很好体现，甚至出现严重违反的情况。当前出现在世界范围内的注册会计师"诚信危机"问题，便是审计人员严重违反审计职业道德的结果，进一步的后果就是审计实际业绩的缺陷。审计人员由于执业技能的欠缺也会出现审计业绩的缺陷。两种原因所造成的审计业绩缺陷便形成了这一特定意义上的期望差距。这种期望差距从总体上随着审计人员职业道德和执业技能水平的不断提高也是呈不断缩小之势；但在某一特定阶段，由于新的审计手段和技术的出现以及审计准则的修订，这种期望差距可能会出现阶段性加大的情况。

准则差距中的不合理期望和业绩差距中的公众感觉存在而实际不存在的业绩缺陷是由不同原因形成但却有着相同性质的期望差距。二者都是由于公众方面的不合理的因素所造成的对审计监督可能有着消极影响的期望差距。但是，前者是公众对审计监督所应遵循的行为规范存在过高期望或要求造成，后者是公众对已实施的审计监督所发挥的作用或效果存在不恰当的认识或理解造成的。

2. 从审计期望差距构成要素的内在关系角度分析

由上可知，审计期望差距包括诸多要素，这些要素共同集结于公众期望和业内期望两个方面，而公众期望和业内期望相互联系、相互制约，又共同构成特定的审计市场责任关系。在这个审计市场中，公众期望是需求性的，是注册会计师为之奋斗的最终目标，随着公众对注册会计师行业了解的深入，公众期望会有缓慢下调的趋势。业界期望是约束性的，随着审计技术的不断发展，以及注册会计师行业抗风险能力的提高，这一期望有上升的趋势。这两种趋势使得审计期望差距有自发弥合的趋势。但是，这种趋势是一个缓慢的趋势，由于信息不对称问题总存在于被审计单位、注册会计师和委托者之间，审计期望差距不可能完全弥合。下图反映了注册会计师审计法律责任与审计期望的差距关系①：

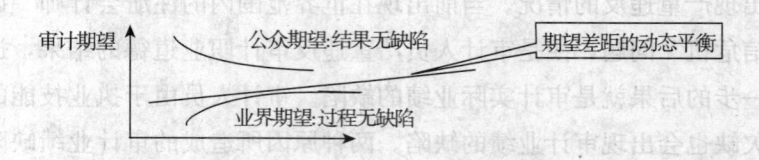

图2-2 审计法律责任与审计期望差距关系图

---

① 赵保卿：《注册会计师法律责任研究》，《审计研究》，2002年第（3）期。

(1) 公众期望与业界期望有着不同的关注点。公众由于要依据审计结果作出有关判断与决策，故其关注审计结果，期望审计结果无缺陷；而业界由于注重动态质量控制，故其关注审计过程，期望审计过程无缺陷。这种情况就决定了两种期望都包含了不合理的因素或成分，如公众总是期望审计报告能对会计信息的可信程度作出绝对保证，这是不现实的；业界总是期望审计活动没有风险，注册会计师不承担法律责任，这也是不可能的。

(2) 两种期望都包含不合理的成分。如果说两种期望对无缺陷各有不同强调是合理的话，那么，对各自所包含的其他一些内容就不尽合理了，如公众总是期望审计报告能对会计信息的可信程度作出绝对保证，这是不现实的；业界总是期望以较少的审计成本获取满意的审计效果（效益），这也是一个矛盾。

(3) 期望差距只能接近，不能弥合。审计期望差异是客观地、永久地存在的，在某一特定历史时段，这一差异可能趋于接近，之后又可能开始加大；但从总体上讲，随着公众对注册会计师的职责及审计目标的逐步了解与理解，公众期望会缓慢下调，随着注册会计师执业水平的不断提高，业界期望则逐渐上升。两种期望的下调与上升使得审计期望差异渐近，但是，这种趋势是一个缓慢的过程，而且只能接近，不能弥合。

四、注册会计师审计法律责任形成的实证调查分析

(一) 调查结果

关于注册会计师审计法律责任的形成原因

问卷共列举了 8 个原因，分别为：

A. 审计期望差的存在

B. 审计组织之间不规范竞争，压低收费，不能保证严格执行独立审计准则

C. 深口袋理论

D. 交易类型、交易工具的变化发展，使得审计风险增加

E. 个别的注册会计师素质低下

F. 法律法规不建全

G. 法院对注册会计师法律责任的看法与注册会计师界看法不同

H. 其他

问卷对象分为三组：注册会计师、会计及相关人员、其他人员

对于A：

注册会计师中认为A原因非常重要的占87%，认为重要的占13%。

会计及相关人员中认为A原因非常重要的占56%，认为重要的占25%，认为一般的占13%，认为不重要的占6%。

其他人员中认为A原因非常重要的占33%，认为重要的占24%，认为一般的占32%，认为不重要的占11%。

对于B：

注册会计师中认为B非常重要的占54%，认为重要的占37%，认为一般的占9%。

会计及相关人员中认为B原因非常重要的占73%，认为重要的占21%，认为一般的占6%。

其他人员中认为B原因非常重要的占84%，认为重要的占16%。

对于 C：

注册会计师中认为 C 原因非常重要的占 54%，认为重要的占 33%，认为一般的占 13%。

会计及相关人员中认为 C 原因非常重要的占 23%，认为重要的占 24%，认为一般的占 16%，认为不重要的占 37%。

其他人员中认为 C 原因非常重要的占 9%，认为重要的占 11%，认为不重要的占 37%，认为非常不重要的占 43%。

对于 D：

注册会计师中认为 D 原因非常重要的占 48%，认为重要的占 43%，认为一般的占 9%。

会计及相关人员中认为 D 原因非常重要的占 33%，认为重要的占 25%，认为一般的占 14%，认为不重要的占 28%。

其他人员中认为 D 原因非常重要的占 10%，认为重要的占 8%，认为不重要的占 37%，认为非常不重要的占 45%。

对于 E：

注册会计师中认为 E 原因非常重要的占 8%，认为重要的占 16%，认为一般的占 54%，认为非常不重要的占 22%。

会计及相关人员中认为 E 原因非常重要的占 32%，认为重要的占 27%，认为一般的占 14%，认为不重要的占 27%。

其他人员中认为 E 原因非常重要的占 43%，认为重要的占 23%，认为不重要的占 21%，认为非常不重要的占 13%。

对于 F：

注册会计师中认为 F 原因非常重要的占 44%，认为重要的占 22%，认为一般的占 22%，认为不重要的占 12%。

会计及相关人员中认为 F 原因非常重要的占 36%，认为重要的占 25%，认为一般的占 16%，认为不重要的占 23%。

其他人员中认为 F 原因非常重要的占 5%，认为重要的占 13%，认为不重要的占 54%，认为非常不重要的占 28%。

对于 G：

注册会计师中认为 G 原因非常重要的占 58%，认为重要的占 26%，认为一般的占 13%，认为不重要的占 3%。

会计及相关人员中认为 G 原因非常重要的占 32%，认为重要的占 25%，认为一般的占 16%，认为不重要的占 27%。

其他人员中认为 G 原因非常重要的占 12%，认为重要的占 23%，认为不重要的占 34%，认为非常不重要的占 31%。

（二）情况分析

1. 一致的看法

（1）三类调查对象都认同：

①调查的三类对象都认为审计期望差的存在是导致选择"非常重要"的分别占各自人数的 87%、56%、32%，均在所有的选项中比例最高。

②调查的三类对象都认为审计组织之间不规范竞争，压低收费，不能保证严格执行独立审计准则是导致注册会计师承担法律责任的重要原因。选择"非常重要"的分别占各自人数的 56%、73%、84%，均在所有的选项中比例最高。

（2）注册会计师和会计及相关人员都认同：

①双方都认为深口袋理论是造成注册会计师承担法律责任的重要原因。选择"非常重要"和"重要"的总和比例分别为 87% 和 57%。

②双方都认为交易类型、交易工具的变化发展，使得审计风险增加是造成注册会计师承担法律责任的重要原因。选择"非常

重要"和"重要"的总和比例分别为89％、58％。

③双方都认为法院对注册会计师法律责任的看法与注册会计师界看法不同是造成注册会计师承担法律责任的重要原因。选择"非常重要"的比例分别为58％、32％，均在所有选项中比例最大。

(3) 会计及相关人员和其他人员都认同：

①双方都认为个别的注册会计师素质低下是造成注册会计师承担法律责任的重要原因。选择"非常重要"的比例分别为32％、43％，选择"重要"的比例分别为27％、23％。

②双方都认为法律法规不健全不是主要原因。选择"不重要"的分别占36％、54％，其他人员中还有28％的人选择"非常不重要"。

2. 不同的看法

(1) 对于"深口袋理论"是否是造成注册会计师承担法律责任的重要原因，三类调查对象有着不同的看法。注册会计师选择比例最高的是"非常重要"选项，占54％；会计及相关人员选择比例最高的是"不重要"选项，占37％；其他人员选择比例最高的是"非常不重要"选项，占43％；分别都是绝对多数比例，看法分歧很大。

(2) 对于交易类型、交易工具的变化发展，使得审计风险增加是否是造成注册会计师承担法律责任的重要原因，其他人员的看法和另外两类的看法不同。选择"非常不重要"选项的比例最高为45％，而另外两类则绝大多数选择"非常重要"。

(3) 对于个别的注册会计师素质低下是否是造成注册会计师承担法律责任的重要原因，注册会计师界与另外两类看法不同。另外两类绝大多数认为其"非常重要"，而注册会计师则普遍认为这不是重要原因，选择"一般"的比例最高，占54％。

（4）对于法律法规不健全是否是造成注册会计师承担法律责任的重要原因，其他人员与另外两类看法分歧很大，认为"非常重要"的比例仅为5％，"不重要"的比例为16％。而另外两类绝大多数选择"非常重要"。

（5）对于法院对注册会计师法律责任的看法与注册会计师界看法不同是否是造成注册会计师承担法律责任的重要原因，其他人员与另外两类看法分歧很大，选择"不重要"和"非常不重要"的总比例为65％，占绝对多数。而另外两类绝大多数选择"非常重要"。

3. 结论

调查后，我们发现审计期望差的存在和审计组织之间的恶性价格竞争、不遵守执行独立审计准则这两个原因得到了社会各界的普遍认同。这说明人们已经认识到公众对注册会计师行业的误解不合理的扩展了注册会计师承担法律责任的范围，这就要求我们在接下来的工作中，应通过恰当的措施向广大公众作宣传，让他们明确会计责任和审计责任、合理保证和绝对保证、经营失败和审计失败的区别，为注册会计师法律责任的规范打好基础。同时，注册会计师职业界也应该注意自身的问题，加强质量控制，规范行业竞争。

但在法律问题上，调查对象三方看法相左。注册会计师认为现行法律不完善和法院判例的不合理在很大程度上增加了注册会计师的法律责任，是造成目前诉讼风暴的重要原因。会计界认为法律问题是一个方面，但并非十分重要，注册会计师自身的问题才是问题的关键。其他人员则认为法律问题不重要，在注册会计师承担法律责任问题上影响很小。

第二章　注册会计师审计法律责任的形成

关于注册会计师素质问题，会计界和社会公众看法比较一致，都认为目前注册会计师本身素质低下是造成其承担法律责任的重要原因。而注册会计师职业界则认为自身素质良好，足以胜任审计工作。

综上所述，各方的分歧主要在于各自都只是站在自身的角度，过多的追究他人的过错和不足，看法多少有些片面。确切地说，注册会计师法律责任的增多是各种原因综合的结果。在今后的规范工作中，应注意增进社会各界对注册会计师行业的了解，弥合相关各方对注册会计师承担法律责任问题看法的差异，只有在大家达成共识的基础上，规范工作才能顺利进行。

第三章 注册会计师审计法律责任的形式

本章具体论述注册会计师审计法律责任形式的相关内容。我们将首先从理论上具体分析三种法律责任形式的基本内容、各自涉及的相关法规规定、各责任形式的异同点以及法律责任形式体系，其次我们对该部分内容的实证调查结果进行分析。

注册会计师因违约、过失或者欺诈给被审计单位或者其他利害关系人造成损失的，按照有关法律和规定，可能被判负担三种形式的法律责任，即行政责任、民事责任和刑事责任。一旦注册会计师和会计师事务所发生有意或者无意的违规行为，首先应当明确的是行政责任。如果不首先明确其行政责任的话，就很难界定其失职行为所应当负担的民事或刑事法律责任。因此，在两种或者三种法律责任并处的情况下，应当首先明确其行政责任，再追究民事责任和刑事责任。同时民法规定：在同时需要负担民事责任和刑事责任的情况下，除非特殊情况，执行"先刑后民"的原则。

一、注册会计师审计的行政责任

行政责任是指因行政违法行为而承担的法律责任。行政责任可分为职务过错责任和行政过错责任。前者是指国家行政机关及其公职人员在执行公务时因违法失职行为而承担的法律责任；后者是指公民和社会组织违反行政管理法规而承担的法律责任。注册会计师在执行业务时，会由于发生错误、疏忽或明知、故意等欺诈行为，带给委托人或其他利害关系人损失，或虽然没有造成实际损害，但已经违反法律法规，由政府主管部门注册会计师或事务所作出的具有行政性质的处罚。行政责任主要是一种管理或职务的责任。这种责任具体到注册会计师审计本身则是指注册会计师或会计师事务所在提供审计服务时，因违反注册会计师行业管理的法律、法规和规章，受到行业管理部门专业处罚的一种责任。具体来说，注册会计师审计中的行政责任主要包括注册会计师需要负担的责任部分和会计师事务所所负担的部分。

（一）注册会计师审计行政责任的一般形式

1. 针对注册会计师的行政责任[①]

（1）警告。警告是指对有错误或者不正当行为的注册会计师提出告诫，使之认识所应负的责任，是对犯错误者的一种处分。这是注册会计师所可能负的最轻的行政责任。[②]

（2）没收违法所得。该责任形式是指把注册会计师的违反执业法规、规定等标准而获取的利益强制地收归共有的一种行政惩罚。

（3）罚款。罚款是指司法或者行政机关强制违法的注册会计师缴纳一定数量的钱，作为处罚的一种行政责任形式。

[①] 具体处罚的种类引自《违反注册会计师法处罚暂行办法》第四条。
[②] 定义出自相关法律书籍。以下几种形式的定义亦同。

79

(4) 暂停执行部分或全部业务，暂停执业的最长期限为12个月。

(5) 吊销有关执业许可证。是指有注册会计师协会和相关行政机关收回并取消违规的注册会计师的从业资格证书的一种行政责任形式。这是行政责任处罚中最严重的一种形式。

(6) 吊销注册会计师证书。

2. 针对会计师事务所的行政责任[①]

(1) 警告；

(2) 没收违法所得；

(3) 罚款；

(4) 暂停执行部分或全部业务，暂停执业的最长期限为12个月；

(5) 吊销有关执业许可证；

(6) 撤销事务所。

（二）我国关于注册会计师审计行政法律责任方面的规定

1.《中华人民共和国注册会计师法》的规定

在该法的第二十一条中规定：注册会计师执行审计业务，必须按照执业准则、规则确定的工作程序出具报告。注册会计师在执行审计业务出具审计报告时，不得有下列行为：(1) 明知委托人对重要事项的财务会计处理与国家有关规定相抵触，而不予指明；(2) 明知委托人的财务会计处理会直接损害报告使用人或者其他利害关系人的利益，而予以隐瞒或做不实报告；(3) 明知委

[①] 具体处罚的种类引自《违反注册会计师法处罚暂行办法》第五条。

托人的财务会计处理会导致报告使用人或者其他利害关系人产生重大误解，而不予指明；（4）明知委托人的会计报表的重要事项有其他不实的内容，而不予指明。

同时，在第三十九条中作了如下规定：会计师事务所违反本法第二十条、第二十一条规定的，由省级以上人民政府财政部门给予警告，没收违法所得，可以并处违法所得一倍以上五倍以下的罚款；情节严重的由省级以上人民政府财政部门暂停其经营业务或者予以撤销。注册会计师违反本法第二十条、第二十一条规定的，由省级以上人民政府财政部门给予警告；情节严重的，可以由省级以上人民政府财政部门暂停其执行业务或者吊销注册会计师证书。会计师事务所、注册会计师违反本法第二十条、第二十一条规定，故意出具虚假的审计报告、验资报告，构成犯罪的，依法追究刑事责任。

2.《公司法》的规定

公司法中的规定主要体现在第二百零八条的规定中：

承担资产评估、验资或者验证的机构提供虚假证明材料的，由公司登记机关没收违法所得，处以违法所得一倍以上五倍以下的罚款，并可由有关主管部门依法责令该机构停业，吊销直接责任人的资格证书，构成犯罪的，吊销营业执照。

承担资产评估、验资或者验证的机构因过失提供有重大遗漏的报告的，由公司登记机关责令改正；情节较重的，处以所得收入一倍以上五倍以下的罚款，并可由有关主管部门依法责令该机构停业，吊销直接责任人员的资格证书，吊销营业执照。

3. 其他相关法规的规定

（1）《证券法》的规定。《证券法》第二百零一条规定："为股票的发行、上市、交易出具审计报告、资产评估报告或者法律

意见书等文件的证券服务机构和人员，违反本法第四十五条的规定买卖股票的，责令依法处理非法持有的股票，没收违法所得，并处以买卖股票等值以下的罚款。"第二百零七条规定："证券交易所、证券公司、证券登记结算机构、证券交易服务机构及其从业人员、证券业协会、证券监督管理机构及其工作人员，在证券交易活动中作出虚假陈述或者信息误导的，责令改正，处以三万元以上二十万元以下的罚款；属于国家工作人员的，还应当依法给予行政处分。"

（2）《全国人民代表大会常务委员会关于惩治违反公司法的犯罪的决定》中的规定。在这个规定中制定了如下的措施：犯本规定之罪有违法所得的，应当予以没收；犯本规定之罪，被没收违法所得，判处罚金，没收财产，承担民事赔偿责任的，其财产不足以支付时，先承担民事赔偿责任。

二、注册会计师审计的民事责任

民事责任是指民事主体因违反合同或不履行其他法律义务，侵害国家、集体的财产，侵害他人的财产、人身权利，而依法承担的民事法律后果。民事责任是在日常生活中，特别是在经济生活中最常见的一种责任，是《民法》规范的范畴。《民法》在建设社会主义市场经济、规范市场交易秩序和维护民事主体的合法权益等方面起着举足轻重的作用。民事责任既具有法律责任的一般特征，又具有其自己的特有特征。根据《民法》的规定，民事义务有两种基本类型：一种是法律直接规定的义务，另一种是当事人之间自己约定的义务。

（一）注册会计师审计的民事责任的一般形式

民事责任的承担方式按照不同原因而承担方式不同，一般来说，民事责任有以下形式：

1. 停止侵害

这一形式是如果注册会计师在执业过程中，对委托人或者被审计单位以及其他相关各方造成了伤害，但是一旦注册会计师停止继续开展业务工作，则对委托人等相关各方的影响即告停止，则在这种情况下，注册会计师要承担的民事责任，即是停止侵害。

2. 消除影响

这一形式是当注册会计师在执业过程中，如果对委托人或者被审计单位等其他相关方造成声誉、精神状况等方面的影响，注册会计师就必须要负责消除委托方等在这方面所受到的影响，恢复其在侵害前的影响。

3. 赔偿损失

这种形式是注册会计师在执业过程中，如果对委托人、被审计单位及其他审计报告使用人不但造成了即时侵害，同时对其物质、精神等方面造成了损失，在这种情况下，注册会计师及会计师事务所必须要立即停止继续侵害相关各方利益的行为，并消除产生的影响，同时，会计师事务所和注册会计师还要对自身的违法行为对相关各方进行赔偿，这种形式叫赔偿损失。

（二）我国关于注册会计师民事责任的相关规定

1.《中华人民共和国注册会计师法》的规定

在该法的第四十二条中规定："会计师事务所违反本法规定，

给委托人、其他利害关系人造成损失的,应当依法负担赔偿责任。"

2. 《民法通则》的规定

《民法通则》对注册会计师民事责任的规定相对比较集中。其中,第一百零六条规定:"公民、法人违反合同或者不履行其他义务的,应当承担民事责任。公民、法人由于过错侵害国家的、集体的财产,侵害他人财产、人身的,应当承担民事责任。没有过错的,法律规定应当承担民事责任的,应当承担民事责任。"第一百一十一条规定:"当事人一方不履行合同义务或者履行合同义务不符合约定条件的,另一方有权要求履行或者采取补救措施,并有权要求补偿损失。"第一百一十三条中规定:"当事人双方都违反合同的,应当分别承担各自应付的民事责任。"另外在第一百一十七条中还规定:"侵占国家的、集体的财产或者他人财产的,应当返还财产,不能返还财产的,应当折价赔偿。损坏国家的、集体的或者他人的财产的,应当恢复原状或者折价赔偿。受害人因此遭受其他重大损失的,侵害人应当赔偿损失。"

3. 其他相关法规的规定

关于注册会计师审计民事责任的相关法律规定除了上述几个法规外主要体现在以下的法规中:

(1)《中华人民共和国证券法》的规定。在该法第一百七十三条中作了如下规定:为证券的发行、上市交易等证券业务活动制作、出具审计报告、资产评估报告、财务顾问报告、资信评级报告或者法律意见书等文件,应当勤勉尽责,对所依据的文件资料内容的真实性、准确性、完整性进行核查和验证。其制作、出具的文件有虚假记载、误导性陈述或者重大遗漏,给他人造成损失的,应当与发行人、上市公司承担连带赔偿责任,但是能够证明自己没有过错的除外。

同时在该法第二百零一条中还规定：为股票的发行、上市交易出具审计报告、资产评估报告或者法律意见书等文件的证券服务机构和人员，违反《证券法》第四十五条的规定买卖股票的，责令依法处理非法持有的股票，没收违法所得，并处以买卖股票等值以下的罚款。

（2）《全国人大常委会关于惩治违反公司法的犯罪的决定》的规定。该规定对注册会计师审计应负民事法律责任的规定主要体现在第十三条：违反本规定规定之罪有违法所得的，应当予以没收。违反本规定规定之罪，被没收违法所得，判处罚金，没收财产，承担民事赔偿责任的，其财产不足以支付时，先承担民事赔偿责任。

（3）《股票发行与交易管理暂行条例》的规定。规定如下：违反本条例规定，给他人造成损失的，应当依法承担民事赔偿责任。

三、注册会计师审计的刑事责任

刑事责任是指行为人因其刑事违法行为（犯罪行为）所必须承受的，由司法机关代表国家所确定的否定性法律后果。刑事责任是最严厉的法律责任，其产生原因在于行为人行为的严重社会危害性，它属于过错责任，只能由犯罪主体本人承担，不能连带他人，并且主要是人身责任。刑事责任的主体基本上是个人，但也可以是法人。

（一）注册会计师审计刑事责任的一般形式

刑事责任一般都是由行为人承担，即使是会计师事务所犯罪，也是由犯罪过程中承当主要角色的所内人员承担。按照我国现行刑法的规定，我国的注册会计师审计的刑事责任分为主刑和附加刑两类[①]。主刑只能独立适用，即对同一犯罪只能判处一种主刑；附加刑可以独立使用，也可以附加于主刑使用。

1. 主刑

主刑按照刑法规定包括管制、拘役、有期徒刑、无期徒刑、死刑共五种。对于注册会计师犯罪来说，一般受到的主刑主要为拘役和有期徒刑两种。

（1）拘役是短期剥夺犯罪分子人身自由，并就地实行劳动改造的刑法方法。它主要适用于罪行较轻的情况，期限为1个月到6个月。在执行期间，被拘役的犯罪分子每月可以回家1到2天，参加劳动的可以酌量发给工资。

（2）有期徒刑是剥夺犯罪分子一定期限的自由，实行劳动改造的刑法方法。对注册会计师来说，一般期限为6个月至10年。

2. 附加刑

附加刑包括罚金、剥夺政治权利和没收财产。对于注册会计师犯罪，由于其罪行都属于经济犯罪，因此，主要受到罚金的处罚。其他两种附加刑一般不适用于注册会计师的犯罪。此处刑事责任形式中的罚金不等于行政责任中的罚款形式，也不属于民事赔偿。这里的罚金是由于注册会计师犯罪而向国家缴纳的款项，

---

① 这两种刑事责任形式的内容参考《注册会计师法律责任理论与实务》，李若山，2002年。

是刑事处罚。罚款是人民政府财政部门对注册会计师进行行政性处罚。而承担民事赔偿是判定的裁决，承担的是一种赔偿责任，而不是处罚性质。承担民事赔偿责任和刑事责任的注册会计师可能被判处罚金，还可能被同时处以罚款或者被裁定做出民事赔偿，在交付罚金或者民事赔偿的程序方面，注册会计师必须先承担对被害人的民事赔偿责任，如果还有多余，再向人民法院支付罚金或者向行政部门缴纳罚款。如果民事赔偿之后，会计师事务所或者注册会计师没有多余财产，可以不交罚金或者罚款，但是不能在民事赔偿没有支付之前，首先要求会计师事务所缴纳罚金。另外，会计师事务所作为一个单位，也会因犯罪行为受到刑法处罚。会计师事务所犯罪的，则对事务所判处罚金，并且对事务所直接负责的主管人员和其他直接负责人员判处罚金。

（二）我国关于注册会计师审计刑事责任方面的相关规定

1.《中华人民共和国刑法》中的相关规定

在第一百八十条中规定：证券、期货交易内幕信息的知情人员或者非法获取证券、期货交易内幕信息的人员，在涉及证券的发行，证券、期货交易或者其他对证券、期货交易价格有重大影响的信息尚未公开前，买入或者卖出该证券，或者从事与该内幕信息有关的期货交易，或者泄露该信息，情节严重的，处5年以下有期徒刑或者拘役，并处或单处违法所得一倍以上五倍以下罚金；情节特别严重的，处5年以上10年以下有期徒刑，并处违法所得一倍以上五倍以下罚金。单位犯前款罪的（证券内幕交易），对单位判处罚金，并对其直接负责的主管人员和其他直接责任人员处5年以下有期徒刑或者拘役。

在第二百一十九条中该法律规定：有下列违反商业秘密行为之一，给商业秘密的权利人造成重大损失的，处3年以下有期徒刑或者拘役，并处或单处罚金；造成特别严重后果的，处3年以上7年以下有期徒刑，并处罚金。

同时，在第二百二十九条中作了如下规定：承担资产评估、验资、验证、会计、审计、法律服务等职责的中介组织的人员故意提供虚假证明文件，情节严重的，处5年以下有期徒刑或者拘役，并处罚金。前款规定的人员，索取他人财物或者非法收受他人财物，犯前款罪的，处5年以上10年以下有期徒刑，并处罚金。第一款规定的人员，严重不负责任，出具的证明文件有重大失实，造成严重后果的，处3年以下有期徒刑或者拘役，并处或单处罚金。

另外在第二百三十一条中作了如下规定：单位犯本节第二百二十一条至第二百三十条规定之罪的，对单位判处罚金，并对其直接负责的主管人员和其他直接责任人员，依照本节各该条的规定处罚。

2.《中华人民共和国注册会计师法》的规定

该法中关于注册会计师审计的刑事责任规定主要是在第三十九条中：会计师事务所、注册会计师违反本法第二十条、第二十一条的规定，故意出具虚假的审计报告、验资报告，构成犯罪的，依法追究刑事责任。

3.《中华人民共和国公司法》的规定

公司法在第二百零八条规定：承担资产评估、验资或者验证的机构提供虚假证明材料的，由公司登记机关没收违法所得，处以违法所得1倍以上5倍以下的罚款，并可由有关主管部门依法责令该机构停业，吊销直接责任人员的资格证书，吊销营业执照。

4. 其他相关法规中的规定

（1）《中华人民共和国证券法》的规定。证券法在第二百零七条中规定：证券交易所、证券公司、证券登记结算机构、证券服务机构及其从业人员，证券业协会、证券监督管理机构及其工作人员，在证券交易活动中做出虚假陈述或信息误导的，责令改正，处以3万元以上20万元以下的罚款；属于国家工作人员的，还应当给予行政处分。

另外在第二百零一条中规定：为股票的发行、上市交易出具审计报告、资产评估报告或者法律意见书等文件的证券服务机构和人员，违反《证券法》第四十五条的规定买卖股票的，责令依法处理非法持有的股票，没收违法所得，并处以买卖股票等值以下的罚款。

（2）《经济合同法》的规定。该法在第二十九条对注册会计师审计刑事责任作了如下规定：

由于当事人一方的过错，造成经济合同不能履行或者不能完全履行的，由有过错的一方承担违约责任；如属双方的过错，根据实际情况，由双方分别承担各自应负的违约责任。

对由于失职、渎职或其他违法行为造成重大事故或严重损失的直接责任者个人，应追究经济、行政责任直至刑事责任。

根据上述规定，注册会计师的刑事责任可能因涉及泄密、背信、业务登载不实、内线交易及教唆或者帮助逃漏税金等罪，而遭以刑事处罚。

（3）《关于惩治违反公司法的犯罪的决定》的规定。该规定第六条规定：承担资产评估、验资、验证、审计职责的人员故意提供虚假证明文件，情节严重的，处五年以下有期徒刑或者拘

役,可以并处二十万以下罚金。单位犯前款罪的,对单位判处违法所得五倍以下罚金,并对直接负责的主管人员和其他直接责任人员,依照前款的规定,处五年以下有期徒刑或者拘役。

同时在第十三条中规定:犯本决定规定之罪,有违法所得,应予以没收;犯本决定规定之罪,被没收违法所得,判处罚金,没收财产;承担民事赔偿责任的,其财产不足以支付的,先要承担民事赔偿责任。

(4)《股票发行与交易管理暂行条例》的规定。条例在第七十八条规定:违反本条例规定,构成犯罪的,依法追究刑事责任。

四、注册会计师审计法律责任不同形式之间的关系

注册会计师因为违约、过失和欺诈而给委托人单位或其他利害关系人造成损失的,按照我国相关法律、法规的规定,可能被判处负担刑事责任、民事责任或行政责任。这三种法律责任可以单独判处,也可以一并判处。但在其一些具体方面既有共同点,又有相同点。下面分别论述三者间的不同之处和相同之处。

(一)三种法律责任形式的不同之处

1. 三种法律责任形式的性质和特点不同

三种法律责任有着相互区别的性质。总体来说,行政责任是一种职业责任,民事责任是一种经济责任,而刑事责任则是由于注册会计师在执业过程中存在违法行为,从而由国家机关予以追究并给予相应形式制裁所承担的法律责任。由于行政责任是基于审计过程的,因此只要审计人员在审计活动中存在违反注册会计

师行业管理的法律、法规和规章的违法和舞弊行为，即使没有造成不良后果，也要对其追究相应的行政责任。而民事责任更注重的是注册会计师的审计行为所造成的不良后果，因为它主要表现为赔偿损失，停止侵害等形式，是对注册会计师及其所在事务所的一种经济上的惩罚和制裁。刑事责任则是基于行为人的严重社会危害性而给予的一种主要对个人的惩罚性责任。具体来说，三种法律责任形式各自具有以下性质和特点[①]：

注册会计师和会计师事务所的民事责任多为财产责任，也就是以一定数额的财产来弥补、赔偿其违法行为所造成的损失，即承担民事责任的责任主体注册会计师和会计师事务所所赔付的财产最终都会交付给相关受害人。而注册会计师审计的刑事责任、行政责任则有多种承担方式。即使有些是以财产来承担责任的，如处以罚金罚款，但这些被处罚的财产一律要收归国家所有，有明显的惩罚性，例如刑事责任可以判处有期徒刑，行政责任处罚的罚款金额可在1～5倍之间，其直接目的在于惩处注册会计师的犯罪行为或行政违法行为。而民事责任适用的直接目的在于补偿注册会计师民事违法行为所造成的损失，从而具有明显的补偿性。

2. 处罚的力度和法律强制程度有所不同

前面已经分别进行了论述，对于行政责任应区别注册会计师和注册会计师事务所进行处罚，对于前者，从警告到最严重的吊销执业证书；而对于后者则从警告到撤销事务所等一系列惩罚措施，力度都相对较轻。而民事责任则主要是经济上的赔偿，有些注册会计师和会计师事务所可能面临非常巨额的经济赔偿，因

[①] 以下对各种法律责任形式的特点及形式的归纳请参考相关法律书籍。

此，它的责任力度与行政责任中的罚款这一项相比是较重的。

至于刑事责任则是注册会计师审计中有可能负担的责任中最重的一类。注册会计师的刑事责任、行政责任的强制性程度较强即具有制裁的现实性。它们必须由特定的国家机关强制追究，当事人之间不得和解；做出追究责任的裁决一经生效必须执行，非经法定程序任何人不得赦免或拖延执行。而注册会计师民事责任的强制性程度则相对较弱，仅具有制裁的可能性。这表现在：只要不损害国家和社会的重大利益，它可以由当事人双方平等地在法律规定的范围内自愿协商、自行决定；对于法院作出的追究民事责任的生效判决，权利人一方也可以放弃自己的权利，减免对方的责任，而不执行或不完全执行判决。正因为如此，审理注册会计师民事案件时可以运用调解方式，并且注册会计师与诉讼权利人之间可以和解。

确定注册会计师和会计师事务所应当承担多大的刑事责任和行政责任时，应当遵循如下原则：罪过大，则责任重，处罚相应地比较重；罪过小，则责任小，处罚也就相应地较轻。刑事责任和行政责任中的经济制裁并不是以行为所造成的损失为主要标准，损失额只是确定罪过的一个参考因素，对注册会计师的经济处罚既可以少于其违法行为所造成的损失，也可以超过其行为所造成的损失。而民事责任的确定则是以恢复原状和等价赔偿为原则，因此承担民事责任的注册会计师所承担的赔偿数额一般与其违法行为所造成的损失相当。

3. 处罚的范围有所不同

行政责任是注册会计师或会计师事务所在提供审计服务时，因违反注册会计师行业管理的法律、法规和规章，受到行业管理部门专业处罚的一种责任。民事责任是由于注册会计师或会计师事务所因违反合同或不履行其他义务，或由于过错侵害国家的、集体的财产，或侵害他人财产、人身的行为而承担的一种民事赔偿责任。刑事责任是指注册会计师在工作中存在违法行为，由国家司法机关予以追究，并给予刑事制裁所承担的法律责任。

（1）行政责任的处罚范围。根据《中华人民共和国注册会计师法》以及《中华人民共和国证券法》等法律条文的规定，注册会计师有可能在业务范围和道德行为规范两方面受到行政约束和惩罚。

注册会计师在业务范围内所要承担的行政责任的范围主要包括两个方面：质量责任和技术责任。

①质量责任。质量责任是指注册会计师在执行业务过程中，虽然执行了行业规定的各种程序，但由于粗心、过失而使得审计工作质量不高，从而使最后的报告结论有所差错，给报告使用人带来损失而应承担的责任。《违反注册会计师法处罚暂行办法》规定：注册会计师不按照中国注册会计师独立审计准则、职业道德准则、质量控制准则和后续教育的要求执业，予以警告；情节严重的予以暂停执业；事务所内部质量管理混乱，不按照中国注册会计师独立审计准则、职业道德准则、质量控制准则和职业后续教育准则的要求执业，予以警告；情节严重的予以暂停执业。

②技术责任。技术责任是指注册会计师在执业过程中，没有按照《中华人民共和国注册会计师法》、《中华人民共和国证券法》和《中国注册会计师独立审计准则》等专业规定的要求展开业务，从而因技术失误造成业务结果的失真和不实，为此而承担行政法律责任。

上述技术责任包括两个方面的内容：故意和过失。前者是指注册会计师在已知的条件下，与委托人同流合污，故意隐瞒实情，出具虚假报告，这些情况在国际管理中称为欺诈。另一种技术责任过失是指行为人因自己严重不负责任，出具了重大失实的证明文件而造成了严重后果。对于审计业务而言，当审计结论与实际不符时，注册会计师是否存在"过失"，要看注册会计师对虚假结果是否"应当预见而没有预见"，或者"已经预见到但轻信可以避免"。如果注册会计师应当预见而没有预见到委托人提供的证明文件的虚假之处，其在虚假审计报告上就有过失。故意与过失的最大区别在于，前者是有动机的，而后者是在找不到动机的情况下，确认的一种错误行为。由于有些错误非常重大，一般正常情况下不会发生，如注册会计师在国家规定保存期内，销毁了一些重要的工作底稿，而根据这些重要工作底稿所作的审计报告，却是一个错误的审计意见。由于找不到具有动机的证据，只能算作重大过失，等同于欺诈，并且要求其承担相当于欺诈或者舞弊的责任。

但是需要指出的是，只要注册会计师遵循《中华人民共和国注册会计师法》、《独立审计准则》以及其他相关专业标准，保持职业上应有的认真和谨慎，充分关注可能存在的导致会计报表严重失真的错误与舞弊，并严格执行必要的、适当的审计程序，即使出现了一些审计失误，也不一定要注册会计师承担行政责任。注册会计师在执行业务的过程中，由于受到"成本效益"原则的限制，因此，在审计方法与程序的选择上，一般采用在对委托人内部控制进行评价的基础上，以抽样方法为主的审计方式。这样，就难免会产生一些正常的审计风险。注册会计师的审计工作本身具有的局限性，使得不能保证将所有的错报漏报事项都揭示出来，也就不能要求注册会计师对于所有没有查处的错报事项都承担行政责任。但是，这也并不就是说注册会计师对于未能查处的错报都不承担行政责任，要看未能查出的原因是否源于注册会计师本身的过失或故意行为。如果注册会计师明知委托人存在错误与舞弊而隐瞒实情，明知自己提供的有关资产评估、验资、审计等证明文件与被审计对象的客观实际不符而仍然提供这些内容虚假的证明文件，或者明知被服务对象要其出具的是虚假证明文件而有意提供的，则要承担非常重的行政责任。因此关键是要取得注册会计师明知的证据，这是欺诈与过失的主要区别之一。相反，如果找不到注册会计师明知的证据，只是因为缺少应有的合理谨慎而没有将重大错报揭示出来，致使他人遭受损失，其性质属于过失，对这样的行为进行行政处罚时，注册会计师的责任相对故意和欺诈来说，要相对轻一些。

对于一些完全不遵循国家规定的技术标准并造成重大后果，而又找不到注册会计师明知的证据时，国际上通常将这种过失称之为重大过失，并将其责任推定为欺诈，命名为"推定欺诈"，是指虽然找不到故意欺诈或者坑害他人的不良动机的证据，但是却存在极端或者异常的过失，因为如果仍然将注册会计师行政责任定为过失，并给予较轻的处理，就会给社会公众造成行业利己的影响，也不利于保护质量较好的会计师事务所的声誉。近年来，对重大过失行为的行政处罚基本上是按照欺诈程度来处罚的。这对那些心存侥幸，以为找不到证据就可以从轻处罚的注册会计师来说，就不敢对重大过失掉以轻心。现在，我国有关部门也加大了对注册会计师审计中存在重大过失而给予的行政处罚，也是相当严厉的。

质量责任与技术责任都是与注册会计师执行审计业务的过程有关。但是，质量责任是注册会计师对执行技术标准的认真程度，技术责任是针对注册会计师有否基本执行技术标准而言的。

质量责任比技术责任提出了更高的要求,注册会计师在审计过程中,如在制定审计计划中,获取审计证据时,出具审计报告时,都有可能由于没有保证执业质量而承担行政责任。

同时注册会计师和会计师事务所除了在执行业务时可能承担一定的行政责任,在遵守职业道德准则方面也可能承担一定的行政责任。根据《中国注册会计师职业道德基本准则》和《违反注册会计师法处罚暂行办法》的规定,注册会计师若违反了职业道德准则的要求,同样要接受行政处罚。也就是说,注册会计师除了遵循专业标准,还必须接受职业道德规范的约束。主要是要在审计中对客户主要承担保密责任和回避责任。

A. 保密责任要求注册会计师为委托方单位和人员保守秘密,不得向其他任何单位和个人泄密。注册会计师在执业过程中,为了能合理表达审计意见,必须获得使用各种内外部信息的权利,因而必然会接触到委托人的一些与会计信息有关的商业秘密。在现代经济生活中,泄露客户的商业秘密,势必会给委托人造成巨大的损害。但是如果限制注册会计师接触某些商业秘密的话,由于很难区分商业秘密与审核信息的界限,很可能导致注册会计师无法出具正确的审计意见。为此,替客户保密就成为注册会计师不可推卸的责任。如果违反了保密责任,注册会计师应当承担相应的行政责任。当然,这也不是绝对的,在下列情况下,注册会计师可以不承担保密责任:

第一,司法机关进行法律调查时,注册会计师应当向司法机关公开客户的内部资料;

第二,当其他事务所受协会委托,对另一事务所执行业务复核时,注册会计师不用承担保密责任;

第三,注册会计师协会因业务监督需要,对会计师事务所进行检查时，会计师事务所不得以保密为借口，拒绝检查；

第四，经客户同意，后任注册会计师可以检查委托人以前的资料。当然，这些保密责任的例外，也是有限度的。即只能在有限范围内予以披露，且不能为注册会计师牟取私利。如果注册会计师利用上述四种例外，超出合理的范围，仍然要承担行政责任。

B. 回避责任要求注册会计师和会计师事务所在承接审计业务时，必须要充分考虑自身的独立性是否受到影响，一旦存在危害自身独立性的因素存在，注册会计师必须要主动放弃该项业务，予以回避。虽然说注册会计师接受委托人交付的审计业务就要对委托人负责，然而更应当注意的是，注册会计师还要对社会公众负责，因为注册会计师所执行的业务虽然是委托人交付的，但是由于会计信息使用的社会性，因此，使用注册会计师的审计结果的绝非只有委托人一家。为了保护所有审计结果的使用者，注册会计师在接受业务时，必须坚持独立、客观、公正的原则，如与委托人存在重要的利害关系时，注册会计师应当向所在的会计师事务所声明并进行回避。一旦注册会计师没有进行必要的回避而产生不良后果，就要承担相应的行政责任。

同时，如果会计师事务所在招揽审计业务时进行了损害职业形象的行为，也要承担一定的行政责任。

(2) 民事责任的处罚范围。关于注册会计师审计应负的民事责任的范围根据《民法通则》的规定，主要有以下两个方面：违约责任和侵权责任。违约行为和侵权行为是有区别的。违约行为侵害的是相对权，而侵权行为侵害的是绝对权。所谓相对权，是指义务人是特定的人。这种权利的权利人必须通过义务人实施一定的行为才能实现其权利；而绝对权是指义务人不确定，权利人无须义务人实施一定行为即可实现的权利。换句话说,在侵权行为中义务主体针对不特定主体,在违约行为中则针对特定主体。违约行为的违法性表现在当事人违反自己设立的,并针对特定当事人的义务。例如合同义务是合同当事人具体约定的义务,违反此义务便构成违约行为。侵权行为的违法性表现在违反法律直接限定的针对一般当事人的义务。例如:不得侵害他人的财产权和人身权,这是法律针对一切非特定人所设定的义务,作为自然人或法人因过错而违反了此条义务,并给他人造成损害,就构成了侵权行为。在许多情况下,行为人同一违反民事义务的行为既构成了违约行为,又构成了侵权行为,两种责任均可适用。这种因违法行为人实施了某一违法行为符合多种民事责任的构成要件,在法律上称为"责任竞合"。下面将分别进行具体论述。

①违约。违约是指当事人由于未能履行合约(包括书面和口头)上的某些具体条款而使他人蒙受损失。对注册会计师而言是指注册会计师未依一般公认审计准则执行审计任务,未依约定日期提出签证报告,或者违反了对委托人应尽保密义务等责任情形,而违反合同约定。当注册会计师不履行以上合同义务或者履行以上合同义务没有达到合同约定条件的,委托单位有权要求履行或者采取补救措施,并要求注册会计师就违约而产生的损失予以赔偿。

违约责任是合同当事人违反合同义务的法律后果,因此违约责任的存在须以合同义务的存在为前提。违约责任的构成要件与其他民事责任的构成要件具有共同性。所以一般来说违约责任的构成要件有四个。下面将具体讨论注册会计师对客户承担违约民事赔偿责任的四个构成要件。

A. 注册会计师或会计师事务所采取了违反约定或合同的行

第三章 注册会计师审计法律责任的形式

为。注册会计师在执业过程中如果没有能够按照合同约定完成工作的，会计师事务所应承担违约责任。注册会计师在执行一项审计业务的开始，与客户签订协议，即审计业务约定书，协议中具体规定了双方的权利和义务。对注册会计师来说，根据《中华人民共和国注册会计师法》规定，注册会计师应当按照约定履行两项主要义务：一是按照约定时间完成审计业务，出具审计报告；二是对在执行业务过程中获悉的商业秘密保密。如果注册会计师不能在规定时间内出具报告，其审计工作不是依据专业标准进行，出具的为不实报告，或者泄露了客户的商业秘密，都是违反合同的违法行为。这样的行为就属于违反经济合同法、注册会计师法等法律规范的行为。

一般来说，注册会计师的违约行为主要有以下三种情况：

a. 不能按合同约定时间完成审计外勤工作并出具审计报告。注册会计师为委托人提供审计鉴证服务，通常是为了满足委托人经济决策需要、相关法律法规需要或者其他利害关系人和社会公众的要求，这就要求，注册会计师的审计工作要在一定的期限内完成。否则，很有可能使委托人在经济上受到损失。我国《独立审计具体准则第 2 号——审计业务约定书》也把"出具审计报告的时间要求"作为规范的业务约定书应当包括的 12 项基本内容之一。注册会计师应恪守业务约定书中的有关规定。在委托单位提供了必要条件的前提下，合理安排工作日程，在一定的时间期限内出具审计报告。如果注册会计师不能做到这一点，就构成违约行为，并有可能承担相应的责任。

b. 不能按照专业要求，出具合法的审计报告。审计报告是注册会计师根据独立审计准则的要求，在实施了必要的审计程序以后出具的，用于对被审计单位会计报表发表审计意见的书面文件。审计报告是审计工作的最终成果，具有法定证明效力。审计业务约定书本身就包含了出具合法的审计报告的要求，这也是注册会计师作为专家身份的特殊工作性质所决定的。注册会计师应对其出具的审计报告的真实性、合法性负责。如果注册会计师不能符合独立审计准则的要求，出具合法的审计报告，就意味着注册会计师违约，应承担相应责任。

c. 不能对在执行业务过程中获悉的委托方的商业秘密进行保密。注册会计师由于职业需要，在执行合同约定的审计业务的过程中常常会接触到委托人的与会计信息相关的一些商业秘密，诸如股票的第二次发行计划、一些特色经营模式、发行人的分红派息计划、企业成本报表等，这些秘密信息一旦泄露或被利用于违法活动，将会使委托人在竞争中处于不利地位或给委托人造成不可挽回的经济损失。前面已经论述，我国《注册会计师法》第十九条规定："注册会计师对在业务中知悉的商业秘密，负有保密义务。"如果注册会计师没有遵守保密原则，将知悉的商业秘密提供或者泄露给第三者，或利用其为自己或者第三者牟取经济利益，则应承担泄密责任，受到法律处罚。如果因泄密结委托方造成经济损失时，会计师事务所应承担赔偿责任。在这一问题上，注册会计师应注意正确处理公开揭示与保守秘密的关系，除了文章前面所述四种特殊情况之外，注册会计师绝对不能有其他公开商业秘密的行为。

B. 注册会计师或会计师事务所承担违约民事责任要有一定主观要件，即注册会计师的违约行为是一种主观状态。除法律另有规定外，在一般情况下，只有行为人主观上有过错，行为人才对其不法行为所造成的损害承担民事责任。因此，过错是注册会计师违约民事责任的一般构成要件之一。过错是一种心理状态，

第三章 注册会计师审计法律责任的形式

但它又是通过行为人的不法损害行为反映出来的。因为，不法行为是不合法律要求的行为，而法律对具体场合下具体关系中的行为人的要求是客观的、统一的，法律的要求不同，行为人应具备的注意程度也就不同。所以，我们在判定行为人有无过错时，先要考虑法律的要求，要看行为人应具备的注意程度，从而才能确定该行为人是否给予了足够的注意。坚持法律要求这一客观标准，目的是要把法律对此一类人员与彼一类人员所要求的应具备的注意程度区别开来。可以说，这一客观标准只是针对从事某一职业、行业或者处于某类关系中的普遍的、抽象的人来说的，而不是针对某一具体行为人来说的。注册会计师承担法律责任的前提是执业过程中存在过错，判断有无过错的标准大而言之，是有关的法律、法规，包括《民法通则》、《中华人民共和国注册会计师法》、《中华人民共和国公司法》等。具体而言，则是注册会计师执业准则、规则，主要是指《中国注册会计师独立审计准则》。《中华人民共和国注册会计师法》第二十一条规定："注册会计师执行审计业务必须按照执业准则、规则确定的工作程序出具报告。"第三十五条规定："中国注册会计师协会依法拟订注册会计师执业准则、规则，报国务院财政部门批准后实施。"因此，中国注册会计师协会拟定、财政部颁布的《中国注册会计师独立审计准则》既具有部门规章的性质，又是行业内的权威标准，会计师事务所执行审计业务，必须遵照执行。如果注册会计师的执业行为不符合独立审计准则的要求，应认定其具有过错。反之，如果注册会计师按照执业规范的要求实施了必要的审计程序，既不存在与客户串通舞弊故意提供虚假报告的情况，又不存在疏忽大意或过于自信的过失，则应认定其不存在过错，不应承担法律责任。

实际上，评价一个注册会计师的执业行为是否规范，是否符合独立审计准则的要求，是一个专业性极强的问题。应该认识到，随着被审计单位经济业务的复杂化和多样化，作为审计这样一门专业技术，已经不能按照传统的方式运用详细审计的方法对被审计单位的所有经济事项逐一进行测试，只能采取评价被审单位内部控制制度加上运用一定的抽样技术进行选择性抽查的方式的风险基础审计方法。所以由于现实生活的复杂性，一个执业道德良好、执业水平较高的注册会计师严格地按照执业准则的要求出具报告，仍不可能完全保证审计报告的绝对正确，而只能保证相对正确。

C. 损害事实的存在。损害事实的客观存在是确定注册会计师违约民事赔偿责任的首要的必要条件。从司法实践上看，确定行为人是否应承担民事赔偿责任，首先是看有无损害后果的发生。在民事上，无损害即无责任以损害事实为责任的构成要件，是民事责任与其他法律责任的重要区别之一。如前所述，如果注册会计师对委托人构成了违约责任，即因为违反合同约定产生财产损害，它可以表现为委托人现有财产的减少和损失，也可以表现为未来收益的丧失，即通常所说的直接损失以及间接损失，此时，便具备了损害事实存在这一必要条件。

D. 注册会计师的违约行为与损害事实之间存在因果关系。民事责任构成要件中的因果关系，是指损害后果与行为之间的相互关联性，也就是说，若某一损害后果是由某人的行为引起的，损害是行为的结果，行为是损害的原因，则二者之间就有因果关系。强调这一要件，是要强调只有在注册会计师的主观的违约行为与委托人之间的财产损失之间存在因果关系时，注册会计师才承担民事责任。也就是说，委托人发生了某项财产损失，注册会计师也的确违反了合同的约定，并且具有主观上的过错，在这种情况下，两者就具有了因果关系。但是如果该项损失不是由注册会计师的行为引起的，注册会计师对这项损失也无须负赔偿责任。

在审计业务中，具有合同约定性质的是在审计工作初始阶段确定会计师事务所和委托人相互权利和义务的业务约定书。会计师事务所在签订审计业务约定书之前，首先要就审计业务的性质和范围与委托方取得一致意见，接着了解被审计单位的基本情况，评价会计师事务所独立性、执行审计和保持应有谨慎的能力；然后，双方商定审计收费，明确被审计单位明确应当协助的工作。会计师事务所就上述问题与委托方协商一致后，即可指派人员起草审计业务约定书。业务约定书具有合同性质，它是会计师事务所和被审计单位之间设立、变更、中止民事行为的协议。根据审计业务约定书的约定，可以明确会计师事务所和被审计单位之间形成的特定的权利义务关系。如果是草草签订，没有明确的条款和应当各自负担的权利义务等事项，很容易为注册会计师和会计师事务所承担民事责任埋下祸根，其风险是相当大的。一份规范的业务约定书将成为委托人和受托人双方明确权利义务关系最好的法律文件，注册会计师应当将签订规范的业务约定书作为防范法律风险的重要措施之一。如果注册会计师没有履行业务约定书规定义务，则应承担违约责任，负民事赔偿责任。如果注册会计师和审计单位都违反合同的，应当分别承担各自应负的民事责任，即共同承担民事责任。

注册会计师违反合同的赔偿责任，应当等于被审计单位因此受到的损失。双方也可以在合同中约定，一方违反合同时，应当向另一方支付一定数额的违约金；也可以在合同中约定，对于违反合同而产生的损失赔偿额的计算方法。注册会计师为了保护自己的合法权益，最好能够在业务约定书中明确违约金和违约赔偿的方法。同时，要在业务约定书中加入仲裁条款，由中国注册会计师协会和人民法院联合建立一个仲裁委员会，对注册会计师执业过程中出现的法律纠纷进行仲裁，这样可以在一定程度上避免漫长的法律诉讼。

②侵权。注册会计师侵权责任，是指注册会计师对在执业过程中由于过错，违反法律规定的义务，以作为或者不作为的方式，给委托人或第三人造成损害，由其所在的会计师事务所承担的民事责任。如果注册会计师没有能够按照规定的专业标准实施审计程序，并因此提供了虚假证明或虚假审计报告，而报表使用者依据了错误报告，做出了错误的决策，以至于报表使用者的财产受到损失。那么这种由于注册会计师的不当行为而造成的其他利害关系人的财产损失，应属于侵权行为。它是因直接侵占、侵害社会公共财产、他人所有的财产（包括物质财产、著作权和其他知识产权、财产权等）和人身权而产生的民事责任。

侵权责任一般具有以下特点：注册会计师侵权责任限于注册会计师执业范围，注册会计师执业以外的行为，以及非注册会计师的行为，均不导致注册会计师侵权责任；注册会计师侵权责任归责原则应为过错责任原则，不应适用特别侵权的无过错责任原则；注册会计师侵权责任以注册会计师未履行对委托人的应尽义务或造成委托人、第三人的利益损害为条件；注册会计师侵权责任属于民事责任。注册会计师侵权责任具有了民事责任的一般特点，即具有以民事义务为前提，强制性、相对性、财产责任为主的特点；注册会计师侵权责任的行为主体与责任主体相分离，侵权责任的行为主体是注册会计师，责任主体是会计师事务所。

一般情况下，构成注册会计师侵权行为的事项，也必须要同时具有以下四个要件：

A. 确实客观存在着损害事实。损害事实是构成侵权损害赔偿民事责任的第一要件。这里的损害事实，是指注册会计师的违法行为致使委托人或其他利害关系人造成了经济或其他方面的损害，包括财产损害和人身损害。一般来说，作为市场主体的注册会计师由于侵权对利害关系人主要造成的是财产损害。这些损失包括也同样包括直接损失和间接损失两部分。直接损失又称积极损失，是指因为侵权行为造成的利害关系人现有财产的减少；间接损失，又称消极损失，是指受害人本应得到的财产因为受到侵害而没有得到，即可得利益的减少。损害事实的客观存在往往是引发诉讼的重要原因。出现损失后，受害人为了保护自己的合法权益，会向人民法院提起诉讼。一旦法院受理，注册会计师卷入法律纠纷是在所难免的。

损害事实作为注册会计师侵权责任构成要件之一，是由两个要素构成的，一是权利被侵害；二是权利被侵害而造成的利益受到损害的客观结果。在实践中常见的损害事实包括：买卖合同中的卖方或投资关系中的出资人因利用注册会计师出具的虚假验资报告而导致的经济损失；股票购买者因利用注册会计师出具的虚假审计报告而导致的经济损失；虚假评估报告的利用人造成的经济损失等。

B. 注册会计师侵权行为的违法性。违法行为，是指注册会计师违反法定义务而实施的作为或不作为。通常包括：泄露其从执业活动中获得的委托人或者利害关系人的商业秘密；出具虚假或不实的审计报告或其他证明性文件等行为。行为人行为的违法性具有两方面的内容：一是行为人不履行其应尽的义务；另一是指行为人的行为妨碍了他人权利的实现，亦即行为人的违法行为包含了"作为"和"不作为"两种基本形式。行为人只对其实施的违法行为承担法律责任。如果造成他人财产和人身损失是违反法律的，行为人就应当对此项损害承担赔偿责任；否则，它就不负责任。对注册会计师执行审计业务而言，它的行为是否违法，就要看其在执行业务中是否遵循《中华人民共和国注册会计师法》和相关的独立审计准则。如果注册会计师在职业过程中，没有按照独立审计准则保持应有的职业谨慎和认真态度，那么对其引起的损害事实，必然要承担法律责任。但是，如果注册会计师严格遵守了国家规定的专业标准，由于审计程序本身的局限性或者委托人的过失，如审计抽样产生的误差、管理当局串通舞弊造成内部控制的失效等，使得注册会计师仍然无法察觉会计报表的重大差错并因此出具了错误的审计报告。当有关人员使用了这一错误信息而造成自身的损失时，注册会计师就不对这一损失承担侵权责任，而应当对伪造财务报表的制作者追究民事赔偿责任。因为，从民事侵权责任的要素来看，由于注册会计师的行为不具有违法性，尽管有关人员受到经济损失，而且这一损失与注册会计师行为确实有因果关系。但是这一损失的出现，从民事责任来说，并不是注册会计师的过失而造成的。注册会计师并没有过失，因此就不应当承担责任。

C. 注册会计师的侵权行为与损害事实有因果关系。侵权行为与损害事实是否存在因果关系是判断注册会计师行为是否侵权的重要条件，作为侵权损害赔偿民事责任的第三要件，因果关系要求"损害事实"必须是由该特定"违法行为"所引致的，如果两者之间不存在"因果关系"，则该"违法行为"亦无从承担侵权损害赔偿的民事责任。实践中，分析研究因果关系是从结果来找原因，即把某一损害事实作为结果，来寻找此项损失的原因，即要查明是谁的行为引起的。考虑因果关系是一种必要手段，目的是通过因果关系的确定来判断是谁的作为所引起的，其行为是否合法，并以此为依据，进一步确定谁应当对此项损害结果承担民事责任。从逻辑的角度来说，即使从表面上看来，侵权行为与损害事实的发生有着某种联系，但在司法实践中也必须要用强有力的证据来证明两者之间存在着必然的联系，而并非是巧合。只有两者存在着因果关系，才可以追究注册会计师的法律责任。在实践中，利害关系人往往强调注册会计师的审计报告或者验资报告是引起他们损失的直接原因。对此，司法实践要求利害关系人必须要有充分的证据来说明因果关系的存在。

目前，在侵权行为中，因果关系有多种表现形态，包括"一因一果"、"一因多果"、"多因一果"和"多因多果"。而注册会计师侵权责任中更为关注的，应为"多因一果"。在注册会计师侵权行为中，其审计责任和委托人的会计责任及其他责任为多因，结果是虚假反映了企业当期的财务会计信息，应根据原因力大小确定其责任分担。一般认为，委托人的会计责任为主要责任，而注册会计师的审计责任为次要责任。

D. 行为人的过错。过错是指行为人对其实施的行为和该行为所产生的结果所持的心理状态。过错包括故意和过失两种。所谓故意，是指注册会计师明知自己违反法律、法规、职业道德或执业准则的行为会对委托人或其他利害关系人造成损害后果，仍然希望或者放任这种结果的发生。行为人对自己行为的结果，应当预见而没有预见，或者虽然已经预见到却轻信这种结果不会发生或者能够避免，称为过失。前者叫有认识的过失或者过于自信的过失，后者叫做无认识的过失或者疏忽大意的过失。要认定一

107

个职业人士在执业过程中是否存在过失,应当根据"一个具有相同职业技能并且审慎尽职的第三人在同等条件下能否合理地做出或采纳同样的执业行为"进行判断。而注册会计师是否尽到"审慎尽职"义务,并采取"合理的"执业行为,最直接最适当的标准当然应以其是否遵守执业规范——独立审计准则的规定为依据。在注册会计师行业中,作为行为人的注册会计师过错主要分为以下几种:

a. 过失。所谓过失,是指一定条件下,缺少应具有的合理谨慎。评价注册会计师的过失,是以其他合格注册会计师在相同条件下可做到的谨慎为标准的。当过失给他人造成损害时,注册会计师应当负过失责任。通常将过失按照其程度不同分为一般过失(疏忽大意的过失)和重大过失(过于自信的过失)。

一般过失,也称普通过失,通常是指没有保持职业上应有的合理的谨慎。对注册会计师而言,是指未完全遵循专业准则的要求,以注册会计师专业身份来讲,他应尽的注意应较普通人为高,故其应注意的义务应以善良管理人的注意为主,其不注意的结果是属于抽象过失。比如,未按照特定审计项目取得必要和充分的审计证据的失误,可以看作为一般过失。一般过失是在工作过程中的某些非重要方面没有保持应有的职业谨慎,即未注意到某些细节,属于一种疏忽大意。这种过失我国刑法不追究其刑事责任。

重大过失是指欠缺注意,仅须用轻微注意即可预见的情形,却怠于注意,不予以相当的注意。对于注册会计师而言,则是注册会计师在执业中明显违反法律法规、国家政策,或违反审计准则和法定的注意义务,连起码的职业道德谨慎都不保持,对审计事项的表述有根本性的错误,对当事人和社会造成了较大的损失和危害，在社会上造成较大的影响。比如，在审计财务报表时，注册会计师不以独立审计准则为依据，在审计过程中，不作任何工作底稿，则可以视为重大过失。重大过失是基本上不按照专业标准从事业务，或者不按照重要的专业标准进行工作，对工作完全不负责任的一种态度。显然，持这种态度的人能够预见到其对社会的危害性。如果一旦这个经济后果发生了，注册会计师就要为此承担重大过失责任。

b. 共同过失。共同过失是指受害方自己未能保持合理的谨慎而蒙受的损失。比如，被审计单位未能向注册会计师提供编制纳税申报表所需的信息，后来又控告注册会计师未能妥当的编制纳税申报表。这种情况下可能使法院判定被审计单位与注册会计师有共同过失。

c. 故意。是指注册会计师在执业中明知财务报告、会计资料及有关材料不真实，故意作出虚假或失实的证明和结论的行为，是以欺骗或坑害他人为目的的一种故意的错误行为。这一具体行为，我国注册会计师法中作了明确规定。如果明知财务会计处理与国家规定相抵触而不予指明，明知财务会计处理会直接损害报告使用人或者其他利害关系人的利益，而予以隐瞒或者作不实报告等行为，都是一种故意的行为，因为在注册会计师法中都将明知作为具有动机的先决条件。事实上，常常把故意又分为直接故意和间接故意。希望某种结果的发生，则是直接故意；如果是放纵某种结果的发生，则是间接故意。直接故意与欺诈是基本一致的，因为欺诈是以欺骗或者坑害别人为目的的，因此必然是希望这种危害结果的发生。而推定欺诈与间接故意则是不完全一致。

同时要注意区分重大过失和间接故意。如果某种极端或者异常的过失确实处于一种侥幸心理,则属于过于自信的过失,属于重大过失,重大过失不仅不希望结果的发生,而且希望能够避免;而如果是一种放纵性的行为,由于没有故意欺骗和坑害他人的动机,则属于间接故意,间接故意虽然不希望结果的发生,但也不希望它不发生,而是采取放任的态度。同时,重大过失和间接故意也是有相似之处的,首先行为人都预见到自己的行为有可能产生危害结果。其次,行为人都不希望危害结果的发生。所以,在国际上往往又把重大过失称为"推定欺诈"。

如果注册会计师的审计行为确实使财产所有人或者其财产受到损失,审计行为与该损失具有因果关系;审计行为具有违法性,在此基础上,就可以根据注册会计师是出于普通过失、重大过失还是共同过失,抑或是故意欺诈来对注册会计师进行相应的民事惩罚。

(3) 刑事责任的处罚范围。至于注册会计师审计所负刑事责任的范围分注册会计师和会计师事务所两方面。下面分别论述。

①针对注册会计师的刑事责任处罚范围。这里应当明确的是注册会计师犯罪,必须既要满足主观条件又要满足客观条件。首先注册会计师犯罪必须要有违法行为,即违反工商、金融、市场管理法规的行为,这被称为是犯罪的客观方面。犯罪的客观方面是由众多要素组成的:行为、行为方式、行为对象、行为的危害结果以及犯罪活动赖以存在的时空条件。关于注册会计师犯罪的客观方面,对于扰乱市场秩序罪来说,就是故意或者严重不负责任而出具虚假验资、审计报告的行为,这种行为违反了《中华人民共和国注册会计师法》;对于侵犯知识产权罪来说,就是泄露客户商业秘密的行为,这种行为违反了《中华人民共和国知识产权保护法》;对于破坏金融管理秩序罪来说,就是以内幕消息进

行股票交易的行为,这种行为违反了《中华人民共和国证券法》。同时,需要注意的是,某些犯罪必须具备一定的时空条件才能构成犯罪。

同时,由于其职业性质,注册会计师所犯的罪行都属于经济犯罪,也就是违反国家经营管理法规,破坏社会主义市场经济秩序,严重危害国民经济和市场秩序的一类犯罪行为。经济犯罪所侵犯的客体,也就是所破坏的社会关系,是社会主义市场管理秩序。

前面说过,注册会计师可能犯的罪有以下几种:

如果注册会计师故意或者严重不负责任而出具虚假证明文件造成严重后果的,属于扰乱市场秩序罪。这是注册会计师最有可能犯的罪。它所破坏的社会关系是市场正常的交易秩序,主要是金融市场的秩序。注册会计师的职业在市场经济中起到一种信息鉴证的作用,可以提高财务信息的可靠性。这样才有利于企业财务报表使用者如管理部门、股东、潜在的投资者、债权人、政府以及其他交易对手,根据这种可靠的财务信息来进行自己的决策,因此,如果注册会计师在信息鉴证这一环节犯罪,就会造成财务信息的不可靠,导致金融市场无法依据财务信息进行正常的交易,从而导致其不必要的混乱,这就属于扰乱了市场交易秩序。

如果注册会计师利用证券内幕信息进行交易并牟取私利的行为,属于破坏金融管理秩序罪。它所破坏的社会关系是国家金融管理秩序。假如注册会计师利用业务机会获得的内幕消息进行证券交易,就会破坏公平、公开、公正的三公原则。这种不公平的市场交易行为,必然会打击其他投资者的信心,从而不利于我国证券市场的发展。金融市场作为社会主义市场体系的有机组成部分，起着合理配置资本的作用。因此金融市场的健康发展，对整个国民经济的发展同样是头等重要的大事。对破坏金融管理秩序的行为绳之以法，是维护金融管理秩序的有效手段之一。

注册会计师的行为必须与危害后果之间有因果关系，才能构成犯罪。当注册会计师泄露了商业秘密，但是没有被别人利用。但是客户确实因为商业秘密的泄露而遭受了损失，而这一损失是由于另外存在他人将秘密泄露给竞争对手而造成，那么注册会计师的行为与客户遭受损失之间并不存在因果关系，那么这个注册会计师就无须为此而负刑事责任。但是，注册会计师必须要有明确的证据来证明上述行为确实与客户的损失无关，否则，很可能为此而承担泄露商业秘密的刑事责任。

犯罪的判别不应该仅仅依据其客观行为产生的危害性后果，还要看犯罪的主体是否在主观上具有故意或者过失而造成这种危害后果，这被称为犯罪的主观方面。当然首先实施犯罪的注册会计师必须具有刑事责任能力。即只有具有符合追究刑事责任的能力和条件，才能对其进行相应的形式制裁。这对一个注册会计师来说是完全成立的。注册会计师犯罪的主观方面也是一个包含众多要素的要件，其中最主要的是犯罪的故意和过失。经济犯罪的主观方面，除了个别犯罪可以由过失构成外，都是只有故意才构成犯罪。在注册会计师犯罪的主观方面构成的要素以加害人有故意或过失为限。事实上，如诈骗、偷税、挪用公款等犯罪等，不可能是过失而为之的。对于注册会计师来说，在严重过失情况下出具虚假证明文件需承担刑事责任。这也足以证明注册会计师职业责任的重大，因为一旦对公众公司公布虚假的财务报表，其影响面将是巨大的，尤其对于上市公司，其产生的不良后果是难以估计的。

②对于会计师事务所来说，要负刑事责任必须要满足以下几个条件：

A. 会计师事务所故意犯罪必须是以会计师事务所名义而实施的。会计师事务所是一个法人组织，具有独立的人格，因而能够以独立的社会关系主体的资格对外交往和进行活动。正是由于会计师事务所具有这种主体资格，它才需要对其成员的行为承担刑事责任。因此，会计师事务所的犯罪必须是运用了这种主体资格，即以会计师事务所的名义而实施的。

B. 会计师事务所犯罪的实施者必须是会计师事务所的法定代表人、主管人员、直接负责人和其他成员。无论是会计师事务所犯罪还是其成员犯罪，犯罪行为都是由其成员来实施的。但是由于会计师事务所的刑事责任是事务所自身的责任，因而这种犯罪行为必须是在会计师事务所意志支配下实施的。所以会计师事务所犯罪的实施者不是任何会计师事务所成员，而必须是能够反映会计师事务所整体的法定代表人、主管人员、直接责任人员和其他成员，只有他们才能代表会计师事务所的意志。这里把法定代表人、主管人员和直接负责人员突出加以强调，是因为他们往往在犯罪中起着重要的作用，其他法人成员可能也参加了犯罪，但如果仅仅是其他成员的行为，往往不能代表会计师事务所的意志，因此，不一定属于会计师事务所犯罪。

C. 会计师事务所的过失犯罪，必须是在会计师事务所的业务范围之内。会计师事务所的过失犯罪是由于其代表人、主管人员、直接责任人和其他成员违反法律，不履行其应尽的义务，因过失而造成危害社会的结果。这种过失，只可能是在法律规定的范围之内产生，超出其业务范围的过失，由于缺乏标准，就很难以过失加以衡量。

D. 会计师事务所故意犯罪是在会计师事务所的意志支配下实施的，必须是为了该所的利益。这一要件是区别注册会计师故意犯罪与会计师事务所故意犯罪的关键因素。因为这两者的犯罪行为都可能是会计师事务所的法定代表人、主管人员、直接责任人员具体实施的。而且注册会计师个人也可能盗用会计师事务所的名义进行犯罪活动。因而区分的关键就落在犯罪行为究竟是哪个主体的意志支配和哪个主体是犯罪行为的受益人这两个问题上了。当然，这两方面是有联系的，一般来说，如果事实的犯罪行为确实反映的是会计师事务所的意志，则该行为是为了该会计师事务所的利益而实施的。反之，则不一定能够成立。同样如果注册会计师在会计师事务所不知情的情况下，利用了会计师事务所的名义犯法，并且将所得利益中饱私囊，也不一定属于会计师事务所犯罪。

总之，不论是注册会计师犯罪还是会计师事务所的犯罪，都必须承担相应的刑事责任，但又由于两者是不同的法律主体，为了分清各自的责任，维护各自的合法权益，维护国家法律的严肃性，应该将两者责任区分开来。刑法在给会计师事务所犯罪定罪时，首先要看犯罪的实施者是否为其法定代表人、主管人员、直接负责人员和其他的法人成员，对于故意犯罪，还要看犯罪行为是否是以会计师事务所名义实施，并且是在其意志支配下为其利益实施的。对于过失犯罪，主要是看是否在会计师事务所的业务范围内实施的。也就是说，在对会计师事务所进行量刑定罪的时候，首先是区分会计师事务所犯罪还是个人犯罪；其次是即使会计师事务所犯罪，还要对直接负责人追究个人的法律责任。

4. 三种法律责任在法律诉讼程序上有所不同

（1）行政责任的执行程序。注册会计师及会计师事务所涉及的行政责任主要是行政处罚。行政处罚是指公民、法人或者其他组织存在违法行为，尚未构成犯罪，依法应当承担行政责任的，由相关行政机关给予的处罚，它是法律法规规定的行政机关对违反行政法规、规范的个人、法人和其他组织给予的一种制裁。如拘留、罚款、吊销许可证和执照、责令停产停业、没收财物等等。

  针对注册会计师及会计师事务所的行政处罚是指，注册会计师及会计师事务所有违反《中华人民共和国注册会计师法》或者其他执业规范和法则的违法行为，尚未构成犯罪，依法应当承担行政责任的，由财政部委托中国注册会计师协会给予注册会计师及会计师事务所的处罚。注册会计师和会计师事务所分别可以以公民和法人的身份成为行政诉讼的原告，并依法具有其特有的权利和义务，当然注册会计师在大多数情况下会以诉讼被告的身份出现。

  在做出行政处罚前，财政部必须要按照一定形式听取调查人员和注册会计师及会计师事务所的意见，即听证。听证一般需要执行以下几项程序：

  ①如果决定对案件进行听证，则在做出处罚之前，应当首先向注册会计师及会计师事务所送达《行政处罚事项告知书》，告知注册会计师及会计师事务所已经查明的违法事实、证据、处罚的法律依据和拟定给予的处罚，并告知有要求举行听证的权利。

  ②要求听证的注册会计师及会计师事务所，应当在收到《行政处罚事项告知书》后3日内向财政部门书面提出听证要求，如果逾期不提出，则被视为自动放弃听证权利。

  ③如果注册会计师及会计师事务所提出听证要求，财政部门要在之后的15日内举行听证，并在举行听证的7日前将《行政

处罚听证通知书》送达注册会计师及会计师事务所，通知注册会计师会计师事务所举行听证的有关情况。

④对于除涉及国家秘密、商业秘密或者个人隐私外的一般公开听证的案件，应当先期公告案情和听证的时间、地点并公告旁听。

⑤听证会开始时，主持人应当首先声明并出示财政部门负责人授权主持听证的决定，然后查明注册会计师及会计师事务所或者代理人、调查人员及其他人员是否到场；宣布案由和听证会的组成人员名单。告知注册会计师及会计师事务所有关的权利义务，记录员宣读听证会秩序。接下来先由调查人员就注册会计师及会计师事务所的违法行为进行指控，并出示事实证明材料，提出处罚建议，再由注册会计师及会计师事务所或者其代理人就所指控的问题进行申辩和质证，然后控辩双方辩论；注册会计师及会计师事务所进行最后陈述。

⑥听证的全部活动，应当由记录员制作笔录并交注册会计师及会计师事务所阅核、签章。最后由主持人宣布中止听证。听证结束后，主持人应当制作听证报告并连同听证笔录附卷移交审查机构审查。

当事人如果对行政处罚不服，在经过听证程序之后，可以向上级行政机关提出复议，即行政复议。行政复议是指公民、法人和其他组织不服行政机关的处理决定，依法向有权的行政机关提出申诉，有权的行政机关基于该申诉而实施的复查和裁决行为。如果注册会计师或者会计师事务所对于省级人民政府财政部门委托注册会计师协会对其做出的行政处罚不服，可以向上一级行政管理部门提出复议。当事人对行政处罚决定不服，可以在接到处罚通知之日起15日内向做出处罚决定的机关的上一级机关申请复议，复议机关应当在接到复议申请之日起 60 日内做出复议决定。

如果对复议决定不服，可以再向人民法院起诉；也可直接向人民法院提出行政诉讼。当事人对复议决定不服的，可以在接到处罚决定通知之日起 15 日内向人民法院起诉。复议机关逾期不做出复议决定的，当事人可以在复议期满之日起 15 日内向人民法院起诉。当事人逾期不提起复议，也不向人民法院起诉，又不执行处罚决定的，做出处罚决定的机关可以申请人民法院强制执行。行政诉讼是指个人、组织认为国家行政机关和行政机关工作人员的具体行为侵犯其合法权益，按照《行政诉讼法》和有关法律、法规向人民法院提起诉讼，由人民法院进行审理并做出裁决的制度。对于财政部门做出的复议决定仍然不服的，可以再向人民法院起诉；也可以不提请复议而直接向人民法院提起行政诉讼。倘若注册会计师或者会计师事务所对拘留、罚款、吊销营业执照、责令停止执业、没收财务等行政处罚不服，人民法院根据《行政诉讼法》第十一条的规定，受理注册会计师或者会计师事务所为此提起的诉讼。但是法律、法规规定应当先向行政机关申请复议，对复议不服再向人民法院提起诉讼的，依照法律、法规的规定。也就是说，在特定情况下，必须先复议，对复议决定不服，再起诉。当事人也可以在接到处罚决定通知之日起 15 日内直接向人民法院起诉。

至于注册会计师审计行政责任的诉讼时效，鉴于最早关于注册会计师行业的法规——国务院 1986 年颁布的《注册会计师条例》中已经有关于注册会计师行政责任的规定，因此，对于注册会计师审计报告内容不实注册会计师应承担的行政责任，在法律援引上比较明确，即根据审计报告出具的时间，适用相应时期的

《中华人民共和国注册会计师法》或《注册会计师条例》。行政责任的诉讼之前一般要经过行政复议程序。当事人如果对复议决定仍然不服的，可以在接到处罚决定通知之日起 15 日内向人民法院起诉。但是如果复议机关逾期不做出复议决定的，当事人可以在复议期满之日起 15 日内向人民法院起诉。

（2）民事责任的执行程序。注册会计师审计的民事责任对应的是民事处罚。民事处罚是注册会计师和会计师事务所在审计工作中由于违反合同和不履行其他法律义务给委托方或者其他第三方造成损失时而被有关法律部门给予的处罚。涉及注册会计师审计的民事责任法律案件的诉讼程序一般包括以下几种：

①第一审普通程序。注册会计师或会计师事务所可以以原告的身份对有关当事人提出起诉，但更多的是以被告或者是共同被告的身份接受有关当事人的起诉。如果注册会计师作为被告就要进行上诉。有限责任的会计师事务所以本会计师事务所的名义上诉，合伙制会计师事务所以注册会计师个人的名义上诉。注册会计师对自己提出的请求和需要证明的事实要提出证据。注册会计师进行上诉时，一般采用书面形式，并起草起诉状。注册会计师对自己提出的事实理由，必须要有充分的证据来证明，法庭才会有足够的依据来进行判断，以维护注册会计师的合法利益。在举不出证据而法院也收集不到证据的情况下，注册会计师如果负有举证责任，就要承担可能败诉而引起的法律后果。

如果其他原告或者注册会计师提出起诉后，人民法院通过审查，认为符合法律规定的起诉条件，就开始决定立案审查，然后决定是否受理。如果人民法院决定受理，审判人员必须要做好以下审理前的准备工作：依法发送起诉状、答辩状；告知当事人有关诉讼权利和义务，确定审判人员组成合议庭；审查双方当事人

第三章 注册会计师审计法律责任的形式

请求和答辩所依据的事实；调查并收集有助于弄清这些事实的一些证据；通知进行共同诉讼的当事人参加诉讼等，为开庭审理做好准备。如果注册会计师作为原告提出起诉，注册会计师应当在提交起诉状时，对相关事项进行审核，以避免案件被驳回或者有关文件发回，要求纠正等情况的出现，注册会计师作为原告，应当将与案件有关所有当事人都列入，包括有请求权的第三人和无请求权的第三人。注册会计师如果作为原告，应当在7日内收到通知，则表示法院受理此案，注册会计师应当准备后续工作。如果注册会计师被推上了被告席，则要做好准备进行应诉。作为被告，也应当将原告没有考虑到而注册会计师认为与本案相关，应当负相应责任的当事人列为被告或者第三人。

在上述审查工作完成以后，就要对案件进行开庭审理，它是指人民法院在注册会计师和会计师事务所以及其他当事人和诉讼参与人的参加下，依照法律规定的形式和程序，查清案件事实，分清孰非责任，对案件做出处理决定所进行的诉讼活动，该程序需要分以下阶段进行，即开庭预备；法庭调查；法庭辩论；评议宣判；法庭笔录；延期审理和诉讼中止、诉讼终结。注册会计师及对方当事人和他们的诉讼代理人除特殊情况外，必须要到庭。注册会计师涉及的经济纠纷案件，如果存在商业秘密，则不应当公开审理，但是审理结果必须公开。公开审理时一般需要进行以下程序：

A. 当事人陈述。注册会计师无论是作为原告还是被告都应当向法庭进行当事人陈述。注册会计师参加诉讼进行的陈述，必须要有有利的论点和充分的证据、严密的逻辑，并用通俗的语言进行解释，使法院有关工作人员充分了解注册会计师行为是合法的，符合专业标准。

B. 告知包括会计师一方在内的当事人的权利和义务。

C. 出示书证物证和视听资料。这些证据资料主要是指注册会计师的工作底稿以及业务约定书等。

D. 宣读鉴定结果。为了证实注册会计师工作没有过失，需要聘请业内专家、协会或者高等院校的教授等，对注册会计师的工作进行专业鉴定，出具专业鉴定书。

②第二审程序。注册会计师和会计师事务所不服地方各级人民法院未生效的第一审判决裁定，在法定期限内提起上诉，请求上一级人民法院进行审判，上级人民法院对注册会计师和会计师事务所的上诉案件进行审理所使用的程序称为第二审程序。第二审程序是注册会计师和会计师事务所要求上一级人民法院审理第一审人民法院的判决是否合理合法，以上诉权维护自己合法权益的诉讼程序，也是上一级人民法院根据当事人的诉讼请求，对第一审人民法院裁判的有关内容进行检查监督，使有错误的裁判在发生法律效力之前得到纠正的诉讼程序。

注册会计师一般在以下情况下可以申请再审，即 A. 有了新的证据，足以推翻原判决、裁定的；B. 原判决、裁定认定事实的主要证据不足的；C. 原判决、裁定适用法律确实是有错误的；D. 人民法院违反法定程序，可能影响案件的正确判决、裁定的；E. 审判人员在审理该案件时，有贪污受贿、徇私舞弊、枉法裁判行为的。只有符合上述五种情况下，人民法院才能依法进行再审。注册会计师申请再审，应当在判决、裁定发生法律效力后2年内提出，申请再审的同时，应当提交申请书，写明申请人的有关情况，指明已经发生效力法律文书的错误，提出证据证明申请人申请的理由充分和有事实证据。

③审判监督程序。审判监督程序也称再审程序，是指人民法

第三章 注册会计师审计法律责任的形式

院对已经发生法律效力的判决裁定，发现确有错误，依法对案件进行再审的程序。它是第一审程序和第二审程序之外的，不增加审级的一种救济程序。它可以通过人民法院提出再审、注册会计师和会计师事务所提出再审以及人民检察院提出抗诉这三种形式进行。

④强制执行和财产保全。人民法院在民事诉讼中，为了保障审判活动的正常进行，对有妨碍民事诉讼行为的注册会计师和会计师事务在满足以下三个条件时可以采取强制手段，一是注册会计师和会计师事务所确实有妨碍民事诉讼的行为，必须是在诉讼过程中进行的，即案件受理后到结案前，包括审判程序和执行程序以及审判监督程序在内；二是注册会计师的妨碍民事诉讼的行为，必须是他已实施的行为，只有妨碍民事诉讼的意图，没有事实的意图，不能认为是妨碍诉讼的行为；三是妨碍民事诉讼的行为，必须是注册会计师主观故意的行为。非故意或过失的行为，不能对注册会计师采取强制措施。对于注册会计师有妨碍民事诉讼的行为，规定的强制措施有：训诫、责令悔过、拘传、罚款和拘留；对于构成犯罪的，依法追究刑事责任的，即作为刑事案件，按刑事诉讼法规定的程序执行。财产保全是在人民法院受理民事经济纠纷案件中，为了保证将来做出的判决发生法律效力后能够得到全面履行，对注册会计师和会计师事务所的财产或者争议的标的物采取的一种强制措施，以限制注册会计师对财产进行处分。能够采取财产保全的诉讼，必须是诉讼请求和将来发生法律效力的判决有财产给付内容的诉讼，为了保证将来发生法律效力的判决得以执行，才需要采取财产保全的措施。当注册会计师卷入诉讼案件后，由原告提出申请，对会计师事务所的账户进行冻结。

在注册会计师审计民事责任法律诉讼时效方面，1994年1月1日起施行的《中华人民共和国注册会计师法》中明确涉及了民事责任，同时这也适用于1994年之前出具的虚假审计报告应当承担的民事责任。注册会计师因审计报告内容不实而承担的民事赔偿责任，主要是一种民事侵权责任。民事侵权责任应以赔偿等方式履行，这一原则早在1986年施行的《民法通则》中就有明确规定。而且，对侵权行为承担民事责任是我国乃至国际上民法立法的一贯原则，因此，关于民事责任的诉讼时效，《民法通则》中有明确规定。《民法通则》第一百三十五条规定：向人民法院请求保护民事权利的诉讼时效期间为两年；第一百三十七条规定：诉讼时效期间从知道或者应当知道权利被侵害时起计算。但是，从权利被侵害之日起超过二十年的，人民法院不予保护。可见，审计报告民事法律责任诉讼时效应为两年，自报告使用人或者其他利害关系人确认验资报告内容失实并造成其损失之日起，但最长不超过验资报告出具之日起的二十年。

（3）刑事责任的执行程序。注册会计师审计的刑事责任对应的是刑事处罚。在进行刑事处罚时要涉及到刑事诉讼。与刑事诉讼有关的诉讼程序一般从立案开始，经过侦查、审查、起诉、一审、二审。注册会计师犯罪的案件，一般是由公安机关来进行立案侦查的，在搜集了充分的证据后，应当将案件材料移交人民检察院进行审查。如果人民检察院认为犯罪事实已经查清，证据确凿充分，则向人民法院提起公诉。审判由人民法院进行。如果注册会计师和会计师事务所或者其他被告、原告人或其代理人不服地方人民法院的第一审判决和裁定，有权要求向上一级人民法院上诉，第二审人民法院和最高人民法院判决、裁定则是终审的判决、裁定，不能再行上诉。如果注册会计师对一审的判决没有在法定期限内进行上诉、抗诉，或者已经终审判决，则判决发生效力，交付执行。对于有期徒刑，由公安机关送交监狱执行，拘役由公安机关执行。有期徒刑、拘役执行期满，应当由执行机关发给释放证明书。判处罚金，由人民法院执行，逾期不缴可以采取强制措施。如果由于遭受不可抗力的灾难缴纳确实有困难的，可以裁定减少或者免除。

至于注册会计师审计刑事法律责任的诉讼时效问题，1997年10月1日新刑法施行以后，进一步增加了过失犯罪的条款，因此从这一天起，无论过失还是故意导致审计报告内容失实，注册会计师都可能会承担刑事责任。追诉的时效是五年，自审计报告出具之日起计算。

（二）三种法律责任形式的相同之处

1. 三种法律责任形式所规范的对象一致

我国注册会计师法第六章法律责任部分的第四十二条原则上规定了注册会计师和会计师事务所的民事责任："会计师事务所违反本法规定，给委托人、其他利害关系人造成损失的，应当依法承担赔偿责任。"从这一规定可以看出，注册会计师的民事责任包括对委托人的民事责任和对其他利害关系人的法律责任。具体来说，注册会计师法律责任的对象主要有以下两个方面：

（1）对审计委托者。注册会计师接受委托人委托提供审计或其他服务，即与客户产生了合同关系，就负有恪尽职守，保持认真与谨慎的义务，注册会计师不论是否已经在与委托单位签订的合约中写明，均应当遵守这一义务。两者直接的合同关系，使注册会计师对审计客户负法律责任。注册会计师如果没有履行约定的条款，比如没有及时提出审计报告、没有根据审计准则要求实施审查而签发了无保留审计意见、泄露了客户的秘密、给委托单位造成了经济损失等，注册会计师就对委托单位负有相应的法律责任，客户就有可能按照合同法控告注册会计师违约。如果注册会计师没有保持应有的职业谨慎，存在过失行为，哪怕是一般过失，客户也可以按照民事侵权控告注册会计师，向法院提出要求注册会计师进行赔偿的诉讼。如果违约或者侵权控告成立，注册会计师就要退还审计收费、支付违约金或者赔偿金，对客户遭受的经济损失承担赔偿的责任。注册会计师对于委托单位最常发生的情况就是不能够查出单位存在的职工盗取公款等类似情况，这时遭受损失的委托方就会提出法律诉讼。

注册会计师对委托方一般会承担违约责任，具体情况在前面已经有所论述，在此不再赘述。

（2）对其他利害关系人。注册会计师的职业性质决定了它必须向社会公众负责，注册会计师行业之所以在现代社会中产生和发展，是因为它能够站在独立的立场上对企业的管理当局编制的会计报表进行审计，并提出客观、公正的审计意见，作为信息使用者进行决策的依据。所谓信息使用者，既包括企业现有的，又包括潜在的投资者，债权人以及政府有关部门等所有与企业有关的人士，泛指社会公众。社会公众很大程度上以企业管理当局编制的会计报表和注册会计师所出具的审计意见来作为投资决策的依据。由此可见，注册会计师的审计意见对社会公众的影响。因此，注册会计师应当对社会公众这些委托者以外的其他利益相关者负责。下面我们将依照美国相关法律关于注册会计师对其他利害关系人所负责任的规定进行论述。按照美国相关法律的规定，其他利害关系人即第三人，包括以下三种：

①直接第三者即受益第三者。它主要是指合约（业务约定

书)中所指明的人,但此人既非要约人,又非承诺人。例如,注册会计师知道被审计单位委托他对会计报表进行审计的目的是为了获得某家银行贷款,那么这家银行就是受益第三者。受益第三者同样地具有委托单位和会计师事务所所订合约中的权利,因而也享有同样的追索权。也就是说,如果注册会计师的过失给依赖经注册会计师审定过的会计报表的受益第三者造成了损失,受益第三者也可以指控注册会计师具有过失而向法院提起诉讼,追回遭受的损失。

②应该预见到的第三者。应该预见到的第三者,是指那些审计人员从总体上知道但不详细知其姓名的第三者,这部分人依赖财务报表的特定目的是可被合理预见的。1931年美国厄特马斯公司对道奇与尼文会计师事务所一案是关于注册会计师对于第三者责任的一个划时代的案例,它创造了注册会计师对可预见的确切第三者负一般过失责任,而对其他第三者负重大过失的判例,确立了"厄特马斯主义"的传统做法。自80年代以来,许多法院扩大了厄特马斯主义的含义,判定具有普通过失的注册会计师对可以合理预期的第三者负有责任。

③可合理预见的第三者。所谓可合理预见的第三者,是指注册会计师在正常情况下能够预见将依赖会计报表的人,又称可预见的其他第三者、可预见受益第三人。它主要是指一些有限的潜在的使用财务报表的团体或阶层的成员,注册会计师一般能意识到其存在,但不要求知道该团体的具体情况。可预见受益第三人也有权向失职的注册会计师追索损失,例如潜在的债权人、投资者、雇员、经济分析师等。由于这些人在执行审计时无法专门予以识别,与审计报表的关系也较远,因此,在审计责任的诉讼中,他们处于最次要的地位。但是他们毕竟是可以预见的,因

此，审计人员应对他们负重大过失责任和欺诈责任。

现在国际社会上，注册会计师对第三者负有责任已被社会广泛认可。但是，对责任承担的范围和程度至今没有定论。

在中国目前的市场经济条件下，注册会计师进行审计业务的利害关系人应当涵盖股东、债权人、雇员、政府机关、一般公众等。大多数公司仅仅向股东报告已经不能满足商业的需要，目前我国企业活动已经成为一种全社会的活动。企业从社会得到材料、人力资源、生产设备、将产品提供给社会，向社会借贷，向社会募集资金，向政府纳税……毫无疑问，公司已经向越来越多的利害关系者报告其经营状况，这就意味着注册会计师要向更大范围的其他利害关系人负责。因此，与注册会计师审计有关的利害关系人，不仅包括股东，而且扩展到使用审计结果的所有债权人、雇员、政府机构和一般公众等。注册会计师在执行审计业务时，必须按照执行准则、规则制定的工作程序出具报告。我国目前虽然在注册会计师法中明确了注册会计师对"其他利害关系人"负责，但无具体的解释和规定，因而司法实践中不免缺乏操作的尺度，进而无法确实保证第三者的合法权益。实际上，注册会计师对第三者责任属于侵权责任。在适用过错责任原则和适用过错责任推定原则的情况下，侵权损害赔偿责任的构成同样包括损害事实、违法行为、因果关系和主观过错四个要件。

在这里应注意注册会计师对委托人和其他利害关系人的责任性质是不同的。注册会计师对委托人的责任主要是违约责任，而对其他利害关系人的责任则属于侵权责任。注册会计师与其他利害关系人之间并不存在任何形式的契约关系，因此，只能从侵权行为方面来探讨他们之间的民事责任关系，注册会计师侵犯了其他利害关系人的绝对权——财产权。市场经济中，注册会计师提供的信息，不仅为委托人所利用，也被其他利害关系人作为有保障的、可以信赖的信息加以传递和利用。正因为如此，也就有"社会公众是注册会计师真正的委托人"的说法。注册会计师对第三者的侵权不是直接的财产侵犯，而是由于他们提供的错误信息影响了信息使用人，使其做出错误决策而引起的，是一种间接原因。

2. 三种法律责任形式所规范的方式一致

注册会计师审计的法律责任各种形式虽然规范的范围、程序等不一致，但是三者都是通过利用法律、法规来对注册会计师行业进行规范，通过比较会计师事务所和注册会计师的行为是否符合我国关于对注册会计师行业的相关规定来作为准绳，从而以一种统一的司法、法规手段来规范注册会计师行业。

虽然相对来看，行政责任主要依赖《中国注册会计师独立审计准则》、《质量控制准则》、《中国注册会计师职业道德基本准则》等行业标准来作为判断标准，民事责任是根据注册会计师的行为是否符合《民法通则》等的规定来判断，刑事责任是根据注册会计师的行为是否给社会造成严重的危害性来进行判断和裁定，但是对这三种法律责任的具体实施和规范都是以《中华人民共和国注册会计师法》、《中华人民共和国公司法》、《中华人民共和国刑法》、《中华人民共和国证券法》等等这些具有法定效力的法律规范和行业标准来统一裁定和处罚。因此，这三种法律责任从规范的方式上来说是一致的。

3. 三种法律责任形式的作用一致

对注册会计师法律责任的规范具有非常重要的意义。改革开放以来，经过20年的发展，我国的注册会计师事业取得了举世瞩目的成绩，注册会计师在社会主义市场经济中正扮演着不可或缺的重要角色。在发展的同时，注册会计师的法律责任也在不断地加强和兑现。市场经济是法制经济，强调法律责任，其目的也是为了维护社会主义市场经济的正常秩序。应当肯定，现行的法律法规在强化注册会计师的责任意识、严格注册会计师的法律责任方面起到了积极的作用。具体如下：

（1）从最基本的层面看，它在很大程度上杜绝注册会计师利用自身工作之便，采取一些侵害委托方或者其他利益相关者的权益的行为，从而规范了审计工作。法律责任的规范加大了注册会计师和会计师事务所违规的成本，很大程度上消除了注册会计师协同委托方从信息披露这个环节上牟取不法利益、损害他人利益的行为，以及其他各种不法行为。能够更好地发挥注册会计师"经济警察"这一角色的作用。

（2）注册会计师审计的法律责任各个形式用于调整注册会计师和委托人、利害关系人、政府、司法部门、外部投资者、社会公众等之间的法律关系，从而规范了市场交易行为。

注册会计师是上市公司信息披露制度中承担法律责任的主体的重要组成部分。我国证券法中对承担有关文件虚假陈述的责任主体作了较详细的规定，不仅规定了发行人，承销商以及负有责任的董事、监事和经理对公开文件的虚假陈述承担赔偿责任，而且规定了专业中介机构对其出具的报告负有责任部分承担连带责任。在社会主义条件下的市场经济条件下，保证主体的平等、权益的绝对性和交易的自由是其突出表现。为了保证投资或者借贷资金能够达到低风险和高报酬，他们就会委托注册会计师对企业进行审计。通过来自企业外部的独立、公正、客观的第三者——注册会计师运用专业审计技能和知识对企业的会计信息的真实性和合法性做出判断，使市场中的企业处在必要信息公开的状态，不仅使投资人了解企业，达到社会资源最佳配置，而且通过国家对会计师事务所，公司会计人员以及报表使用者各自责任、义务的规范，使企业内部会计信息的制作，到注册会计师对会计信息的审查，直到利害关系人对审计结果的利用都有了法律依据，这些法律依据实际上就是民事责任的体现。如果注册会计师没有履行其应有的职责，发挥其应有的作用，不能有效地保护社会公众的利益或者故意出具虚假审计报告欺骗公众，损害他们的利益，就必然会失去社会公众的信赖。注册会计师也就失去了其存在的意义和价值。注册会计师职业的发展为物质文明的高度发展起到监督保证作用。法律又通过对注册会计师行为的监督和调整，来保证社会主义物质文明的健康良好发展，从而促进精神文明的发展。

（3）关于注册会计师法律责任的规定可以有效地保护注册会计师及相关的委托人和其他利害群体的合法权益。

注册会计师、委托人、利害关系人作为审计行为的法律主体，在承担审计相应的责任的同时，法律也赋予了其应有的权利。注册会计师一旦与被审计单位签订审计业务约定书，就同时享有合同约定的权利和义务。如果注册会计师和会计师事务所严格按照独立审计准则开展业务，那么被审计单位有采用蒙骗注册会计师，提供虚假信息或者联合作弊的违法行为并将注册会计师作为挡箭牌时，注册会计师可以运用法律手段来保护自己的合法权益，可以通过提供无法表示意见的审计报告的形式，或者还可以作为原告通过司法部门来解决这样一些形式。由于我国市场经济秩序还不是很规范，往往注册会计师被大股东和公司高层管理者利用，处于弱势地位，有时很难享有应有的职业权利，更不能运用自己的技术为投资者服务。所以有了严格的法律规范，注册

会计师便可以依照法律形式,而不用顾及被审计单位及其他利害关系人的巨大压力,从而更好地服务于社会。

(4)虚假财务信息损害了投资人对于证券市场的信心,因为大量的虚假信息往往使投资人无法做出正确的决策,如果内幕人利用其优势地位获利的事件频频发生,投资人必然对证券市场失去信心。如果没有现定法律救济措施,将削弱投资者对于揭发、举报财务报表虚假信息的积极性,证券市场将成为监管机关孤军作战的场地,这必然导致虚假信息的发现和查处是低效率的。痛恨虚假信息的投资者因为受损害而没有途径得到补偿,也会推动这部分人利用这些虚假信息获利,这将对证券市场造成重大损失,同时不追究民事责任将助长虚假信息歪风的蔓延。因此,对"经济警察"自身进行严格的法律约束,必然能够在很大程度上遏制虚假财务信息的横行。

(三)注册会计师审计的法律责任体系

我们在讨论注册会计师审计的法律责任的形式时,虽然是将其区分为行政责任、民事责任、刑事责任这三种形式分别进行讨论,但是这绝不意味着这三种法律责任是完全独立存在的。事实上,正是这三种法律形式共同存在,相辅相成,构成了注册会计师审计的一套完整的法律责任体系。具体来说,这三种法律责任既可以独立使用,又可以同时使用,还可以以某一种或者两种为主,而另外一种或这两种为辅,或作为一个统一的整体来对注册会计师行业进行有益的、严格的规范。

根据对注册会计师审计法律责任性质、承担责任的范围、责任对象、责任方式等方面的分析,我们可以看出:注册会计师可能分别承担的法律责任有以下几种情况:不承担任何法律责任;

只承担行政责任；只承担民事责任；同时承担行政责任和民事责任；同时承担行政责任、民事责任和刑事责任。在这里需要指出的是，在注册会计师审计过程中，不可能只承担刑事责任，因为一旦注册会计师的违法行为对社会造成严重的社会危害性，那么他肯定同时相应地违反了行政法律和民事法律，那么它相应地必然要承担行政责任和民事责任，因此，注册会计师审计中不存在单独承担刑事责任的情况。下面具体区别几种情况来说明。

1. 不承担任何责任

在前述注册会计师审计中需要负担的行政责任、民事责任、刑事责任的条件分析中，可以得知只要注册会计师遵循《中华人民共和国注册会计师法》和相关的独立审计准则，没有过失或者舞弊、欺诈等行为，没有对社会造成严重危害，坚持了审计的独立、客观、公正原则，那么只要注册会计师的工作没有偏差，报告使用人没有受到损失，或者即使报告使用人受到了损失，但是这种损失是使用人对报告的使用不当造成的，那么在这种情况下，注册会计师无须承担任何的法律责任。具体到上述八种情况的结合分析，即，当实际情况是上述过程层面的第一种情况和结果层面的第一种或者第二种情况同时发生时，在这种情况下，注册会计师不用承担任何一种法律责任。

2. 单独或者同时使用

这种类型包括的情况比较多，具体到上述八种情况的交叉分析，主要有以下几种情况：

（1）一种法律责任的单独使用。

①如果注册会计师在审计中虽然保持了独立性，遵守了相关的行业法规、规章等，但是却出具了错误的审计意见，属于审计工作的普通过失行为，因此不论报告使用人的损失是否是由于注

册会计师的审计工作的失误，注册会计师都要相应地承担一定的民事责任，或者消除给报表使用人带来的影响，或者赔偿给报表使用人带来的损失。这些都属于民事责任的范围。

②如果注册会计师并没有形成错误的审计意见，虽然保持了实质上的独立性和公正性，但是在审计工作中，没有严格按照《中华人民共和国注册会计师法》或者其他相关的法律、法规执行必要的审计程序，因此也属于过程中的有错，因此，注册会计师或者会计师事务所应当负担必要的行政责任，具体责任程度如何，应当根据其违规的程度来决定。

③如果虽然注册会计师在审计中形式上严格遵循了审计工作应该遵循的职业标准，但是没有保持实质上的独立性，没有保持应有的职业谨慎和认真态度，那么即使注册会计师没有形成有偏差的审计意见，注册会计师一样应当负担相应的行政责任，无论报告使用人是否因为注册会计师的工作而受到损失。

④若注册会计师根本连最起码的职业规则、标准都没有遵循，同时也没有保持应有的独立、公正态度和职业谨慎，那么不管注册会计师是否出具了错误的审计报告，在这种情况下，注册会计师或者会计师事务所都应当承担一定的行政责任。

（2）两种法律责任的同时使用。

①如果注册会计师在审计过程中没有违反独立审计准则等相关法规，但是却没有保持应有的职业谨慎和认真态度，那么不管注册会计师在审计结果中是否有片面意见，那么只要报告使用人形成了损失，不管这种损失是否是由注册会计师审计原因造成，注册会计师或会计师事务所必须要同时承担相应的行政责任和民事责任。

②如果虽然注册会计师在审计中形式上严格遵循了审计工作

第三章 注册会计师审计法律责任的形式

应该遵循的职业标准，但是没有保持实质上的独立性，那么即使注册会计师或者会计师事务所的错误审计报告不是造成报告使用人损失的直接原因，注册会计师或者会计师事务所都要为此承担相应的民事责任和行政责任。

③假如注册会计师根本连最起码的职业规则、标准都没有遵循，而且没有保持应有的职业谨慎和认真态度，那么即使注册会计师或者会计师事务所的错误审计报告不是造成报告使用人损失的直接原因，注册会计师或者会计师事务所都要为此承担相应的民事责任和行政责任。

（3）三种法律责任形式同时使用。

①如果注册会计师在审计中形式上严格遵循了审计工作应该遵循的职业标准，但是没有保持实质上的独立性和公正性，而且注册会计师或者会计师事务所的错误审计报告是造成报告使用人损失的直接原因，注册会计师或者会计师事务所要为此承担相应的民事责任、行政责任和刑事责任。

②如果注册会计师根本连最起码的职业规则、标准都没有遵循，没有保持独立、客观、公正的态度，而且注册会计师或者会计师事务所的错误审计报告是造成报告使用人损失的直接原因，注册会计师或者会计师事务要为此承担相应的民事责任、行政责任和刑事责任。

3．三种法律责任形式相互辅助使用

这种形式是指注册会计师或者注册会计师在一定程度的违规执业之内，注册会计师可能只承担行政责任或者民事责任，但是如果超过一定的范围，注册会计师可能就要附属地承担一定的刑事责任。

《公司法》第二百零八条规定："承担资产评估、验资或者验

133

证的机构提供虚假证明材料的，由公司登记机关没收违法所得，处以违法所得一倍以上五倍以下的罚款，并可由有关主管部门依法责令该机构停业，吊销直接责任人的资格证书，吊销营业执照。"

比如，《中华人民共和国证券法》第二百零一条的规定："为股票的发行、上市交易出具审计报告、资产评估报告或者法律意见书等文件的证券服务机构和人员，违反《证券法》第四十五条的规定买卖股票的，责令依法处理非法持有的股票，没收非法所得，并处以买卖股票等值以下的罚款。"

再比如《关于惩治违反公司法的犯罪的决定》第六条规定："承担资产评估、验资、验证、审计职责的人员故意提供虚假证明文件，情节严重的，处五年以下有期徒刑，或者拘役，可以并处二十万元以下罚金。

单位犯前款罪的，对单位判处违法所得五倍以下罚金，并对直接负责的主管人员和其他直接责任人员，依照前款的规定，处五年以下有期徒刑或者拘役。"

同时第十三条规定：

"犯本决定规定之罪，有违法所得，应予以没收；犯本决定规定之罪，被没收违法所得，判处罚金，没收财产，承担民事赔偿责任的，其财产不足以支付的，先承担民事赔偿责任。"

从以上两个例子可以看出，一种责任或者两种责任在一定情况下可以作为对一种或者两种法律责任的补充。

4. 三种责任形成一个统一的整体

当然，正是对注册会计师三种法律责任的规范，很好地完善了注册会计师和会计师事务所审计法律责任的体系。当前我国已经针对注册会计师审计法律责任问题制定了一系列具体的实施规范措施，这些规范措施散见于不同的法律条文中，分别规范不同的审计违规行为。单独执行某种法律责任都是不合理的，必须要针对具体审计行为中注册会计师或者会计师事务所的具体行为分情况进行处理，在处罚中可以发现，注册会计师或者会计师事务所通常会同时违反行政、民事、刑事三方面的法律规定，那么在这种复杂的情况下，就要把相关的法律规范作为一个统一的整体，把具体违法行为区分开来进行分析。因此说注册会计师法律责任各个责任形式之间又是一个统一的整体。

五、注册会计师审计法律责任形式的实证调查分析

前面我们从理论上对注册会计师审计法律责任三种不同形式进行了阐述。以下是我们实证调查的一些发现。通过我们对调查问卷回收资料的整理，发现调查对象对注册会计师法律责任形式的了解情况如下表所示[①]。

1. 对注册会计师法律责任形式的有效性的认知

项　目	非常有效	有效	一般	无效
您认为行政责任对注册会计师有效吗？	25.6%	31%	27.89%	15.51%
您认为民事责任对注册会计师有效吗？	21%	63.16%	15.84%	0
您认为刑事责任对注册会计师有效吗？	68.42%	15.79%	10.5%	5.29%

---

① 具体的调查问卷见书后附录。

2. 对注册会计师审计法律责任承担主体的认知

项　　目	仅由注册会计师承担	仅由会计师事务所承担	由注册会计师及事务所共同承担	其他
注册会计师的行政责任	26.32%	0	73.68%	0
注册会计师的民事责任	15.79%	16.32%	67.89%	0
注册会计师的刑事责任	61.34%	0	38.66%	0

3. 注册会计师审计法律责任相关法规的认知情况

针对问题"您知道目前规定注册会计师审计法律责任的法律、法规有哪些？"具体回答如下表所示：

项　　目	比例
中华人民共和国注册会计师法	93.47%
中华人民共和国证券法	73.68%
中华人民共和国公司法	78.59%
中华人民共和国刑法	86.37%
行政诉讼法	50%
民法通则	33.79%
违反注册会计师法处罚暂行办法	84.21%
关于惩治违反公司法的犯罪的决定	68.42%
其他	5.26%

通过上面几张统计表中数据的分析可以看到：

1. 社会公众对注册会计师审计三种法律责任形式中的行政责任的有效性意见一致性较差，这可能也正反映了我国独立审计行政色彩太强而导致其效果较差的这样一个事实，由于在我国一旦注册会计师审计出现问题，就会用行政的方式追究相关责任人的责任，而政府行政干预往往使问题的处理没有效率，达不到规范市场经济的目的，因此，公众对行政责任的有效性深表疑惑，从某种程度上反映了目前的实际情况。对于民事责任意见中认为有效或者非常有效的达到 84.16%，证明人们主张采用市场化的、公平的方法来解决审计市场矛盾的认可度是非常高的，市场经济下，运用民事手段来处理经济纠纷，效率最高，而且能够公平、公正地进行，不受政治因素的干扰。当事人一旦违规操作，将会受到来自民事责任规范的严格制裁，考虑到成本效益原则，对规范市场有效运作效果显著，当然由于我国对民事处罚力度的相对较轻，也使其有效性大打折扣。而对于刑事责任 68.42% 的被调查者认为是非常有效的，显示了规范我国审计市场的迫切要求以及人们很高的审计期望，当然刑事责任由于其特点决定了其毕竟还是不能作为注册会计师审计中处于中心地位的法律措施来实施。

2. 对于审计责任的承担主体问题，经过调查和数据整理，发现被调查者普遍认为行政责任和民事责任应当由注册会计师和会计师事务所共同承担，而对于刑事责任由于其责任主体原因，只能由相关执行人员和事务所主要人员进行负责。这个结论与法律规定和要求是基本一致的。

3. 对于被调查者对注册会计师审计法律责任设计的相关法律规范的认知程度，应该可以看出，法律在市场经济中的作用越大，则人们对其认知程度越高，对于可以直接理解为与审计法律责任相关的法律规范，人们也表示肯定。这方面可能受调查对象知识结构影响而有所出入。

从我们进行实证调查的结果可以看到，结果与我们的理论论述是基本吻合的，当然由于个体的知识结构、意识倾向等方面存在的差异，使结果有少量的出入，但这并不影响我们的分析。

第四章 注册会计师审计法律责任的判定

一、注册会计师审计法律责任的判定依据

在现代经济社会里，由于经济业务的复杂性，注册会计师审计法律责任的判定是一个十分棘手的问题。在具体的责任判定过程中，我们要依据一定的标准来判定，注册会计师审计法律责任的判定依据可以有很多，主要包括法律依据、理论依据和实务依据，我们将在下面逐一介绍。法律依据主要是独立审计准则及其他相关法律法规，理论依据主要包括审计独立性和注册会计师对第三者的责任，实务依据主要包括被审计单位和注册会计师的各种行为及其存在依据，由于注册会计师审计法律责任判定的复杂性，我们还建议建立专家鉴定委员会以便于更准确地对注册会计师的各种法律责任加以判定。

（一）独立审计准则及其他法律法规：注册会计师审计法律责任界定的依据

近年来，随着我国社会主义市场经济的发展，有关法规对注册会计师的责任不断明确，并为审计责任的判断提供了法律依

据。除此之外,我国民法、刑法对公民行为准则的普遍适用性,也是判断注册会计师审计责任的法律依据[①]。在我国,没有习惯法,因此判断注册会计师审计法律责任的主要是成文法,主要包括《中华人民共和国注册会计师法》、《中华人民共和国审计法》、《中华人民共和国公司法》、《中华人民共和国民法通则》、《中华人民共和国刑法》等等,其中的具体规定我们在前面已作详细介绍。

追究注册会计师的法律责任,必须依照有关法律法规,而能否以独立审计准则作为界定标准,则是长期以来法律界与会计界分歧之所在。法律界和公众等非专业人士认为如果遵循行业准则就可以避开法律责任,那么每个行业都可以通过制定有利于自己的准则来逃避应当承担的责任。

如果将独立审计准则视为会计界单纯为了保护自己的职业利益而创设的规则,那是对注册会计师职业的误解。注册会计师独立审计是在"两权"分离所形成的受托经济责任关系下,基于经济监督的客观需要而产生的,其产生本质上是为了维护公众的利益,注册会计师只承担"合理的保证责任",并不是因为注册会计师的无能,而是因为在特定审计成本下发现和纠正重大错弊,对股东来说是一种利益最大化的选择。独立审计准则固然有减少注册会计师执业风险的作用,但其最根本的目的是为了规范注册会计师的执业行为,保证执业质量,从而最有效地、最经济地维护股东以及公众投资人、利害关系人的利益。因此,衡量考察注册会计师是否尽责的尺度和标准应当是独立审计准则。

---

① 毛岩亮:《民间审计责任研究》,东北财经大学出版社,1999年1月,第116页。

就我国而言，一方面，独立审计准则是以《注册会计师法》为依据，由财政部颁发的一套专业标准，具有相当高的权威性和官方效力。这一专业标准是在考虑成本效益的基础上，提供的一种较为科学、合理的程序，并非绝对保证。当前作假手段日益高明，注册会计师最信赖的银行证明或者商检机构的证明有时也是假的，注册会计师即使恪尽职守也无法发现问题，在这种情况下，如果注册会计师在执业过程中严格遵循了独立审计准则的要求，仅仅因审计结论与客观实际不符，就被判定为虚假、不真实，需要承担法律责任，显然有失合理、缺乏公正。而独立审计准则中的审计责任所做出的规范，其关键就在于将它与被审计单位的会计责任区分开来，如果注册会计师不按照独立审计准则执业，一旦出现审计失败就难辞其咎，如果按照独立审计准则执业，并且尽到了应有的执业谨慎，则不应承担审计责任。另一方面还需要说明的是，我国独立审计准则是与国际审计准则接轨的高标准审计准则，业内并没有利用独立审计准则为自己的过错开脱责任。相反，由于受到执业环境和会计师水平等的制约，这些审计准则不但没有保护落后，反而是超前了。因此，司法机关界定注册会计师法律责任，除了以独立审计准则为标准外，在判断会计师是否已尽了应有的职业关注以及做出合理的专业判断时，还应结合国内实际的执业水平，考虑恶劣执业环境给执业质量带来的损害因素，做出合理的判断。

（二）审计的独立性

1. 审计独立性的内容

审计的产生是源于委托、受托责任关系。责任关系最初主要体现为经济责任关系，随着社会的发展，又不断赋予其新的内涵。目前，责任关系不仅仅包括经济责任关系，而且包括政治责任关系、社会责任关系、法律责任关系等等。审计的关系人包括审计人、委托人和受托人三方，其中委托人和受托人之间具有一定的委托、受托责任关系。审计的目的就是监督、鉴证和评价受托人受托责任的履行状况[①]。

我们知道，不仅委托人要使用会计报表，还有其他的利害关系人也要使用会计报表，如管理当局、雇员甚至顾客、潜在的投资者和债权人政府机构等。上述各方之间存在着矛盾和对立，因此需要一个平衡各方利益的社会机制，这就是审计。A·C·利特尔顿认为："职业会计师在这一连结关系中，可以发挥重要的协调功能。"[②] 也就是说，审计要很好的发挥作用，注册会计师必须要处于中立者的立场，即独立于委托人，又独立于被审计人，独立性是形成客观公正的审计意见的保证。因此，独立性就成为取信于社会的前提，就成为审计职业存在和发展的必要条件，是审计的灵魂所在，是审计概念体系中最重要的概念之一，这也是审计活动与其他经济监督活动的主要区别。审计的独立性越强，财务报告的使用者越信任经过审计的财务报表，当然也越信任审计工作和审计意见结论，这种信任程度是和审计的独立性密切相关的。英国学者 E·沃尔夫（E·Woolf）曾把审计和独立性比喻为一枚硬币的正反面，说明审计与独立性密不可分，独立性是审计的本质特征。独立性程度是制约审计作用的发挥程度的重要因素之一，另一因素是由独立性和注册会计师的专业能力决

---

① 李君：《论审计的独立性》，立信会计出版社，2000年8月，第31页。
② ［美］A·C·立特尔顿著，林志军、黄世忠等译：《会计理论结构》，中国商业出版社，1989年，第40页。

定的权威性程度。正是由于审计的独立性和权威性，才使审计活动在整个经济监督体系中居于更为重要的地位，起着其他经济监督活动不能取代的作用。

西方谈到审计的独立性时，一般是指注册会计师的独立性。20世纪20年代以前，人们重视审计精神上的独立性，亦称为实质上的独立性、内在的独立性，认为独立性是一种精神状态、心理意识。独立性既然是一种精神状态，而精神状态又是抽象的、无形的和难以证明的，在很多情况下，要发现独立性受到损害的证据也是很困难的。那么，怎样才能证明注册会计师精神上是独立的呢？这不应取决于注册会计师自己的说法，而应该取决于并只能取决于社会公众对注册会计师地位的认识和接受，也就是对注册会计师形式上的、外在的独立性的看法和认可。这种外在的独立性，即注册会计师与利害相关者的具体关系，尤其是与被审计单位的具体关系，在很大程度上决定了注册会计师能否在精神上保持独立。

注册会计师既要保持精神上的独立，又要有外观上的独立。精神上的独立是无形的、抽象的，难以衡量；外观上的独立是有形的、具体地，则可加以衡量，这二者结合在一起，构成了审计独立性的内容。

（1）实质上的独立性。实质上的独立也称为精神上的独立或事实上的独立，是指注册会计师在执行审计业务或其他鉴证业务时，应当不受个人或外界因素的约束、影响和干扰，保持客观且无私的精神态度和意志。具体地说，实质上的独立包括以下三个环节的独立：

①计划环节的独立，也就是说，注册会计师在确定审计对象、选择审计程序和审计技术时，不受控制和干扰，有关方面不

得删除、限定和修改审计计划的内容和范围。

②实施环节的独立，注册会计师应能够按照既定的审计计划独立地进行审计调查和评价，独立地进行各种审计测试。这要求注册会计师能够直接、自由的接触公司的所有凭证、账簿记录、被审单位的职工及管理人员以及其他有关的信息资料，在审查过程中能得到管理人员的积极配合，管理当局不得限制注册会计师所拟定计划的审查范围。

③报告环节的独立，这要求注册会计师能够不受各方面干扰，独立的编制审计报告，还包括不能否决注册会计师在审计报告中对有关事实或有关问题所作的判断，也包括尽可能把重要事实列入审计报告之内，同时，在说明和表达事实、意见和建议时，应避免有意或无意使用意义含糊的词句。

(2) 形式上的独立性。形式上的独立，也称面貌上的独立或精神上的独立。它是针对第三者而言的，即注册会计师必须在第三者面前呈现出一种独立于客户的身份，在他人看来是独立的。注册会计师除了保持实质上的独立外，还必须在外界人士面前呈现出形式上的独立。具体地说，形式上的独立包括以下三个方面的含义：

①财务利益。注册会计师如与客户存在某种财务利益关系，如持有客户的股票、债券等，往往会影响其客观公正的心态和能力，外界人士对注册会计师能否公正无私也自然产生了怀疑，在这种情况下，可以认为注册会计师缺乏形式上的独立性。

②近亲属关系。注册会计师如与客户的主要负责人（如董事长、总经理、财务主管）或委托事项的当事人存在近亲属关系，也可认定其缺乏形式上的独立性。

③不相容职务。注册会计师如担任客户的常年会计顾问或代

办会计事项，如同时为客户提供审计或其他鉴证业务，这就违背了"没有人能够独立地评价自己的工作"这一基本假设，因而可认定其缺乏形式上的独立性。

随着对审计的独立性问题讨论的深入，人们认识到精神上的独立性和形式上的独立性同样重要。形式上的独立性是精神上的独立性的重要保证，而精神上的独立性虽然难以衡量，但它却是最本质的东西，对形式上的独立性的考察，最终都要归结到是否保持了精神上的独立。注册会计师不仅有责任保持实质上的独立性，也要避免缺乏形式上的独立性。

2. 审计独立性的影响因素

（1）首先是来自个人方面的影响①。假如注册会计师着眼于他个人的得失，就足以导致在某种情况下使他无法公正客观。如某种公务、职业或人事上的关系，可能使注册会计师限制调查的范围和性质，限制揭发，或者从使用方面削弱其发展；以下一些情况也会损害注册会计师的独立性，诸如：注册会计师对某一特殊业务的目的和性质有成见，或者他对某个人或团体怀有强烈的爱憎感，或者对某一个别活动本能的反感，或者由于事先参加了某一政府实体或项目在业务上的决策和管理工作，或者注册会计师对被审计单位有直接或间接的财务利益关系等。

（2）其次是来自外部的影响②。某些外来因素如被审计单位和上级部门有关的政府主管机构等可能限制审计工作，或侵犯注册会计师形成独立与客观意见和结论的能力。这些外来的干预和影响，可能会不适当地或轻率地删除、限制、修改审计的范围；

---

①② 张建军：《审计概念体系研究》，中国财政经济出版社，1997年9月，第39页。

干预审计程序的选择和应用；对指派人员担任审计任务进行干预；对审计业务从资金或其他资源的分配上施加报复性地限制；不合理地限制有效完成审计任务的原定时间等等这些情况，都会使审计本身受到不利影响，或者使注册会计师不能完全自由地作出独立的判断。

（3）最后是来自人事上的影响。《注册会计师法》第六条规定：注册会计师依法独立。但第五条又规定：注册会计师必须受财政部门监督指导。法律上的规定前后矛盾。当然，这不是说注册会计师不需要监督，西方国家也是要对注册会计师进行监督的，但通常不是由财政部门直接对注册会计师进行监督。美国是由证券交易委员会对注册会计师协会进行监督，而且这种监督只是指导性质，而不是进行具体干预。西方注册会计师的考试，大多数是由注册会计师协会批准，而我国则是由财政部批准。因此，我国注册会计师在人事上的独立性是不完全的。经过前几年脱钩改制以后，我国审计人员的独立性会有很大提高，但也不能指望这一问题在短时间内得到彻底解决。比如，现在仍有很多人在做兼职注册会计师。对兼职行为，注册会计师协会曾下令清理过几次，但这边在清理，那边又在办理，这一问题始终未得到彻底解决[①]。

3. 审计独立性原则的应用

（1）独立性原则是注册会计师执行审计或其他鉴证业务必须遵循的基本原则。此处所说的其他鉴证业务是指除审计业务以外的审核、审阅和审验业务，如中期会计报表审阅、盈利预测审核以及验资等。注册会计师承办这些业务，一般均需出具报告、发

---

① 李君：《论审计的独立性》，立信会计出版社，2000年8月，第89页。

表意见，其目的在于增加所审报表或有关资料的公信力，为投资者、债权人及其他利益关系人提供决策依据。因此，注册会计师承办这些业务时，只有从形式上和实质上保持独立，才能取信于社会公众。

需要注意的是，独立审计准则并不要求注册会计师执行所有业务都要遵循独立性原则。注册会计师执行的业务很多，如会计咨询与会计服务业务，是以客户为唯一受益人的业务。在执行这些业务时，注册会计师并非提供鉴证服务，无须承担向第三者报告财务咨询的责任，因此也无需遵循独立性原则。

（2）需要恪守独立性原则的注册会计师是一个集合名词，包括承担审计或其他鉴证业务的注册会计师、协助注册会计师工作的业务助理人员以及注册会计师所在的会计师事务所。换句话说，独立性原则不仅适用于注册会计师，也适用于注册会计师所在的事务所以及协助注册会计师工作的业务助理人员。此外，按照国际惯例，注册会计师的直系亲属也应与客户保持形式上的独立。

（3）注册会计师在提供审计或其他鉴证业务时，不仅应从形式和实质上独立于他所服务的对象，而且还应独立于外部的其他机构和组织。这是因为，会计师事务所是一个独立的法人，注册会计师对其发表的鉴证意见负法律责任。不论是业务的承接、执行，还是报告的形成与提交，注册会计师均应依法办事，独立自主，不依附于其他任何机构或组织，也不受其干扰和影响。

4. 审计独立性的完善途径

为了增强公众对审计职业界独立性的信心，各国的审计职业界都制定出各种行为规则和指南。为了理解这些规则和指南背后的基础，必须考虑那些可能潜在影响注册会计师行为的某些经济力量。有几个因素我们必须考虑：

①假如注册会计师披露了被审计单位管理部门的某些错误或遗漏，那么注册会计师经济利益将受到的影响；

②假如注册会计师报告中指出财务报表是错误的，那么被审计单位将取消注册会计师提供服务的可能性；

③假如注册会计师没有能报告出重大错误或遗漏，那么将发生作为投资赔偿费的财政损失；

④当注册会计师的任何不正当行为公开时，作为注册会计师声誉遭受损失的结果将发生未来纯收益的损失。① 最后两个因素一般较少被考虑作为改进注册会计师独立性的途径；最后一个因素从法律上分析是一个模糊的概念；第三个因素，一般在政治领域中考虑，但不从增加赔偿的数量多少角度考虑，而从损害是否太高，如何找出降低途径来考虑。但是头两个因素是完善审计独立性途径的重要考虑因素，此外还有一些其他因素。

（1）限制注册会计师经济利益的规模。在现代商业世界，注册会计师经常在从事审计业务之外，提供多种其他服务。这些服务既有会计服务、管理咨询、财务和税收服务，还有法律服务、人事招聘及其他调查服务等。在有些情况下，非审计服务的收费收入比审计服务收费收入更高，使审计服务收费相形见绌。然而有意见认为，提供给被审计单位的非审计服务越多，注册会计师对被审计单位的依赖就会越大，因为非审计业务收入会在其总收入中占很大一部分比重，而同时注册会计师的独立性会大大削弱。

在英国，并无限制注册会计师从事非审计业务，却对非审计

---

① M. Sherer and S. Turley,《Current Issues in Auditing》, P41.

第四章　注册会计师审计法律责任的判定

业务的费用收入进行限制。根据英格兰和威尔士特许会计师协会发布的《职业道德指南》（1997年）规定，对一家客户或一家相关客户集团提供非审计服务所收取的费用不应超过业务总收入的15％。在这项规定背后的逻辑实际是，假如从客户取得的收费收入仅仅占审计公司收费收入的一小部分，那么注册会计师看起来就是独立于客户的。[①]

法国为了保持审计的独立性，不允许会计师事务所从事会计咨询、会计服务业务等，因此法国注册会计师审计的独立性是很强的。基于我国目前还未形成规模较大的会计师事务所，可以将这两项业务隔开进行，即由会计师事务所进行审计业务，另由专门的会计咨询与服务事务所进行收费审计业务。为了加强注册会计师审计的独立性，从理论上来讲，这一做法是应当考虑的。但我们也应当看到，正是由于法国对注册会计师审计的要求过于严格，导致法国注册会计师审计的发展缓慢，而我国又将面临国外大型会计师事务所的强大攻击，以我国注册会计师审计目前的薄弱基础，若再对其加以严格限制，必然会阻碍其发展，不利于其在与国外会计师事务所的竞争中站稳脚跟并得到相应发展。因此，目前可取的做法，就是在事务所内部隔开审计服务和非审计服务。

(2) 禁止注册会计师在被审计单位持有财务利益。以前各国很少有法律阻止注册会计师拥有被审计单位的财务利益（例如持有股份），也没有法律要求一个注册会计师应当披露这些财务利益。但很多国家审计职业团体的道德指南都清楚指出应避免在被

[①] 张建军：《审计概念体系研究》，中国财政经济出版社，1997年9月，第53页。

审计单位拥有财务利益。大的会计师事务所通常会规定对于哪些公司注册会计师不能投资。在被审计单位持有财务利益会使注册会计师朝着保持被审计单位资产市场价值的方向行动，而保持一家公司不真实的资产市场价值将与潜在的投资者利益相违背。而注册会计师若作为当前的投资者——股东，一个持有股份的注册会计师存在误导潜在投资者的动机，因而不能以独立的姿态行动。而且审计人员有机会接触内部未公开的信息，能够通过这种信息获取自己的利益。我国在《注册会计师法》第二十二条中明确规定注册会计师不得持有被审计单位的财产利益。

（3）注册会计师应实行定期轮换。为了避免由于长期接触，使注册会计师可能与被审计单位的委托人形成亲密的关系，以及对熟悉的事物失去警觉和敏感能力，而有损审计的独立性，应定期实行事务所内部的审计人员轮换。这也是提高注册会计师独立性的一种建议。因为假如注册会计师知道他们不久将被替换，他们将极少去关心被审计单位管理人员的态度，也可以防止注册会计师与被审计单位有关人员关系太深，还有人认为，新任注册会计师会给业务带来新鲜观点。但这项建议的明显缺陷是每次审计变换时将不可避免的增加审计成本，因为接手新业务会需要一个熟悉和学习过程，而且需要被审计单位重新做好配合工作。另外，由于注册会计师一旦掌握了被审计单位的经营情况，审计风险将会减少，因此美国的科恩委员会指出，一般不要更换会计师事务所，而只需更换注册会计师即可。

（4）定期进行同业检查（Peer Review）。另外一项改进注册会计师独立性的建议是一家会计师事务所的工作底稿应由其他会计师事务所进行检查。同业检查将核实被查的会计师事务所是否已经作完了所有必要的审计工作，所有发现的重大差错和遗漏是否已经纠正或在审计报告中披露。同业检查还要评价被查的会计师事务所是否有适当的质量控制制度，其政策和程序是否已恰当的形成条文并为其成员所掌握，是否已严格执行了这些政策和程序，从而为达到职业标准提供一个合理的保证。通过同业检查，可提高审计工作质量，并促使注册会计师抵制来自被审计单位的压力，增强审计的独立性。但这种制度的问题是由谁来承担该检查的成本？被审计单位还是审计职业界？双方似乎都不愿意。因此这项工作应由行业协会或政府机构制定制度或规则来执行。目前，我国有些地方已开始实施这一做法，但还应在《注册会计师法》或独立审计职业道德准则中对此做出补充规定。这也是我国可以借鉴的国外先进经验。

（5）由专门机构委派注册会计师并支付报酬。可以由政府成立一个专门机构，由它来负责委派注册会计师并确定他们报酬的多少，审计费用由该政府机构从被审计单位征收后，再支付给会计师事务所。这样，注册会计师与被审计单位就完全没有利害关系，注册会计师就完全独立于被审计单位。但这种制度的缺点是执行起来很困难，而且成本比较高，注册会计师与该专门机构之间的关系也很难协调。

（6）加强注册会计师的职业道德教育。目前，我国注册会计师的素质普遍偏低。这既包括业务素质，也包括职业道德素质。我们都知道，我国存在着严重的会计信息失真问题，并且持续时间很长。但多年来，会计师事务所出具的审计报告通常是无保留意见的审计报告，近几年来才出现一些保留意见、否定意见和拒绝表示意见的审计报告。这种现象的出现固然原因很多，但从业人员的职业道德素质低下却是不可忽视的原因之一。针对这一现状，有必要加强对从业人员的职业道德素质教育，使其牢固树立在思想上、精神上保持独立的观念。这是保持审计独立性的根本和基础。如果没有内在的独立性，而只有外在的独立性，还是不能保证审计的独立性的。这一点我们应当向美国学习，规定注册会计师每年都要参加一定时数的职业道德教育。

另外，我国香港特别行政区规定，在工商部门注册登记的公司企业，必须先由会计师行（楼）出具验资证明后，才能发给营业执照。香港的银行法和证券法还规定，审计师在审计时，若发现被审计单位有诈骗行为，应向政府报告。对这一做法，我们也应当借鉴。

（三）注册会计师对第三者的责任

审计人员对第三者的责任是一个极其复杂的问题。审计中的第三者是一个相当宽的概念，它泛指除审计和约双方以外的所有关心财务报表的人。但由于不同的第三者对财务报表的关心或依赖程度不一样，所以审计人员对他们的责任也不一样。

1. 对第三者责任形成的社会经济原因

审计责任向第三者扩展不是偶然的，而是一系列环境因素所决定的[①]。

首先，20世纪60年代开始的人类社会向信息社会的发展，使信息成为重要的经济资源，因而信息像一切有形商品一样具有商业价值，而提供信息的服务也成了商业服务。其次，60年代商业市场迅速发育，商品层出不穷，但其中也不乏伪劣商品，损害消费者的利益。为保护消费者的利益，引导消费市场向健康的

---

① 毛岩亮：《民间审计责任研究》，东北财经大学出版社，1999年1月，第62页。

方向发展，保护消费者（用户）利益主义（Consumerism）得以盛行。这些环境的变化使大量依据信息进行决策的投资者、债权人有了保障。于是，60年代中期以来，由于信息"消费"中遭受损失而引起的控告审计人员的诉讼案件剧增，以至形成"诉讼爆炸"的局面。而在1965年以前，由第三者提起的声称因公证会计玩忽职守而蒙受损失的诉讼一般是难以成立的。到70年代中期，发生了数以百计控告审计人员的诉讼案，而由第三者提起的诉讼案则达到了顶峰。这种情况，80年代以致90年代初期也一直居高不下，令人吃惊。

2. 第三者的界定

所谓第三者，是指与审计信息提供者并没有合同关系的信息资料的使用者，包括债权人、潜在投资者、银行、财务咨询服务机构等，他们是信息资源的重要消费者。我国有关司法解释将第三者概括为"其他利害关系人"。但这种认定过于宽泛，对司法认定缺乏指导意义。注册会计师的职业性质决定了他对社会公众应承担一定的责任。利害关系人若仅限于注册会计师的委托人，则不利于保护潜在的投资者和债权人等会计报表的其他使用者的利益。注册会计师出具虚假报告给委托人以外的利害关系人造成损失的，应当承担相应的民事责任。然而，我国相关法律和最高人民法院的司法解释，均未对注册会计师应对哪类利害关系人承担损害赔偿责任做出明确的界定。

从英美对第三者民事责任判例法的发展轨迹看，第三者的责任对象甚至扩大到虽不存在契约关系，但能合理预见的第三者。如1993年Hedley Byrne V. Heller一案。这是一起广告代理商起诉银行家为其客户的财务状况做不实证明的案例，该案例判决后，在意见中写道："任何人必须就其不当表述向第三者负责，

即使在当时该第三者还不明确,但他们对提供的表述的依赖性可被合理预见。"这一案的判决将厄特马斯(Ultramares)一案对"特定的、已知的第三者"负责的原则推进到对"合理预见到的第三者"负责的原则。这一判例也符合1965年美国立法部门出台的《民事侵权行为案重述》的法律摘要,该法律在552条规定了信息提供者对没有当事人关系的第三人承担疏忽责任的情形,指出"原始受益人也有权向失职的审计人员追索损失"。但1983年的罗斯布鲁斯法案超越了上述法律摘要有关第三者的界限,指出不管是可合理预见的,还是普通的财务报表第三使用者,都有权向失职的审计人员追索损失。

从我国对第三者民事责任判例的发展轨迹看,56号法函不仅第一次以司法解释的形式确定中国注册会计师在开展业务过程中要对业务的委托人负责,而且也要对与此有关的第三者负责。它的典型意义不亚于美国30年代的厄特马斯公司案。这一司法解释的颁布,表明随着中国市场经济的发展,财务报表、验资报告以及审计结果的影响已被扩大,从而使注册会计师的审计结果由原来只对委托人负责,逐步发展到了对股东、债权人、顾客、政府及一般公众负责。①

3. 习惯法下对第三者的民事责任

现在,审计人员应对第三者负责的观点已被审计职业界所接受,但其范围则仍由法庭根据具体情况来确定。由于会计师事务所与投资者等其他利害关系人没有合同关系,会计师事务所对其他利害关系人承担赔偿责任是基于侵权责任。"第三者"包括以

---

① 中国注册会计师协会:《中国注册会计师法律责任》,辽宁人民出版社,1998年。

下三种：

(1) 受益第三者。所谓受益第三者这个法律概念，也称为直接受益人，是指在提供审计信息之前，注册会计师就已经知道其确切姓名的第三者，也就是说，注册会计师已知道所提供的信息将直接影响这些人的决策，主要是指合约（业务约定书）中所指明的人，但此人既非要约人，又非承诺人。例如，注册会计师知道被审计单位委托他对会计报表进行审计的目的是为了获得某家银行贷款，那么这家银行就是受益第三者。

委托单位之所以能够取得因注册会计师的普通过失而赔偿的权利，源自习惯法下有关合约的判断。受益第三者同样地具有委托单位和会计师事务所所订合约中的权利，因而也享有同样的追索权。也就是说，如果注册会计师的过失（包括普通过失）给依赖审定会计报表（经注册会计师审计过的会计报表）的受益第三者造成了损失，受益第三者也可以指控注册会计师具有过失而向法院提起诉讼，追回遭受的损失。

(2) 应预见到的受益人。应预见到的受益人，是指那些审计人员从总体上知道但不详细知其姓名的第三者，这部分人依赖财务报表的特定目的是可被合理预见的。如接受审计报告的债权人，虽然他们的姓名不为注册会计师所知道，但他们对财务报表的密切关注是可以合理预见的。例如公司财务报表的债权人，他们的确切名字虽然不为审计人员所知，但他们与审计报告和财务报表的密切关系，审计人员是可以预见到的。

1931年美国厄特马斯公司对杜罗斯会计师事务所（Ultramares v. Touche）一案是关于注册会计师对于第三者责任的一个划时代的案例，它创造了注册会计师对可预见的确切第三者负一般过失责任，而对其他第三者负重大过失责任的判例，确立了

"厄特马斯主义"的传统做法。注册会计师对未指明的第三者是否有责任，厄特马斯主义的关键在于要看过失程度的大小。普通过失不负责任，而重大过失和欺诈应当负责。但是自20世纪80年代以来，许多法院扩大了厄特马斯主义的含义，判定具有普通过失的注册会计师对可以合理预期的第三者负有责任。所谓可以合理预期的第三者，是指注册会计师在正常情况下能够预见将依赖会计报表的人，例如资产负债表中有大额未归还的银行贷款，那么银行就是可以合理预见的第三者。在美国，目前关于习惯法下注册会计师对于第三者的责任仍然处于不确定状态，一些司法权威仍然承认厄特马斯主义的优先地位，认为注册会计师仅因重大过失和欺诈对第三者有责任，但同时也有些州的法院坚持认为具有普通过失的注册会计师对可以合理预期的第三者有责任。

（3）可预见的其他第三者。可预见的其他第三者，是指那些范围广大而又无法识别的在今后可能与企业发生关系的人。注册会计师一般能意识到这些潜在报表使用者团体的存在，但并不要求知道这个团体中具体有哪些个人和单位。比起应预见的受益人，可预见的其他第三者包含了更大范围的潜在报表使用者。因此，可预见的其他第三者的最广义的定义是，将包括所有拥有一份经注册会计师审定过的财务报表并据此作出决策的个人投资者们，例如潜在的债权人、投资者、雇员、经济分析师等。由于这些人在执行审计时无法专门予以识别，与审计报表的关系也较远，因此，在审计责任的诉讼中，他们处于最次要的地位。但是他们毕竟是可以预见的，因此，根据习惯法，审计人员应对他们负重大过失责任和欺诈责任。

可预见的其他第三者与应预见到的受益人是两个相近的概念，虽然可以区分，但在实际生活中往往较难分清，因此需要法庭根据情况予以判定。例如，潜在的股东，究竟是应预见到的受益人还是可预见的其他第三者，单从概念上很难判定，必须视其具体环境而定。例如某公司的财务报表审计的目的是为了上证券交易所招股，那么潜在的投资者应是应预见到的受益人，因此审计人员对他们应负一般过失责任，如果审计的目的与招股无关，那么潜在的股东就是可预见的第三者，只有当审计人员犯有重大过失或欺诈时，才有可能对其负有法律责任。

对第三者范围进行界定即谁能充当原告的问题，在美国普通法上，注册会计师若有欺诈（Actual Fraud）或重大过失（Gross Negligence）行为，则应对所有可能使用报表的第三者负责；若仅有普通过失，第三人范围则受到限制。1931年Ultramares案确立了一项原则：只有报表的主要受益人（Primary Beneficiary），即注册会计师于审计前已确知其姓名的报表主要使用者，才有权请求注册会计师赔偿。该案之后，随着专家责任意识的增强、保护消费者运动的兴起、职业责任保险的推广和会计师能力的增强，第三者范围得到扩展。先是1977年侵权法重述（第2次）552条规定注册会计师须对虽未确知、但已预知的特定群体承担过失责任，如注册会计师于审计前已知悉报表将用于申请贷款，则所有银行即为已预知的特定群体。其后1983年Rosenblum案又将第三者范围扩及于所有可预知（Foreseeable）的关系人。1985年GredditAlliance案又向Ultramares原则复归，将范围限制在注册会计师知道依赖其报告的第三者。

习惯法下注册会计师对于第三者的责任案中，举证的责任也在原告，即当原告（第三者）提起诉讼时，他必须向法院证明：

①他本身受到了损失；
②他依赖了令人误解的已审会计报表；

③这种依赖是他受到损失的直接原因；

④注册会计师具有某种程度的过失。

区分三类第三者对于实务有重要意义，有学者建议，我国当前很有必要借鉴英美等国的立法，对"其他利害关系人"（即第三者）加以适当的规范：

①注册会计师出于故意出具不实报告的，对已知或应知的特定利害关系人因信赖该报告造成损失的，应承担赔偿责任；

②注册会计师出于重大过失或一般过失出具不实报告的，对已知的利害关系人因信赖该报告造成损失的，应承担赔偿责任；

③注册会计师出于轻微过失出具不实报告的，对利害关系人因信赖该报告造成损失的，一般不承担赔偿责任。

4. 成文法下对第三者的民事责任

与习惯法相比，成文法的责任条款比较清楚、肯定。因此，审计人员的法律责对任何对象也比较明确。在西方，对审计职业最有影响的要数美国1933年的《证券法》（Securities Act）和1934年的《证券交易法》（Securities Exchange Act）。当受害第三者指控注册会计师时，首先应当选择这种指控是根据习惯法还是根据成文法提出的。由于联邦证券法和证券交易法允许集团诉讼（即某一类人如全体股东成为原告），并要求注册会计师应按照严格的标准行事，因此大多数指控注册会计师的公开发行公司的股东或债券持有人都根据联邦成文法提出。

（1）1933年的《证券法》。1933年的《证券法》规定：凡是公开发行证券（包括股票和债券）的公司，必须向证券交易委员会呈送登记表，其中包括由注册会计师审计过的会计报表。如果登记表中有重大的误述或遗漏事项，那么呈送登记表的公司和它的审计人员对于证券的原始购买人负有责任。注册会计师仅对登记表中经他审核的报告的误述和遗漏负责。

1933年的证券法对注册会计师的要求颇为严格，表现在：其一，只要注册会计师具有普通过失，就对第三者负有责任；其二，将不少举证责任由原告转为被告，原告（证券购买人）仅需证明他遭受了损失以及登记表是令人误解的，而不需证明他依赖了登记表或注册会计师具有过失，这方面举证责任被转往被告（注册会计师）。但1933年《证券法》将有追索权的第三者限定为一组有限的投资人——证券的原始购买人。①

在1933年《证券法》下，注册会计师如欲避免担负原告损失的责任，他必须向法院正面证明，他本身并无过失或他的过失并非原告受损的直接原因。因此，1933年《证券法》建立了注册会计师责任的最高水准，他不但应当对他的普通过失行为造成的损害负责，而且必须证明他的无辜，而非单单反驳原告的非难或指控。

（2）1934年的证券交易法。1934年证券交易法规定：每个证券交易委员会管辖下的公开发行公司（具有100万美元以上的总资产和500位以上的股东）均需向证券交易委员会呈送经注册会计师审计过的年度会计报表。如果这些年度会计报表令人误解，呈送公司和他的注册会计师对于买卖公司债券的任何人负有责任，除非被告确实能证明他本身行为出于善意，且并不知道会计报表是虚伪不实或令人误解的。

与1933年证券法相比，1934年证券交易法涉及的会计报表和投资者数目要多。在1933年证券法中将注册会计师的责任限

---

① 毛岩亮：《民间审计责任研究》，东北财经大学出版社，1999年1月，第110页。

定在登记表中的会计报表和那些原始购买公司证券的投资者,但在 1934 年证券交易法中,注册会计师要对上市公司每年的年度会计报表和买卖公司证券的任何人负责。

不过,1934 年证券交易法对注册会计师的责任有所减轻,由于 1934 年证券交易法规定"除非被告确能证明他本身行为出于善意,且并不知道会计报表是虚伪不实或令人误解的。"这就将注册会计师的责任限定在重大过失或欺诈行为,而 1933 年证券法则涉及注册会计师的普通过失。

1934 年证券交易法将大部分的举证责任也转往被告。但与 1933 年证券法不同的是,原告应当向法院证明他依赖了令人误解的会计报表,也就是说是要证明这是他受损的直接原因。另一方面,1933 年证券法要求注册会计师证明他并无过失,而 1934 年证券交易法比较宽大,只要注册会计师证明他行为"出诸善意"(即无重大过失和欺诈)就可以了。①

5. 我国确立注册会计师对第三者法律责任的意义

(1) 保护个人投资者。由于现代企业代理关系中的利益非均衡性、信息非对称性和风险不平等性,使得企业在反映经济责任履行情况的信息时偏向代理人(受托经营者),不利于财产所有者、个人投资者作为少数股东,不参与企业经营决策,也无法对管理当局施加任何影响,从一开始就处于弱势地位,上市公司的信息披露是他们获取必要信息、作出正确决策的唯一途径。我国《注册会计师法》和《独立审计准则》规定:注册会计师的审计报告具有法律效力,注册会计师应对其出具的审计报告的真实

---

① 毛岩亮:《民间审计责任研究》,东北财经大学出版社,1999 年 1 月,第 112 页。

性、合法性负责。此外,《禁止证券欺诈行为暂行办法》第十二条、第二十一条相继规定：律师事务所、会计师事务所、资产评估机构等专业性证券服务机构在其出具的法律意见书、审计报告、资产评估报告及制作的其他文件中做出虚假陈述；对与虚假陈述有关的直接责任人员,根据不同情况,单处或者并处警告、没收非法所得、三万元以上三十万元以下的罚款、撤销其从事证券业务的许可证或者资格。在红光事件中,注册会计师不仅违背了职业道德,而且违反了法律的有关规定,犯有欺诈的责任。但是,当红光公司的一位上海股民于1月控告包括会计师事务所在内的红光事件的连带责任人时,却被法院以被告在股票上的违法违规行为应由中国证监会予以处理为由驳回起诉,这样,无疑剥夺了该股民维护自身权益的最后一次机会。

（2）建立针对注册会计师的社会监督机制。审计产生于受托责任关系的基础上,只有受托责任关系的存在,才有独立审计存在的必要性。在审计关系中,委托人、被审计人、审计人三者之间相互制衡、互相约束。但是,由于我国国有上市公司的产权关系不明,代理机制不健全,"所有者缺位"现象严重,导致审计关系中"委托人缺位"。这样,原有审计关系中的三个利益主体之间相互制衡的机制蜕变为审计人与被审计人两者之间相互利用的关系,而所谓的上市公司审计也变质为一种上市手续的审批。正因为如此,审计人与被审计人才有可能达成利益分成的合作。我国目前审计关系的缺陷,导致注册会计师的审计行为得不到有力的监督,屡次发生注册会计师参与财务报表舞弊事件。只有真正需要财务报表信息的个人投资者,才能对注册会计师的执业行为进行监督。确立注册会计师对第三者的法律责任,实际上是建立一种社会监督机制。因此,我国应该尽快出台相关法律法规,

确定我国注册会计师对第三者法律责任的具体标准。

（3）建立公平的独立审计竞争环境。如果法律不尽快颁布注册会计师对第三者法律责任的有关规定，致使那些参与财务报表舞弊、给投资者造成巨大损失的注册会计师得不到应有的惩罚，势必在审计职业界形成普遍的侥幸心理：只要满足被审计单位的利益要求，就可以获得可观的业务收入，根本不必担心来自其他人的控告。在这样的审计环境下，认真执业的会计师事务所和注册会计师将始终处于不利的地位。因为，严格按照独立审计准则执业，往往意味着业务收入得不到保障。这样，既不利于事务所之间的公平竞争，也不利于审计质量的提高。尤其是加入WTO以后，会计市场将全面开放，势必给外资会计师事务所和国际会计公司以可乘之机。因此，参照国际会计惯例，颁布关于注册会计师对第三者法律责任的法律法规，势在必行。

（四）被审计单位错误、舞弊、违法行为和经营失败等客观事实的存在

如果审计人员未查出被审计单位某些错误、舞弊和违法行为，给他人造成损失，可能遭到被审计单位及有关方面的控告。

1. 错误、舞弊、违法行为和经营失败

（1）错误。所谓错误，是指被审计单位会计报表中存在的非故意的错报或漏报，即被审计单位由于疏忽、误解等原因，在注册会计师所审计的会计报表中产生了错报或漏报。

这个定义揭示了错误所具有的特征：在原因上是行为人不精通业务技术和法规，不精心操作及管理不善所造成的；在动机上是非故意的，没有不良企图或动机；在手段上具有偶然性和随意性，不是采取特定手段所为；在性质上属于一种行为过失。

第四章 注册会计师审计法律责任的判定

（2）舞弊。所谓舞弊，是指导致会计报表产生不实反映的故意行为，即被审计单位故意在注册会计师所审计的会计报表中造成错报或漏报。错误是一种非故意的行为，而舞弊则是一种故意的行为。

舞弊所具有的特征：在原因上是行为人经不住物质利益的诱惑侥幸或故意为之所造成的；在目的上具有非法占有和挪用公共财产的不良动机；在手段上采取故意制造错报和漏报，钻制度空子，涂改凭证，伪造单据等进行有意掩饰、歪曲和欺骗；在性质上属于一种不法经济行为。

（3）违法行为。所谓违法行为，是指被审计单位贿赂、不合法政治捐助和违反特定法律政府规定等行为故意，即指违反国家法律、法规规定的错报、漏报。

审计单位若未能查出被审计单位的某些错误、舞弊和违法行为，给他人造成损失，可能会遭到被审计单位或报表使用者等方面的控告。对于上述被审计单位的错误、舞弊和违法行为，被审计单位理应负直接的会计责任，注册会计师则只能负审计责任。注册会计师只要严格遵守专业标准的要求，保持职业上应有的关注和谨慎，并通过实施适当且必要的审计程序，是可以将会计报表中存在的重大错误、舞弊和违法行为检查出来的。但是由于审计固有局限性，不能苛求注册会计师发现和披露出会计报表中的所有错报或漏报情况。这就是说，不能要求注册会计师对所有未查出的错报或遗漏情况负责任。但值得注意，这并不意味着注册会计师对未能查出的会计报表中的错报或漏报没有任何责任，关键要看未能查出的原因是否源自注册会计师本身的过错。[1]

---

[1]　毛岩亮：《民间审计责任研究》，东北财经大学出版社，1999年1月，第99页。

(4) 经营失败。被审计单位发生经营失败时，也可能会连累注册会计师。会计报表使用者控告会计师事务所的主要原因之一，是不理解经营失败和审计失败之间的差别。经营失败反映的是经营风险的极端情况，审计失败是注册会计师在发生了审计过失后，给报表使用者造成了损失，并被其起诉，发生的诉讼失败。发生经营失败时，如果注册会计师存在审计过失，则有可能把审计过失进一步显化为审计失败；如果注册会计师不存在审计过失，即只存在审计风险时，则可能不会发生审计失败。因此，在发生经营失败时，关键要看注册会计师是否存在审计过失，即是否严格遵守了独立审计准则。①

2. 存在及其证据

（1）错误主要包括内容如下：

①原始记录和会计数据的计算、抄写错误。会计业务的处理是一项技术性很强的工作，从业人员必须掌握计算、制证、记账、编表等专门技术，才能正确操作。而某些技术不精湛的专业人员，就往往发生违背操作技术、操作规范和程序的错误。

②对事实的疏忽和误解。在日常的会计工作中，一方面往往会由于从业人员工作不认真，造成疏忽性错误。如从业人员不认真记账，致使登错账户，记错栏次发生重账错误，或对已发生的经济业务不予重视，发生漏账错误。另一方面，往往会由于从业人员业务不精通，造成误解性错误。如从业人员混淆资本性支出和收益性支出、递延资产与待摊费用的界限。

③对会计政策的误用。会计工作是一项政策性很强的工作，

---

① 高翔：《浅谈注册会计师的法律责任》，载自《经济师》，2001年第6期，第1页。

从业人员必须全面掌握会计法规和会计政策,才能正确应用会计政策。如果从业人员对会计政策不了解,就难免会发生会计政策误用的现象,如应当采用快速折旧法的行业误用平均折旧法,应当采用权责发生制的企业误用收付实现制等。

(2) 舞弊主要包括:

①伪造或变造会计资料和其他资料,是指行为人虚假制造、篡改、歪曲、更改会计报表借以编制的会计记录、原始凭证等会计资料或其他相关资料。如伪证记账、有意错记误写凭证、账簿等。

②侵占财产,是指行为人利用接近财务的职务便利,侵占自己所经管的资财。如保管物资时盗取实物、内部串通转移物资、挪用实物等。

③隐瞒或删除交易或事项的结果,是指行为人不按实际业务的过程和结果进行记录、核算,而无端隐瞒或删除交易或事项的结果。如以物易物隐瞒差价、删除销售业务转移收入等。

④记录虚假的交易或事项,是指行为人无中生有,凭空捏造业务,粉饰财务状况或贪污财务。如虚列费用、损耗、坏账、销售等。

⑤蓄意使用不当的会计政策,是指行为人事前预谋,为了隐匿亏损、夸大成绩或者为了偷漏税而使用不恰当的会计政策。如收入与费用不配比而虚增利润、违反历史成本原则而高估资产等。

⑥蓄意披露与事实不符的会计政策,是指行为人有意掩盖真相,在会计报表附注中披露与编制会计报表不一致的会计政策。如编报会计报表时采用快速折旧法计提折旧费用,而在会计报表附注中披露的是用平均折旧法计提折旧费用。

(3) 美国审计准则说明书第 54 号（SAS No. 54）把被审计单位违反法律、法规的行为分为两大类：第一类是对财务报告的余额有直接和重要影响的非法行为。注册会计师应对这种错误和非法行为负有察觉责任，即注册会计师应通过审计工作，提供一种合理的保证，使财务报表中的金额免受由于这些非法行为的直接影响而产生重大虚报；第二类是对财务报表有间接影响的非法行为。根据公认审计准则（GAAS）的规定，通常并不要求注册会计师专门为此进行审计。当有情况表明这些行为或许已经发生时，注册会计师应对这些行为进行适当的查证和评价，但是，注册会计师对揭露有间接影响的非法行为不提供保证。当注册会计师应当发现而没有发现这些违法行为，并导致有关方面遭受损失时，就可能要因此而承担责任。

（五）注册会计师违约、过失或舞弊客观事实的存在

1. 违约、过失和舞弊

(1) 违约。所谓"违约"，是指由于注册会计师未能履行合约（包括书面和口头）上的某些具体条款，未能达到合同条款的要求。当违约给他人造成损失时，注册会计师应根据合约的规定承担违约责任。比如，或违反了与被审计单位订立的保密协议，或注册会计师未能在规定的时间内提交审计报告、泄露商业秘密等。

(2) 过失。所谓"过失"，是指注册会计师在一定条件下，缺少应有的职业谨慎，并给他人造成损害。评价注册会计师的过失，是以其他合格注册会计师相同条件下可做到的谨慎为标准的。

当过失给他人造成损害时，审计人员应负过失责任。通常将

过失按其程度不同分为普通过失和重大过失。普通过失（ordinary negligence），也有的称"一般过失"，通常是指没有保持职业上应有的合理的谨慎。对注册会计师而言则是指没有完全遵循专业准则的要求。① 比如，未按特定审计项目的要求取得必要和充分的审计证据的情况可视为一般过失。重大过失（gross negligence）是指连起码的职业道德谨慎都不保持，全然欠缺注意，仅须用轻微注意即可预见的情形，竟忽于注意，对业务或事务不加考虑。对于注册会计师而言，则是指根本没有遵循专业准则或没有按专业准则的主要要求执行审计。如审计不以《独立审计准则》为依据，可视为重大过失；如果注册会计师的审计程序到位，因未足够谨慎而要被追究法律责任，一般视为普通过失；因审计程序未到位而被追究法律责任，一般视为重大过失。

重大过失是指注册会计师严重的背离职业谨慎的专业标准，没有按专业准则的主要要求执行审计。首先，如果上市公司财务报告中存在重大错报事项，注册会计师运用标准审计程序通常应予发现，因工作疏忽未能将重大错报事项查出来，就很可能在法律诉讼中被解释为重大过失。其次，注册会计师对公司财务报告项目的证实审计是以其内部控制结构的研究与评价为基础的。如果内部控制结构不太健全，注册会计师应当扩大抽样范围，这样一般都能揭示出由此产生的错报，否则就具有重大过失的性质。如果公司的内部控制制度本身非常健全，但由于职工串通舞弊，导致内部控制制度失效，由于注册会计师查出这种错报事项的可能性相对较小，因而法院一般会认为注册会计师对此没有过失或

---

① 李若山、周勤业：《注册会计师法律责任理论与实务》，中国时代经济出版社，2002年6月，第132页。

只具有普通过失。

还有一种过失叫共同过失，即对他人过失、受害方自己未能保持合理的谨慎而蒙受损失。如被审计单位未能向注册会计师提供编制纳税申报表所必要的信息，反而控告注册会计师未能妥当地编制纳税申报表，在这种情况下则被审计单位负有共同过失责任。① 总之，注册会计师单方的责任、被审计单位单方的责任、双方的责任等因素均可能导致注册会计师承担法律责任。

"重要性"和"内部控制"这两个概念有助于区分注册会计师的普通过失和重大过失。②

首先，如果会计报表中存在重大错报事项，注册会计师运用标准审计程序通常应予发现，但因工作疏忽而未能将重大错报事项查出来，就很可能在法律诉讼中被解释为重大过失。如果会计报表有多处错报事项，每一处都不算重大，但综合起来对会计报表的影响却比较大，也就是说会计报表作为一个整体可能严重失实，这种情况下，法院一般认为注册会计师具有普通过失，而非重大过失，因为标准审计程序发现每处较小错报事项的概率比较小。

其次，注册会计师对会计报表项目的证实审计是以内部控制制度的研究与评价为基础的。如果内部控制制度不太健全，注册会计师应当扩大抽样的范围，这样一般都能揭示出由此产生的错报。否则就具有重大过失的性质。相反的情况是，内部控制制度本身非常健全，但由于职工串通舞弊，导致设计良好的内部控制

---

① 李若山、周勤业：《注册会计师法律责任理论与实务》，中国时代经济出版社，2002年6月，第132页。
② 毛岩亮：《民间审计责任研究》，东北财经大学出版社，1999年1月，第103页。

制度失效。由于注册会计师查出这种错报事项的可能性较小，因而一般会认为注册会计师没有过失或只具有普通过失。

判断会计师是否出现职业过失应从以下三方面进行：第一，是否拥有该职业所需要的一般知识并能与职业保持同步发展。审计人员应能达到社会平均的技术熟练程度；采取一切手段获取对被审情况的了解；根据时代的发展和变化，熟悉新的审计领域，不断更新审计技术，保证所采取的审计程序能最好地符合实务要求。其次，是否能作出相当于社会平均水平的判断。具有充分的判断力是职业区别于非职业的特征之一。审计工作中需要大量的职业判断，如审计程序的恰当运用，审计风险和重要性水平的估计以及披露方式的适当选择等。谨慎执业者的判断是知识、经验和直觉作用于大脑思维的结果，而不是主观的盲断、武断。在运用其判断时，他能合理预见到可能给他人带来的危害。他也会出现判断错误，但他只对雇主承担过失、不忠和不实的责任，不承担纯粹由于判断失误而造成损失的责任。最后，是否能保证勤勉、认真地履行职责，力戒疏忽大意和言行不忠，知道盲目采取行动的风险。注册会计师不是尽善尽美之人，"他犯错误，他也自私，他还会害怕，但这些缺陷均体现了社会通常的行为标准。公共社会的任何方面均不一定反映了称作慎重的东西。习惯本身也许就是过失。"

在实践中，由于以下几个方面的原因使得对注册会计师过失的界定变得更加复杂化了：

①年度会计报表审计目标的相对性。按照国家有关规定，我国除少数特殊行业的国有企业外，其他公司（企业）都实行了年度会计报表审计制度。审计目标是对反映企业财务状况和经营成果的会计报表的合法性、公允性及会计处理方法的一贯性发表意

见。无保留意见的审计报告也只能做出相对的、合理的保证，即会计报表无重大误述或遗漏事项。在实际审计中，由于注册会计师和报告使用人对"重要性"的理解不同，所以确定注册会计师是否有过失就复杂了。

②虚假报告或失实报告的多因性。经济业务的发生不仅涉及企业内部的经营管理各环节，而且涉及企业外部各个环节。注册会计师审计业务，实际上是企业对外公开提供会计报表的最后一个环节。虚假或不实报告可能是审计环节由于注册会计师的欺诈或者过失造成的，也可能是财务会计环节、企业内部经营管理环节或者外部环节出现欺诈或过失造成的。这又可分为两种可能：其一是注册会计师有过失；其二是超出了合格注册会计师的专业胜任能力。

③合格注册会计师应具备的专业胜任能力的模糊性。注册会计师应在其具备的专业胜任能力范围内负责，对超出正常专业胜任能力范围的事件是不应该负责任的。注册会计师的业务涉及各行各业，就是同一行业的企业也是千差万别的，彻底了解企业经营结果的产生过程所需要的知识、经验、技术远远超越了注册会计师专业胜任能力的范围。

(3) 欺诈。欺诈又称审计人员舞弊，是以欺骗或坑害他人为目的的一种故意的错误行为。具有不良动机是欺诈的重要特征，也是欺诈与普通过失和重大过失的主要区别之一。对于注册会计师而言，是为了达到欺骗他人的目的，明知委托单位的会计报表有重大错报，却加以虚伪的陈述，出具无保留意见的审计报告。

有些法院把重大过失也作为欺诈的一种，称为"推定欺诈"。推定欺诈和重大过失这两个概念的界限往往很难界定，特别是近年来有些法院放宽了"欺诈"一词的范围，使得推定欺诈和欺诈

第四章 注册会计师审计法律责任的判定

在法律上成等效的概念,从而进一步加强了注册会计师的责任程度。推定欺诈,是指虽无故意欺骗或坑害他人的动机,却存在极端或异常的过失。对注册会计师而言,执业中如果没有遵守公认的有关标准,则即使其并无诈骗会计报表使用者的动机,仍然可以控告他犯有推定欺诈罪,是一种自愿的和不负责任的不法行为。在实务中,注册会计师过失程度的大小并没有特别严格的界限,处理时也很难界定。例如,注册会计师在知道一家银行将依赖经审计的财务报表对客户进行贷款的情况下,对客户的财务报表出具了无保留意见的审计报告。一个月后,注册会计师致信客户表明应收账款被高估了,但没有将这个信息告诉银行。随后,客户破产了,在这种情况下,注册会计师就是重大过失。

在重大过失与欺诈之间,往往因为信息的不对称,原告很难搜集足够的证据证明注册会计师在公司欺诈中是否参与欺诈行为,因此,在美国许多法院将注册会计师的重大过失解释为"推定欺诈",既把主观上的"过错"推定为"主观上的故意",这样具有重大过失的注册会计师的法律责任就进一步加大了。在中国,法院只对欺诈进行受理,而重大过失未予涉及。

过失,是由于注册会计师的"粗心大意"造成的。这种"粗心大意"是在对公司欺诈行为"知情的"情况下造成的还是在非"知情的"情况下造成的呢?重大过失可以定义为极端地背离职业谨慎准则的要求。对职业会计师而言,连起码的职业准则都未遵守,这种"粗心大意"的过失是否应归咎于注册会计师对公司的欺诈是"知情的"?是不是正因为对公司的欺诈行为知情,而使职业会计师造成了"连起码的职业准则都未遵守"的"粗心大意"的假象?若注册会计师是"知情的",包含"故意"的成分,那么归结为"粗心大意"是不恰当的。从利益受损方的角度,无

171

论是欺诈或过失,由于有关财务报告存在的错误,使他们作出决策而导致的结果是一样的,而他们往往处于信息资源的弱势地位,并且遭受到了损失,在他们作为原告要证实被告犯有欺诈行为或重大过失行为,比证实被告犯有普通过失行为要困难得多,在美国的许多州的法院判例,出于保护弱者的考虑,把重大过失作为推定欺诈处理。

2. 存在及其证据

注册会计师的违约行为主要有以下三种情况:

(1) 不能按时完成工作,出具审计报告。注册会计师为委托人提供审计鉴证服务,通常是为了满足委托人决策的需要或有关法律、其他关系人要求,这就要求注册会计师的审计工作在一定的期限内完成。否则,它可能引起委托人经济上的损失。同时,"出具审计报告的时间要求"是我国《独立审计准则第2号——审计业务约定书》中所规范的约定书的[①]一项基本内容。注册会计师应恪守业务约定书中的有关规定,在委托单位提供了必要条件的前提下,合理安排工作日程,在一定的时间期限内出具审计报告。如果注册会计师不能做到这一点,就构成违约行为,并有可能承担相应的责任。

(2) 不能按专业要求,出具合法的审计报告。审计报告是注册会计师根据独立审计准则的要求,在实施了必要的审计程序以后出具的,用于对被审计单位会计报表发表审计意见的书面文件。审计报告是审计工作的最终成果,具有法定证明效力。审计业务约定书本身就包含了出具合法审计报告的要求,这也是注册

[①] 毛岩亮:《民间审计责任研究》,东北财经大学出版社,1999年1月,第101页。

会计师作为专家身份的特殊工作性质所决定的。注册会计师应对其出具的审计报告的真实性、合法性负责。如果注册会计师不能符合独立审计准则的要求，出具合法的审计报告，就意味着注册会计师违约，应承担相应责任。

(3) 不能对执行业务过程中获知的商业秘密进行保密。注册会计师由于职业需要，在执行合同约定业务的过程中常常会接触到委托人的商业秘密。如股票的第二次发行计划、发行人的分红派息计划、企业成本报表等，这些秘密信息一旦泄露或被利用为违法活动，将会使委托人在竞争中处于不利地位或给委托人造成不可挽回的经济损失。为此，我国《注册会计师法》第19条规定："注册会计师对在业务中知悉的商业秘密，负有保密义务。"若注册会计师没有恪守保密原则，将知悉的商业秘密提供或者泄露给第三者，或利用其为自己或者第三者牟取经济利益，则应承担泄密责任，受到法律处罚。若因泄露给委托人造成经济损失时，会计师事务所应承担赔偿责任。在这一问题上，注册会计师应注意正确处理公开揭示与保守秘密的关系。

注册会计师的过失包括：

(1) 职业道德素质低下引发的过失，如以低价策略拉抢客户，收取佣金、回扣等；

(2) 专业胜任能力不够引发的过失，如审计中未能遵守独立审计准则，不符合审计计划、审计程序的要求，不熟悉计算机信息系统环境下审计的操作规程等；

(3) 对客户经营情况了解不够引发的过失，如缺乏对被审计单位应有的了解，承接非自身能力所及的业务等；

(4) 审计方法不当引发的过失，如未能适当运用分析性复核程序，或未能进行充分调查，过度信赖内审人员的工作等。

注册会计师出具审计报告时具有欺诈作为，一般有下列四种情况：

第一，明知委托人对重要事项的财务会计处理与国家有关规定相抵触，而不予指明；

第二，明知委托人财务会计处理会直接损害报告使用者或其他利害关系者的利益，而予以隐瞒或者做不实的报告；

第三，明知委托人的财务报告会导致其他利害关系人产生重大误解，而不予指明；

第四，明知委托人会计报表的重要事项有其他不实的内容，而不予指明。

注册会计师在审计过程中不仅要遵循技术责任，即按照各种专业的要求开展业务，同时也要遵循质量责任，质量责任主要是指注册会计师在执行业务过程中有无认真遵循技术标准。要证明注册会计师是否存在违约、过失或舞弊等客观事实，就要考虑注册会计师是否同时遵循技术标准和质量标准。

根据独立审计准则的要求，注册会计师在执行审计业务前，要有完备、周密的审计计划；在审计过程中，必须收集充分可靠的审计证据；在审计结束后，要出具客观公允的审计报告。但是如果由于注册会计师个人的原因，在审计计划阶段，没有制订科学、详细的审计计划，甚至不编制审计计划，或以同一个审计计划模式套用所有的审计项目；在审计过程中，注册会计师无法解释已取得的审计证据的充分性和有效性；或者注册会计师对审计报告发表了错误意见，从而给报告的使用人带来决策上的失误，给委托人或者其他利害关系人带来经济损失或名誉伤害的，均应由注册会计师承担一切责任。

（六）注册会计师违约、过失和舞弊造成损失

如果注册会计师没有按照规定的标准实施审计程序，即注册会计师存在违约、过失或舞弊行为，并因此提供了虚假证明或虚假审计报告，而报表使用者依据了错误报告，作出了错误的决策，以至于报表使用者的财产受到了损失。那么由于注册会计师的不当行为而造成的其他利害关系人的财产损失应属于侵权行为。侵权行为是指行为人不法侵占他人财产权利和人身权利的行为。

1. 损害事实的客观存在

损害包括财产损害和人身损害。一般来说，作为市场主体的注册会计师对利害关系人主要造成的是财产损失。这些损失包括直接损失和间接损失两部分。直接损失又称为积极损失，是指因注册会计师违约、过失或舞弊行为造成的利害关系人现有财产的减少；间接损失又称为消极损失，是指受害人本应得到的财产因受侵害而未得到，即可得利益的减少。损害事实的客观存在往往是引发法律责任的重要原因。出现损失以后，受害人为了保护自身的合法权益，必然要向人民法院提起诉讼。一旦法院受理，注册会计师卷入法律纠纷不可避免。[①]

2. 存在证据

我们把注册会计师的违约、过失和舞弊行为统称为侵权行为，以下同。

（1）侵权行为与损害事实有因果关系。侵权行为与损害事实

[①] 李若山、周勤业：《注册会计师法律责任理论与实务》，中国时代经济出版社，2002年6月，第129页。

是否存在因果关系是判断注册会计师行为是否侵权的重要条件。实践中，分析研究因果关系是从结果来找原因，即把某一损害事实作为结果，来寻找此项损害的原因，即要查明是谁的行为引起的，以便追究该行为人的责任。考虑因果关系是一种必要手段，目的是通过因果关系的确定来判断是谁的行为（不行为）引起的，判断其行为是否合法，并以此为依据进一步确定谁应对此项损害结果承担民事责任。从逻辑角度来说，即使从表面上看来，侵权行为与损害事实的发生有着某种联系，但在司法实践中必须要有有力的证据来证明两者之间有着必然的联系，而并非巧合。只有两者存在着因果关系，才可追究注册会计师的法律责任。在实践中，利害关系人往往强调注册会计师的审计报告或验资报告是引起他们损失的直接原因。对此，司法实践利害关系人必须有充分的证据来证明因果关系的存在。

根据公司法、会计法以及独立审计准则的有关规定，可以看出一份审计报告的真实性是由两个环节及其所涉及的两个单位为保证的。其一是被审计单位负有会计责任，其二是注册会计师负有审计责任。其中第一个环节是第二个环节的基础，第一个环节的真实性得不到保证，建立在此基础上的第二个环节的真实性也难以得到保证。

注册会计师法既然界定了会计责任与审计责任的界限，注册会计师就不可能承担审计责任以外的责任。如验资报告，充其量是帮助被审计单位获得工商营业执照，至于持有这份执照的单位是否依法经营，并不是完全与验资报告的真假相关。也就是说，验资报告的真伪与获得这份报告的单位去骗人，有时没有因果关系。注册会计师出具的验资报告所反映的是被审验单位的资金总额，并不能代表被审验单位永远固定拥有的资金数额，更不能看

第四章 注册会计师审计法律责任的判定

作是一种担保性质的资金。

（2）侵权行为的违法性。从法律上来说，行为人只对其实施的违法行为承担法律责任。如果造成他人财产和人身损失是违反法律的，行为人就应对此项损害承担赔偿责任；否则，他就不负责任。

对注册会计师执行审计业务而言，他的行为是否违法，就要看其在执行业务时是否遵循《中华人民共和国注册会计师法》和相关的独立审计准则。如果注册会计师在职业过程中，不按照独立审计准则保持应有的职业谨慎和认真态度，那么对其引起的损害事实，必然要承担法律责任。但是如果注册会计师严格遵守了国家规定的专业标准，由于审计程序本身的局限性或委托人的过失，如审计抽样产生的误差、管理当局串通舞弊造成内部控制的失效等，使得注册会计师仍然无法察觉会计报表的重大差错并因此出具了错误的审计报告。当有关人员使用了这一错误信息造成了其损失时，注册会计师就不对这一损失承担侵权责任，而应当追究伪造财务报表的当事人的法律责任。因为注册会计师的行为不具有违法性，尽管有关利害关系人受到了经济损失，而且这一损失与注册会计师的行为确实有因果关系。但是这一损失的出现，并不是注册会计师的过失造成的，这册会计师没有过失，就不应对此承担责任。

再比如，由于注册会计师负有保密责任，不能随意披露客户的内部情况，当他在审计时已经知道某一上市公司已经出现巨额亏损，但因负有保密义务而不能在报表披露前告知他人。意味投资者此时购买了该公司的股票，并在报表披露后蒙受了巨大损失。他如果状告注册会计师，注册会计师就可以以行为合法性而要求免责。因为注册会计师不对自己的合法行为承担责任。而合法行为的制定,往往是以多数人的利益为准则的。个别人因注册会计师的合法行为受到损失,注册会计师对此是不承担责任的。

(3) 行为人的过错。过错是指行为人对其实施的行为和该行为所产生的结果所持的心理状态。过错包括故意和过失两种。故意指行为人预见自己行为的结果,仍然希望这种结果发生或任其发生的心理状态。行为人对自己行为的结果,应当预见而没有预见,虽然已经预见到却轻信这种结果不会发生或能够避免,称为过失。[①] 在注册会计师执行的业务过程中,注册会计师有无过错,是以专业标准来衡量的,而不是用最终结果来加以衡量的。

(七) 成立注册会计师审计法律责任的专家鉴定委员会

目前,我国注册会计师行政处罚的裁定和实施权归属于省级以上人民政府的财政部门(省级以上注册会计师协会处理日常工作);民事制裁和刑事制裁的裁定和实施归属于人民法院。随着市场经济向法制化方向发展,特别是我国已正式成为世贸组织成员国之一,民事责任及刑事责任将成为注册会计师法律责任的重要方式,而法院无疑将成为最终的裁判机构。但当涉及的诉讼案件专业性很强,技术复杂程序很高时,法院将难以独立对案件的会计责任和审计责任作出合理界定。例如,已认定一项会计信息是虚假的,但如何来界定这项会计信息的产生是故意,还是过失,这对提供虚假会计信息的被审单位或人员量刑时,是非常重要的。前者不仅要承担民事赔偿责任,而且要承担刑事责任;而后者要依据过失的大小确定不同的民事责任。这即使对专业人

---

① 李若山、周勤业:《注册会计师法律责任理论与实务》,中国时代经济出版社,2002年6月,第131页。

士，有时也是难以确认的。同样，传统的法官在注册会计师是否存在过错，以及过错程度的判断上并不具备胜任能力。这时候就需要一个注册会计师责任鉴定委员会参与到对会计师事务所责任的鉴定中来，也就是说，必须有一个既懂会计、又懂法律，且独立于注册会计师行业的团体来界定注册会计师的法律责任问题，这也就是西方兴起的"法务会计"。由于法务会计必须精通会计、审计知识和法律知识，有较丰富的实践经验，使其不仅能在舞弊案件中提供证据，而且可以合理地界定审计人员的法律责任。

因此，一方面中国注册会计师协会应设法协调解决法律之间的矛盾问题，另一方面立法部门应借《注册会计师法》修订之机将存在于《独立审计准则》中保护注册会计师的条款补充进来，在法律责任上就责任对象、责任范围和责任程序三个方面给予明确规定，以保护注册会计师免受无谓诉讼的干扰。同时，应成立注册会计师专家鉴定委员会，作为注册会计师法律责任和被审单位和人员的会计责任界定的权威机构，该机构出具的鉴定报告应同法医鉴定等司法鉴定报告一样，成为庭审的有力保证。注册会计师职务侵权责任的要件有审计报告不实、未尽应有的职业关注、损害事实及因果关系。在注册会计师侵权损害赔偿案中，损害事实由原告举证；审计报告不实、未尽应有的职业关注以及因果关系证明责任主要由被告（注册会计师）承担；尤其是未尽应有的职业关注实行过错推定的原则，除非注册会计师能证明自身无过错，否则法庭就推定注册会计师未尽应有的职业关注。在这种证明责任的分配背景下，注册会计师本身就很难直接在法庭上证明自己无过错，因为原告法官都是外行，他需要一个权威的鉴定结论支持他的主张。注册会计师要想证明自己已尽职业关注，一般要寻找独立的第三者证实。常见的是申请法院委托其他会计师事务所组成的鉴定小组对其审计工作底稿进行鉴定。但是如果鉴定人不独立、不公正，会影响到鉴定结论的真实性。由于会计师事务所往往会偏袒被告，原告、法官会怀疑鉴定小组所提交鉴证结论的公证性，所以鉴定人的独立性、公证性是急需解决的问题，解决这个问题最好的方式就是建立独立的注册会计师法律责任的专家鉴定委员会。2001年上海的司法会计鉴定专家委员会就是基于这个目的成立的。作为规范注册会计师行为的专门法，《注册会计师法》是否应当明确规定注册会计师法律责任鉴定委员会具有哪些法律效力，并对它们的组成、作用、程序等做出规定，的确是一个值得思考的问题。在西方国家，司法机关在判决注册会计师诉讼案件时，也常常主动参考行业自律机构的意见，作为法律责任判定的重要依据。我国司法机关也可借鉴此做法，努力避免判决不当情况的发生。

二、注册会计师审计法律责任的判定基础

注册会计师的审计责任、注册会计师审计责任的归责原则、注册会计师审计责任的认定程序以及注册会计师应承担责任的分摊等构成了注册会计师法律责任的判定基础。

（一）注册会计师的审计责任

1. 会计责任和审计责任的区分

目前出现的很多关于注册会计师的诉讼案中有一种极为相似的情况，原告是某企业的债权人，该企业因经营不善或诈骗等原因已经资不抵债，无力承担民事责任或逃之夭夭，原告"顺藤摸瓜"，查到原来为该公司出具审计报告的事务所，将签字注册会

计师列入"第 N 被告"。撇开"过错"原则不谈，即使注册会计师因为过错出具了不实的审计报告，在法庭上追究民事责任时也应同时考虑会计责任与审计责任，不能只考虑审计责任或优先考虑审计责任，因为很多审计责任的造成渊源于会计责任早已存在，注册会计师的审计责任不能替代、减轻或免除被审计单位的会计责任。

在涉及注册会计师行业的法律责任时，往往需要对会计责任和审计责任进行区分。根据我国独立审计准则的规定，建立和健全本单位的内部控制制度，保护本单位的资产安全和完整，保证提交审计的会计资料真实、合法和完整是被审计单位应负的会计责任。而按照独立审计准则的要求出具审计报告，保证审计报告的真实性、合法性是注册会计师的审计责任。被审计单位的会计责任和注册会计师的审计责任都要写入审计业务约定书中，予以明确。

尽管《独立审计准则》明确规定了被审计单位的会计责任，但会计报表毕竟是由管理当局编制的，它对报表的公允性负责。这样，它就有充分的权利来选用会计原则，决定披露的内容。对此，注册会计师应当注意，当发现某些项目披露不恰当时，应当提出修改意见。如果当局坚持不改，注册会计师可以提出保留意见或否定意见，直至取消业务约定。

2. 经营失败和审计失败

由于市场经济是一个优胜劣汰的机制，企业在运作过程中始终会面临着各种经营风险，比如经营萧条、企业重大决策的失误、同业之间的竞争，到期无法偿还债务等等，经营风险的极端情况就是经营失败。审计失败则是指注册会计师由于没有遵守公认审计准则而形成或提出了错误的审计意见。还有一种情况就是审计人员确实遵守了审计准则,但是却提出了错误的审计意见,这种情况被称为审计风险。不能指望通过审计来发现会计报表中全部的错报项目。现代审计通常借助于抽样手段,而有些隐蔽较好的欺诈却极难发现。所以,存在一定的审计不能发现会计报表重大错报项目的风险。在这种情况下,审计人员就面临着来自于公众或客户的诉讼。

出现经营失败时,审计失败可能存在,也可能不存在。被审计单位在经营失败时,也可能会连累到审计人员。当被审计单位濒临破产,也就是经营失败时,其债权人和投资人为了减少损失,往往对注册会计师提起诉讼,他们认为当企业趋于经营失败时,经审计过的财务报表应该会预先发出警告,否则注册会计师便犯有过失。那么,在企业经营失败时,注册会计师究竟有没有责任对财务报表发出预先的警告呢?我国独立审计准则规定,注册会计师的审计意见是合理保证会计报表使用人确定已审计会计报表的可靠程度,但不应被认为是对被审计单位持续经营能力及其经营效率、效果所做出的承诺。由此可以知道,被审计单位经营失败并不等于注册会计师的审计失败。很多会计和法律专业人士认为,会计报表使用者控告会计师事务所的主要原因之一,是不理解经营失败和审计失败之间的区别。

在发生经营失败而不是审计失败的风险时,困难就产生了。当某一公司破产或无力偿还债务时,报表使用者往往指责审计失败。特别是在最近提出的审计意见说明会计报表公允表达时,情况更是如此。使用者在被审计单位发生经营失败时指责审计失败,部分原因是他们不了解注册会计师的责任。公共会计职业界也许有责任向报表使用者说明注册会计师的作用,说明经营风险、审计失败以及审计风险之间的差别。指责审计失败的另一部分原因是遭受损失的人们希望得到补偿，而不管错在哪方。①

在这种情况下，就产生了我们经常说的"深口袋"现象。在西方国家中，注册会计师都投有充分的责任保险，并且收入额颇丰；因而注册会计师在审计中一旦出现疏忽和过失，使审计报告的使用者蒙受损失，审计人员就会受到诉讼和牵连，并且社会日益赞同受害方应向有能力的一方提起诉讼，而不问被告方错在哪里。这就是所谓的"深口袋"现象（deep pockets）。②

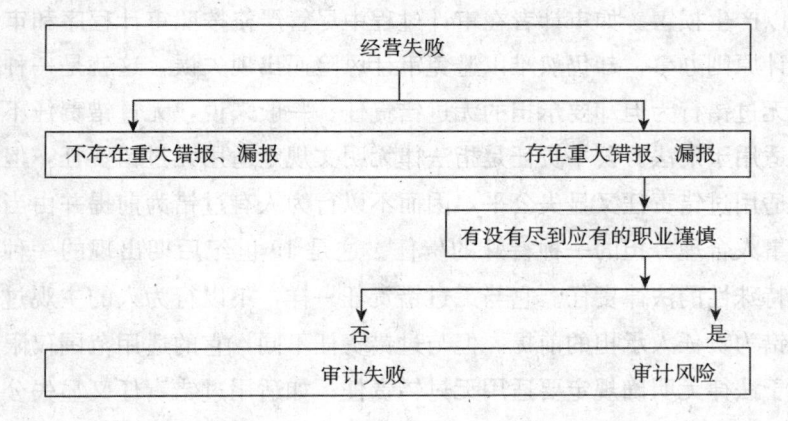

```
                    经营失败
                       │
          ┌────────────┴────────────┐
    不存在重大错报、漏报         存在重大错报、漏报
                                     │
                              有没有尽到应有的职业谨慎
                                     │
                          ┌──────────┴──────────┐
                          否                    是
                        审计失败              审计风险
```

（二）注册会计师审计法律责任的归责原则

法律责任的归责指的是在法律实施中对责任的认定与归结。它是一个复杂的责任判定过程，同时它对法律责任的立法也起着指导作用。根据审计者、被审计者和委托者的主观过错在法律责任中的不同地位，可以把审计法律责任分为过错责任、无过错责

---

① 毛岩亮：《民间审计责任研究》，东北财经大学出版社，1999年1月，第101页。

② 姚树中、潘敏、赵方哲：《论注册会计师法律责任》，载自《审计理论与实践》，2002年第4期，第1页。

任和公平责任。①

过错责任是指以存在主观过错为必要条件的法律责任。它是根据"无过错，即无责任"的原则认定的一种法律责任。现代法十分关心能够保障权利主体权利平等与自由，由此引出在承担责任时必须以行为人有过错为前提条件。所以，过错责任与权利平等有密切关系与影响。无过错责任是指不以主观过错的存在为必要条件而认定的责任。在现代社会，无过错的合法行为，同样可以产生损害。如审计者在审计过程中尽管严格按照审计程序和审计原则办事，却仍然难以避免审计风险而出现失误，这就是一种无过错行为但却要承担的无过错责任。一般来说，无过错责任不适用于刑法。公平责任是指法律无明文规定适用无过错责任，但适用过错责任又显失公平，因而不以行为人有过错为前提并由当事人合理分担的一种特殊的责任。这是19世纪后期出现的一种特殊性的法律责任。它与无过错责任一样，不以行为人的主观过错为责任人承担的前提。但与过错责任不同，它的适用范围仅限于法律无明确规定要适用无过错责任；如适用过错责任又显失公平或违反公平合理原则的情况。如投资者因财务报表的诱导而决策失误，将会计师事务所告上法庭，中途又撤诉，而后两家协商解决。会计师事务所赔偿受害者一定经济损失，受害者也承担一部分经济损失，这就体现了公平责任原则。

无过错原则是国际上流行的一种非理性连带无限责任判例原则，即从平衡社会机制出发，不管被告在相关案件中是否具有过错或过失，只要原告确实受到损失，而原告的损失又与被告的行为有关，法院往往从不同的角度来判定每个被告平均承担原告的

---

① 江伟钰：《审计与经济研究》，第5期，第16卷，2001年9月。

部分损失，以稳定社会秩序。①我国民法规定："……没有过错但法律规定应当承担民事责任的，应当承担民事责任"。我国无过错责任主要适用于空气污染、交通事故等，是有特定含义的。

无过错责任原则的特征有三个：第一，法律对适用对象予以特别规定，将其与过错责任原则的适用范围分开；第二，不考虑加害人的过错；第三，侵权行为由侵害行为、损害及二者之间的因果关系三项要件构成。无过错责任原则的适用范围有法律专门规定，这些法律包括民事通则第六章第三节的部分条款，也包括某些单行法规。

在这三个归责原则中，基本归责原则是过错责任原则，无过错责任原则和公平责任原则只是在特殊的场合确定某些侵权行为损害赔偿责任的归属问题。需要指出的是，过错责任原则有两种形式，一种是一般的过错责任原则，一种是过错推定原则。

注册会计师严格遵循独立审计准则执业，但仍出具了与客观事实不符的报告，即"结果失真，程序合法"，要不要负责任？注册会计师对审计后的会计报表只起合法保证责任，不是绝对保证审后的报表真实公允，这是审计准则上讲得明明白白的。但它可能与现行法规有冲突，或者不能为公众所理解。如果说注册会计师的工作满足了程序合规、恰当的要求，就不能认为其工作结果是"虚假"的，那么，各个行业是否就可以设立一些免责条款，为自己推脱责任呢？

一般地，对于某一赔偿责任的认定部分为：行为主体是否对该损害结果有责任及确定如何赔偿和赔偿多少两步。这也就是

---

① 李若山、周勤业：《注册会计师法律责任理论与实务》，中国时代经济出版社，2002年6月，第135页。

说，归责是赔偿的基础和前提，如不能认定责任，也就无法确定赔偿。我国《民法通则》第一百零六条规定："公民、法人由于过错侵害国家的、集体的财产，侵害他人财产、人身的，应当承担民事责任"，同时规定，"没有过错，但法律规定应当承担民事责任的，应当承担民事责任。"可以看出，我国民法是以"过错责任"作为追究民事违法行为人法律责任的基本原则，而以"无过错责任原则"作为补充，且其一般仅适用于《民法通则》特别规定的几种侵权行为。

1. 归责原则：审计界与法律界的对立

在注册会计师承担侵权责任的归责原则问题上，审计界与法律界存在着尖锐的对立。

（1）审计界：过错责任原则。我国《注册会计师法》第二十一条规定：注册会计师执行审计业务，必须按照执业准则、规则确定的工作程序出具报告。依此规定，注册会计师只要严格遵循审计准则出具审计报告，注册会计师不承担责任。只有注册会计师没有遵循或严格遵循独立审计准则，主观上故意或过失地出具了与实际不相符的审计报告，注册会计师才依法承担责任。换言之，判断注册会计师主观有无过错的标准为是否遵循独立审计准则。因此，审计界认为，注册会计师的民事责任以行为人主观上的过错为前提条件，其归责原则应为过错责任。

同样以验资报告为例，《独立审计实务公告第1号——验资》第1条规定：验资报告的真实性是指验资报告应如实反映注册会计师的验资范围、验资依据、已实施的主要验资程序和应发表的验资意见。注册会计师执行验资业务，对验资报告的真实性、合法性负责。依上述规定，审计界人士认为注册会计师严格遵循审计准则与验资规则出具的验资报告为真实的验资报告，即使其验证的注册资本额与实际不符,也不影响其验资报告的真实性。这样,依《注册会计师法》第二十一条、第四十二条,会计师事务所对之不承担责任,注册会计师没有遵循或没有严格遵循独立审计准则与验资规则,未尽应有的职业谨慎与注意义务,主观上故意地出具了与实际不相符的验资报告,该类验资报告应称为不实的验资报告,会计师事务所对此依法应承担责任。换言之,判断注册会计师主观有无过错的标准为是否严格遵循独立审计准则与验资规则。由上可见,注册会计师验资证明的民事赔偿责任以行为人主观上的过错为前提条件,其归责原则应为过错责任。

(2) 法律界:无过错责任原则。法律界却不接受审计界"遵循审计准则即免责"的主张。他们认为审计准则对"程序"规定的再详细,也不可能解决在特定单位审计过程中出现的问题,同时,现有审计准则与社会发展、特定条件、公众意识的不适应性亦是法律界人士不能将其作为判定注册会计师是否承担民事责任的依据。从我国《民法通则》第一百零六条规定看,民事责任实行过错责任原则,对特殊侵权行为确定了无过错责任原则,即没有过错也应承担民事责任的情况,但无过错责任只是一种例外,并且限于法律有明文规定的情形。尽管《民法通则》并没有明确规定审计业务的无过错责任,但从最高人民法院有关的司法解释及法院的相关判例看,只要注册会计师为被审计单位出具的审计报告与被审计单位的实际情况不相符,因此遭受损失的利害关系人即可就不实部分追诉该注册会计师,从而使注册会计师对第三者的民事责任归责原则为无过错责任原则。

从《民法通则》第一百零六条规定的可以看出,除非法律有明文规定的情形,一般侵权行为都应当遵循过错责任原则。从这种意义上说,注册会计师证券欺诈的民事赔偿责任的归责原则无疑为过错责任原则。但从最高法院最近有关的司法解释看，似已突破此规定。具体地说，以验资报告为例，司法解释（1997）10号放弃了（1996）56号函使用的"虚假验资证明"概念改用"不实的验资报告"与"虚假的验资证明"这两个概念，从一定程度上接受了审计界的观点，区分了主观有过错的与主观没有过错的验证的资本额与实际不相符的两种验资证明。但司法解释（1997）10号并未为这种验资证明确立不同的责任形式，反而"更具体地指出如果验资报告（部分）不实，会计师事务所就要在验资报告不实部分以内承担民事赔偿责任"。司法解释（1998）13号恢复使用了"虚假验资证明"概念，实际上以"虚假验资证明"涵盖"不实的验资证明"与"虚假的验资证明"两种情形。这样，会计师虚假验资证明的民事赔偿责任的归责原则依现有司法解释为无过错责任原则，只要注册会计师验资证明验证的资本额与实际不相符合，因此遭受损失的利害关系人即可就不实部分追诉该会计师事务所。

2. "孰是孰非"

审计界人士普遍认为，注册会计师严格遵循审计准则与验资规则出具的验资报告为真实的验资报告，即使其验证的注册资金额与实际不符亦不影响其验资报告的真实性，依《注册会计师法》第二十一条、四十二条，会计师事务所对之不承担责任。注册会计师没有遵循或没有严格遵循独立审计准则与验资规则，未尽应有职业谨慎与关注义务，主观上故意或过失地出具了与实际不符的验资报告，会计师事务所应承担责任。因此，在处理注册会计师法律责任时，应坚持过错责任。只要注册会计师在执业中恪守了独立、客观、公正的原则，按照注册会计师执业准则的要求出具了报告，即不应承担民事责任。这一点在实际工作中已得到浙江省司法权威部门的认同。浙江省高级人民法院给浙江省财政厅、审计厅的"浙法经字〔1996〕120号函"中指出"各级法院认定验资机构的民事责任，必须以验资机构确实存在过错为前提"。可见，上述处理精神比较符合实际，有助于保护注册会计师的合法权益。

过错归责原则应用于注册会计师民事赔偿责任中具有以下基本特征：一是注册会计师必须对自己的过错行为负责。注册会计师在执业过程中实施某一行为时，必须明白或预知该行为可能产生的后果，并应当对该后果负责。这是因为过错责任原则的前提和本质的特征之一，就是行为人必须对自己的过错行为负责；二是注册会计师的过错大小同应负的责任成正比，即过错大则责任大，过错小则责任小。"注册会计师过错行为的大小"在这里不仅指注册会计师主观过错程度的大小，还包括过错行为所造成的"客观因素"——损害结果的危害程度。只有将二者有机地结合在一起，才能正确地确定注册会计师过错的大小。具体地说，就是以"职业谨慎"为标准，将注册会计师在执业过程中的失职行为，视其程度和情节具体分为过失、重大过失、欺诈，再结合原告所提供的因依赖审计过的会计报表及建议而导致的损失。若这两者之和大，那就应当认定是过错大，若这两者之和小，那就应当认定是过错小。

对于上述审计界和法律界的对立，通过研究发现，独立审计制度从产生至今，其他各国从未运用过无过错责任原则也未运用过单纯的过错责任原则。从各国立法例来看，美国、日本和我国台湾地区"证券交易法"均采用过错推定的归责原则。依美国、日本证券法、证券交易法，注册会计师只对审计报告承担"合理的保证责任"。所谓"合理的保证责任"，即注册会计师只要严格遵循会计准则，即使出具了虚假的会计报告，依法也不应承担责任。注册会计师只有在未严格遵循会计准则的前提下，故意或过失地出具了虚假的会计报告，才对"其他利害关系人""承担报告不实部分或虚假证明金额范围内的赔偿责任"。

事实上，独立审计准则只是规章，《民法通则》《注册会计师法》才是法律。尽管国际上有这样的惯例，但这只是对被审报告作合理保证，不是免责的理由。注册会计师对第三者的侵权是特殊侵权，应把过错责任原则与无过错责任原则结合起来，实行推定过错责任原则是目前的最好选择。即注册会计师如果不能证明自己无过错，则推定为有过错。同时，与之相应的是，在举证责任的分担上，我国立法也应规定为举证责任倒置即由注册会计师举证。注册会计师责任太轻了会出乱子，不利于加强其风险意识及责任感。目前我国把会计信息质量的责任压到注册会计师身上，注册会计师应担起这个时代使命。最高人民法院从稳定大局出发，不但对中注协减轻注册会计师法律责任的要求不采纳，反而加重了对注册会计师违规的惩处力度。根据权责一致原则，注册会计师执业风险加大，相应工作力度要加大，执业人员素质要提高，收费标准也要提高。

目前，注册会计师执业环境逐渐见好，作用也越来越大，这是机遇也是挑战。注册会计师应"程序与实体"并重，不怕上法庭，敢为中国经济秩序的好转，尤其是为会计秩序的根本好转挑大梁、担责任。有些事务所会在市场竞争中被淘汰，这是市场规律。从长远看，从严要求对提高注册会计师执业质量有益无害。

3. 为何青睐"过错推定原则"

面对审计界与法律界的对立，从民法的基本原理出发，充分考虑审计界的生存空间，借鉴国际通行做法，我们认为注册会计师审计法律责任的归责原则宜以过错责任原则的特例——过错推定原则为其归责原则，其理由如下：

（1）符合我国《民法》确定的民事责任归责原则。从法律上看，我国《民法通则》对于民事责任实行过错责任原则，在适用过错推定原则确定侵权责任的时候，其侵权责任的构成与适用过错责任原则没有原则的变化，仍必须具备损害事实、违法行为、因果关系和主观过错这四个要件。根据注册会计师过错原则分析，注册会计师的责任从本质上说是一种信息公开担保责任，是对一种可能出现的具有侵权行为性质的信息公开违法行为承担法律责任的担保。因此，在为特定信息公开行为担保时，首先要有一个对担保行为的性质进行认定的问题。如果事先发现信息公开文件有虚假内容，注册会计师可以在纠正或退出信息公开活动、维持或放任信息违法行为之间作出选择。法律要求注册会计师应当做出合理选择，而以过错是否作为承担责任的构成要件，以此促进注册会计师作出合理的选择，同时强调了法律对注册会计师违法行为的预防作用。

（2）维护注册会计师职业的生存空间。注册会计师所担保的信息公开行为是信息公开义务人所为的，因此他对担保行为合法性的确信，要受信息公开义务人事先或事后的其他行为的影响，且担保期限又是不确定的。具体地说，注册会计师要根据公司提供的会计凭证等制作成审计报告，而信息公开文件的内容往往是数个信息公开担保人共同判断和决定的结果，如发起人或董事、具有法定资产评估资格的评估机构、律师事务所等，而不是由其单独决定有关信息公开事宜。这样，倘若法律一方面强制注册会计师对第三者承担责任，另一方面在归责于注册会计师时，又不考虑其行为时的主观状况，即主观上是否有过错，这实际上是让

注册会计师对其利害关系人承担无过错责任。这对注册会计师未免过于苛求，将使注册会计师职业的生存受到严重挑战。因此，独立审计制度从产生至今，各国从未运用过无过错责任原则。

（3）有效保护信息活动中弱势群体利益。从各国立法来看，注册会计师只对审计报告承担"合理的保证责任"，而不是"绝对的保证"，所谓"合理的保证责任"，即注册会计师只要严格遵循了审计准则，即使出具了虚假的审计报告，依法也不承担责任。注册会计师只有在未严格遵循审计准则的前提条件下，故意或过失地出具了虚假报告，才对其利害关系人承担责任。在适用过错责任原则时，举证责任采取"谁主张，谁举证"原则，即提出赔偿主张的受害人，就加害人的过错举证，否则不能获得赔偿。但注册会计师与第三者（受害人）在诉讼举证中，由于注册会计师在信息公开活动中处于主导或优势地位，投资者只是被动地了解公开信息，第三者因专业知识限制对注册会计师是否有过错难以举证。因此，为了保护信息弱势群体的利益，在确定注册会计师主观过错的要件上，实行过错推定，即实行举证责任倒置，不要求原告（第三者）去寻求行为人在主观上存在主观过错的证明，不必举证，而是从损害事实的客观要件以及它与违法行为之间的因果关系中，推定行为人主观上有过错；如果行为人认为自己在主观上没有过错，则需自己举证，证明自己没有过错；证明成立者，推翻过错推定，否认行为人的侵权责任；证明不足或不能证明者，则推定过错成立，行为人应当承担侵权民事责任。

基于以上分析，注册会计师审计法律责任的归责原则一般可分为：《民法》上的责任、《证券法》上的责任、《注册会计师法》上的责任和《公司法》上的责任。在各国的成文法和判例法对注册会计师审计的法律责任规定愈加细化，并且逐渐完善专家责任保险配套规范之际，我国现行相关法律规定显然过于简单，缺乏系统性，可操作性差。对如何处理注册会计师对第三者的民事责任问题、民事赔偿的主体和客体问题、赔偿数额的确定问题以及赔偿判决程序问题等深层次问题几乎没有具体规定，这给具体的司法实践带来了很大的不确定性。因此，充分认识市场经济下完善注册会计师法律责任立法的重要性，建立健全注册会计师法律责任的相关法律规定及配套措施已是刻不容缓。

（三）认定程序的规范化

对虚假审计报告及虚假审计报告产生原因的认定应当设立规范的认定程序，以保证认定结果的客观性和公正性。虽然对虚假审计报告产生原因的认定在实际中很难做到具有清晰的标准，但笔者认为，可以通过将其认定程序规范化来弥补。具体认定程序为：

(1) 认定导致虚假审计报告的错报是否重大。如果不重大则注册会计师没有过失，相反可能存在过失或欺诈。

(2) 认定重大的错报是否产生于内部控制失效。如果内部控制失效，且内部控制测试无法揭示出来，则注册会计师没有过失；如果内部控制失效，且内部控制测试应当揭示出来，则注册会计师有普通过失。

(3) 认定是否执行证实性测试程序。如果内部控制并未失效，且注册会计师执行了实质性测试程序，则注册会计师具有普通过失；如果内部控制并未失效，但注册会计师并未执行实质性测试程序，则需要判断注册会计师的动机。

(4) 判断注册会计师的动机。如果注册会计师没有欺诈的动机,则注册会计师具有重大过失;如果具有欺诈的动机,则是欺诈。

对虚假审计报告的认定程序可简单列示如下表:

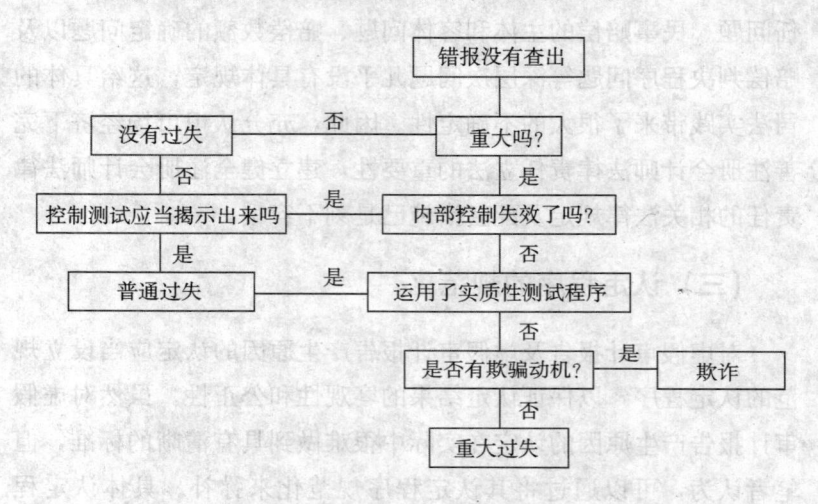

```
                              错报没有查出
                                   │
                    否             ↓
         没有过失 ←──────── 重大吗?
             │ 否                  │ 是
             ↓              ←─ 是─┐
    控制测试应当揭示出来吗? ──── 内部控制失效了吗?
             │ 是                  │ 否
             ↓              ←─ 是─┐
         普通过失 ←────── 运用了实质性测试程序
                                   │ 否
                                   ↓
                            是否有欺骗动机? ──是──→ 欺诈
                                   │ 否
                                   ↓
                                重大过失
```

(四) 连带责任或比例责任

注册会计师行业承担的赔偿责任日益加重,其权利与义务已经变得越来越不相对称。在连带赔偿责任制度之下,注册会计师就算犯一点小错误,也要承担全部损害的赔偿责任。这对注册会计师确实不公平。1995 年美国的《私人证券诉讼改革法令》将注册会计师由过去承担无限连带责任改为比较和缓的比例赔偿责任,被告分别按他们应负比例责任负赔偿责任。这使法院的判决能充分反映每一个被告应负责任的程度。我们紧接着介绍一下美国《私人证券诉讼改革法案》下的注册会计师法律责任的规定。

1995 年 12 月 22 日,美国国会通过了《私人证券诉讼改革法案》。该法确定了注册会计师"公允份额"比例赔偿责任。可以说，《私人证券诉讼改革法案》最大的突破就是用"公允份额"的比例责任系统替代以往的连带责任规则。这一规定改变了过去审计诉讼中的"深口袋"逻辑。在确定"公允份额"的比例责任时，该法案首先要求法官或陪审团必须遵照下面三个相互联系的步骤进行审判：第一步，审理被告或违法嫌疑人，判断其是否违反了《证券法》，以确定哪些相关方必须承担赔偿责任；第二步，将赔偿损失在第一步所确定的责任各方之间进行分配；第三步，确定各方是否故意违反《证券法》。显然，第一步与一般案情的审理大致相同。第二步则需要解决两个问题，一是哪些人对原告负有潜在的赔偿责任，二是损失的赔偿如何在相关各方进行分配。

对此，《改革法案》规定，在解决以上两个问题时必须考虑：

（1）导致损失的行为的性质；

（2）行为与损失之间联系的性质和程度；

（3）是否各方都是故意违反《证券法》。

如果有关方属故意违反《证券法》，则特定方须对所有损失承担无限连带责任；如果不是故意，则在各方之间按其所造成损失的比例承担比例责任。此外，损失的赔偿中还考虑原告的具体情况，参考两个标准：一是原告的净财富为20万美元以下，二是损失占净财富的10%以上。如果原告同时满足以上两个条件，则比例责任尚未补齐损失的，相关各方对余下损失承担无限连带责任，否则，不承担无限连带责任。

我们可以举个例子说明上述规定。假定某案件的全部损失为100万美元，法官判定由A、B、C、D、E、F、G七个相关方赔偿。如果经审理发现A、B是故意的舞弊行为（非法行为），则由A、B承担无限连带责任。假定A为管理当局，B为注册会计

195

师，则注册会计师必须对原告的所有损失承担无限连带责任。如果法官通过审理发现，所有相关方都不属故意，则由七个相关方按他们各自造成的损失的具体份额承担赔偿责任。比如 A 承担 20 万美元，其余都承担 10％，则原告还有 20 万美元没有获得赔偿。如果假定原告有 12 个，每个原告都同时满足净财富低于 20 万美元，且损失的比例都在 10％以上，则 A、B、C、D、E、F、G 必须对剩余的 20 万美元承担无限连带责任。否则，七个被告将承担"公允份额"的比例责任。另外一种情况是，如果两个被告 A 和 C 破产，原告还有 30 万元没有得到补偿，这时，余下的五个被告必须按照其造成损失的责任份额承担对应的额外责任，但每个被告承担的额外责任以其承担的初始赔偿金额的 50％为上限。

在上述规定下，如果注册会计师属于故意行为，其应对舞弊所造成的损失承担无限连带责任，这与原有证券法律的精神一致；反之，注册会计师只承担相应责任比例下的民事赔偿责任，这无疑降低了注册会计师的法律责任，尤其是打破了司法审判中的"深口袋"逻辑。显然，如果注册会计师按照行业准则和相关法律规定尽到了勤勉尽职，注册会计师将不再成为"深口袋"逻辑的牺牲者。

近年来，在美国，由于《私人证券诉讼改革法案》的通过，会计师职业界面临的法律诉讼压力有所缓解。以前，注册会计师可能要承担"连带和共同责任"，这就使得其要对所估算的所有损失承担责任，而不管审计报告的侵害程度如何。新法案规定了"比例责任"，被告只承担与其责任大小相应比例的责任，而只有在注册会计师故意违反证券法律时才适用连带和共同责任。该法案还规定了投资者在案件的一开始负有举证责任，这在一定程度上限制了"深口袋理论"的发挥（该理论导致原告逼迫被告在法庭外解决问题，因为在法庭上解决问题的成本可能更高）。

在美国已有许多州废除连带赔偿责任，改用比例赔偿制。法国、丹麦也已采取这种制度。目前，我国在验资领域的司法解释中已经允许注册会计师在证明金额的范围内承担赔偿责任，但在相关的法规中，仍较多的采用连带责任，并且法规间也存在不一致或不明确的问题，根据我国注册会计师行业的发展现状，以比例责任取代连带责任将更有利于注册会计师民事责任的落实。

在了解了以上的基本内容以后，我们对注册会计师审计法律责任的判定逻辑应有一个初步的概念。在一起诉讼注册会计师的案例中，判定注册会计师是否应当承担法律责任以及应当承担何种形式的法律责任，我们不应当仅仅通过考虑审计结果——信息使用者是否受到了损失就来判定注册会计师是否应当承担法律责任，即如果信息使用者受到了损失，不管注册会计师是否存在过错行为，就一定判定注册会计师要对信息使用者受到的损失作出赔偿。我们还应当同时考虑审计过程——注册会计师的行为，即注册会计师在审计过程中是否保持了客观、公正的态度，是否严格遵循了《中国注册会计师独立审计准则》。我们应当从这两个层面的结合点上考虑问题，一个是审计过程，一个是审计结果。这两个层面又都是由具有递进关系的不同具体情形所构成。[①]

三、注册会计师审计法律责任的判定逻辑

注册会计师审计法律责任的判定逻辑就是在判定时要同时考

[①] 赵保卿：《注册会计师审计法律责任研究》，载自《审计研究》，2002年第3期。

虑注册会计师的执业过程和结果。

（一）注册会计师执业过程

我们考虑的第一个层面是以注册会计师的执业过程为基础的层面。这一层的含义是说，根据注册会计师在审计过程中是否保持了应有的客观、独立、公正的态度，以及是否依照独立审计准则的要求，执行了有关审计程序来判断和确定注册会计师应否承担法律责任以及承担法律责任的具体形式。注册会计师执业过程这一层面又由下列具有递进关系的不同情况所构成：

1. 注册会计师无违约、过失或欺诈行为

注册会计师主观上具备了独立、公正的态度，并且严格按照独立审计准则的要求执行了有关审计程序。

2. 注册会计师存在违约行为

注册会计师没有按照审计业务约定书的要求完成审计业务。

3. 注册会计师存在过失行为

（1）普通过失。注册会计师保持了独立公正的态度，但没有严格按照独立审计准则的要求执行有关的审计程序。如注册会计师因自身执业判断能力不足或未保持足够的职业谨慎而没有对被审计单位的应收账款进行恰当的函证。

（2）重大过失。注册会计师保持了独立公正的态度，但根本没有遵循独立审计准则或没有按独立审计准则的主要要求执行审计，对应当注意到的问题没有加以注意。

（3）共同过失。注册会计师存在过失行为，同时信息使用者自身也未能保持合理的谨慎的态度，双方在注册会计师的审计过程中均存在过失行为。

确认注册会计师在执业过程中的过失行为，主要以独立审计准则和公认的专业关注、专业技能和胜任能力为准绳，以注册会计师实际执业情况为根据。目前我国有关会计、注册会计师行业的法律、法规还不健全，对确认注册会计师的过失也增加了一定难度。

1996 年以来，我国已经颁布了独立审计基本准则、职业道德基本准则、质量控制基本准则、后续教育基本准则，49 个独立审计具体准则。它们是确认注册会计师在执业上是否有过失的重要准绳。但是，中国独立审计准则并不是唯一的准绳。

独立审计准则虽然可以规范注册会计师执业行为，防止其出现过失，但不能绝对保证遵循它的注册会计师就不会出现过失。这是由于社会经济不断发展，实际的执业情况也是千差万别的，准则不可能面面俱到的作出详细规定。在中国，独立审计准则具有法定效力，要求注册会计师在执行审计业务时要严格遵循独立审计准则，严格遵循审计准则实际上是要求注册会计师"有法可依"，注册会计师在执行审计程序时，如果偏离审计准则的规定，则在法律上已经构成了"违法"。但由于审计准则固有的缺陷性，例如存货抽查比例、抽查方法，审计准则无法针对不同行业的具体企业做出规定，这就要求注册会计师自己判断。注册会计师在执行审计程序时，根据准则的有关规定无法取得充分的审计证据时，注册会计师可根据实际情况偏离审计准则，但是要符合审计准则的精神，这个精神就是"要保持应有的执业谨慎"。"应有执业谨慎"的标准界定仍然面临着比较大的困难，因为这个标准不是一成不变的，而是随着社会要求变化和审计能力的提高而改变。应有执业谨慎的标准一方面具有相对稳定性和权威性，但另一方面又具有多样性、模糊性以及动态性。"应有的执业谨慎"的标准应从两个方面来把握：一是对人的标准，要求注册会计师要符合"谨慎执业者"的要求;二是对事的标准,要求注册会计师在提供服务时要具体情况具体分析,运用执业判断收集到充分的审计证据。

4. 注册会计师存在欺诈行为

(1)推定欺诈。推定欺诈与重大过失之间的界定是十分困难的,而且在一些情况下,为了维护信息使用者的利益,加大了对注册会计师的惩罚力度,把推定欺诈理解为欺诈行为。他主要指注册会计师在主观不具备独立、公正的态度,或者注册会计师完全没有按照独立审计准则的要求执行有关审计程序。如注册会计师虽然较为严格的执行了独立审计准则所要求的审计程序,但因与被审计单位存在某种直接的经济利害关系,而在审计报告中未作恰当的信息披露。

(2)欺诈。注册会计师在态度上未能保持独立、公正的主观态度,并且也没有严格按照独立审计准则的要求执行有关审计程序。如注册会计师与被审计单位存在直接的经济利益关系,因而有意省略了一些审计程序。

(二)注册会计师执业结果

我们考虑的第二个层面是以注册会计师的执业结果为基础的层面。这一层面的含义是说,根据注册会计师已审计的会计信息及所提供的审计报告是否存在偏差,以及信息使用者是否因此而遭受损失来判断和确定注册会计师是否承担法律责任以及承担法律责任的具体形式。这一层面又由下列具有递进关系的不同情况所构成:

1. 信息使用者未受损失

(1)审计结果无较大偏差,且信息使用者未受损失。

(2) 审计结果存在较大偏差，但信息使用者未受损失。

注册会计师出具的审计意见与被审计单位的实际情况存在着较大偏差，但是信息使用者通过从各种渠道取得的信息以及通过自身的判断，得出正确的分析结果，未受注册会计师审计意见的影响，因而未受到损失。

2. 信息使用者受到损失

（1）审计结果无较大偏差，但由于信息使用者不当使用会计信息而造成损失。

如注册会计师已经在审计报告中指明了会计信息中存在的错误、舞弊或难以确认的事项，但信息使用者仍以完全信任会计信息为基础作出决策而造成损失。

（2）审计结果存在较大偏差，信息使用者也存在着受损的客观事实，但信息使用者的损失并不是直接源于注册会计师审计结果的偏差。

如果已审会计信息中含有未被注册会计师指明或纠正的会计错误、舞弊或难以确认的事项，同时信息使用者也因为决策失误造成了损失，但是审计结果的偏差与信息使用者的损失之间并不存在因果关系。

（3）审计结果存在较大偏差，信息使用者也存在着受损的客观事实，且信息使用者的损失直接源于注册会计师审计结果的偏差。

如果已审会计信息中含有未被注册会计师指明或纠正的会计错误、舞弊或难以确认的事项，同时信息使用者也因为决策失误造成了损失，而且审计结果的偏差与信息使用者的损失之间存在着因果关系。

（三）注册会计师执业过程和结果的矩阵关系

1. 矩阵关系图

我们可以把上述的注册会计师执业过程和注册会计师执业结果两个层面的相互结合，这样就构成了一个矩阵关系，通过这个矩阵关系可以综合判断确定注册会计师是否应当承担法律责任以及承担法律责任的具体形式，矩阵见下表所示：

判定注册会计师审计法律责任的矩阵图示

过程＼结果	A	B	C－a	C－b	C－c	D－a	D－b
1－①	不承担责任	行政责任	行政责任	行政责任	行政责任	行政责任	行政责任
1－②	不承担责任	行政责任	行政责任	行政责任	行政责任	行政责任	行政责任
2－①	不承担责任	行政责任	行政责任	行政责任	行政责任	行政责任	行政责任
2－②	民事责任	行政责任 民事责任	行政责任 民事责任	行政责任 民事责任 刑事责任	行政责任 民事责任 刑事责任	行政责任 民事责任 刑事责任	行政责任 民事责任 刑事责任
2－③	民事责任	行政责任 民事责任	行政责任 民事责任	行政责任 民事责任 刑事责任	行政责任 民事责任 刑事责任	行政责任 民事责任 刑事责任	行政责任 民事责任 刑事责任

A：注册会计师无违约、过失或欺诈行为

B：注册会计师存在违约行为

C：注册会计师存在过失行为

C－a：注册会计师存在普通过失行为

C－b：注册会计师存在重大过失行为

C－c：注册会计师存在共同过失行为

D：注册会计师存在欺诈行为

D－a：注册会计师存在推定欺诈行为

D－b：注册会计师存在欺诈行为

1：信息使用者未受损失

1—①：审计结果无较大偏差，且信息使用者未受到损失

1—②：审计结果存在较大偏差，但信息使用者未受到损失

2：信息使用者受到损失

2—①：审计结果无较大偏差，但由于信息使用者不当使用会计信息而造成损失

2—②：审计结果存在较大偏差，信息使用者也存在着受损的客观事实，但信息使用者的损失并不是直接源于注册会计师审计结果的偏差

2—③：审计结果存在较大偏差，信息使用者也存在着受损的客观事实，且信息使用者的损失直接源于注册会计师审计结果的偏差

2. 矩阵关系综合分析

综合注册会计师执业过程和执业结果两个层面的分析，我们可以得出以下结论：

（1）民事责任的追究与否与以注册会计师执业结果为依据的判断直接相关。首先，注册会计师作为一个行为能力人，应对其审计结果负责，也就是说，只要审计结果存在较大偏差，并且信息使用者受到损失，注册会计师就应当承担民事责任。如上图中，2—②和2—③两种情况下，审计结果存在较大偏差，而且信息使用者受到损失，不论注册会计师执业过程如何，他都应对其审计结果承担民事责任。在1—②情况下，虽然审计结果存在较大偏差，但是信息使用者并未受到损失，注册会计师因此无须承担民事责任，这种情况在现实中很少发生。

其次，如果审计结果存在的较大偏差给信息使用者造成了损失，注册会计师应就这一损失承担民事赔偿责任。此时，应当强调会计责任与审计责任的分割，我们在以前对此已有详细论述：

对于会计信息失真给信息使用者造成的损失，会计信息的编制者首先应承担会计责任，注册会计师作为会计信息的鉴证者，应承担补充责任，而不应当承担全部责任，避免"深口袋"现象的发生。

再次，应强调注册会计师民事责任的承担具有相对的独立性，审计过程的无缺陷不能对抗注册会计师因审计结果不当所应承担的民事责任，也就是说，假如注册会计师在执业过程中不但主观上保持了独立、客观、公正的态度，而且严格按照独立审计准则的要求执行了有关审计程序，但这些仍不能完全确保审计结果的无偏差性，一旦审计结果存在较大偏差，注册会计师无可避免地要承担民事责任。例如，由于被审计单位管理当局的舞弊行为非常高明，注册会计师虽然例行做了很多审计工作，但仍然没有发现被审计单位会计报表的造假行为，出具了与实际情况不符的审计报告，导致广大信息使用者受到损失，在这种情况下，注册会计师仍应当承担民事责任，而不能以审计过程无缺陷来抗诉。

由于注册会计师民事责任的特殊性，在处理注册会计师执业中给委托人及利害关系人造成的损失，而被民事赔偿要求的案件时，不应简单的套用我国民事诉讼法的一般原则和程序。我们应考虑建立起一套适应注册会计师行业特性的法规，及体现注册会计师行业特色的新机制，包括成立专门的注册会计师民事责任赔偿纠纷的受理机构、注册会计师责任鉴定专家机构和裁决委员会以及相关的工作程序等内容，这在上述部分已经提及。

(2) 行政责任的追究与否与以执业过程为依据的判断直接相关。首先，注册会计师作为一个行为能力人，应对其审计过程负责，也就是说，只要注册会计师在执业过程中不能保持独立、公正的态度，或者没有按照独立审计准则的要求执行有关的审计程序，则说明注册会计师在审计过程中存在形式上或主观上的缺陷，他就应当承担行政责任。如上图中，B、C—a、C—b、C—c、D—a、D—b 六种情况下，不论注册会计师的审计结果如何，审计结果是否存在偏差以及信息使用者是否受到损失，注册会计师都应对其审计过程负责。

其次，在判定注册会计师法律责任的过程中，应强调实质重于形式的原则，重点考察注册会计师在审计过程中的主观状态，考察其在审计过程中是否保持了客观公正的态度，保持了实质上和形式上的独立性，是否存在故意行为，借此来划分过失责任与舞弊责任，不能以形式上的合规性对抗主观上的缺陷。

再次，应强调注册会计师的行政责任的承担具有相对的独立性，审计结果的无缺陷不能对抗因注册会计师审计过程的不当所应当承担的行政责任，也就是说，假如注册会计师的审计结果无较大偏差，并且未给信息使用者带来损失，但是如果注册会计师在审计过程中主观上不能保持独立、公正的态度，或者没有严格按照独立审计准则的要求去实施审计程序，注册会计师仍应对其审计过程承担行政责任。如上图中所示，在审计结果无较大偏差，且信息使用者未受损失的情况下，在 B、C—a、C—c、D—a、D—b 情况下，注册会计师都要承担行政责任。

（3）刑事责任的追究与否有赖于结果和审计过程的双重判断，一般而言，只有当审计结果的偏差给信息使用者带来较大的损失，并且审计过程存在较为严重的缺陷时，注册会计师才承担刑事责任。也就是说，注册会计师必须遵循执业规范和国家有关法律政策来进行活动。否则，一旦造成社会经济秩序混乱，就会影响整个社会的经济发展。因此，如果注册会计师没有遵循应有的法规并造成了一定的后果的话，根据我国刑法的规定，就必须承担刑事责任,受到刑法的处罚。刑事责任是注册会计师法律责任体系中最重的一种法律责任,追究刑事责任的意义在于其警示作用,目的是给注册会计师未来的执业带来"可信的威胁"。

按照《刑法》第二百二十九条第三款规定,理论上只有在一种情况下追究注册会计师的刑事责任,即委托企业的会计人员编制的会计资料是正确的,而受托的注册会计师由于严重不负责任,或不熟悉业务,发表了极其错误的专业意见,而且造成了严重后果。在这样的情况下,检察院可能只追究注册会计师的刑事责任。但这仅仅是理论上的一种假设。除此之外,一般情况下,如果注册会计师负有刑事责任,则企业或者其他负责人也应该承担刑事责任。因为注册会计师的大部分工作,是在企业工作基础上的进一步延伸。只有在企业工作严重失误的情况下,而注册会计师没有认真执行其业务,才会引起刑事责任。当然,注册会计师只是在其故意或者严重不负责任的情况下,并造成了严重的经济后果之后,才负有刑事责任。一般的过失而造成的后果,注册会计师无需对此负刑事责任。因此,也不要因为有个别注册会计师承担了刑事责任,而使得其他注册会计师在执业过程中杯弓蛇影、草木皆兵。我国的法律规范是保护大多数合法工作者的,惩罚的只是那些破坏社会经济秩序的犯罪分子。例如,《中华人民共和国刑法》中规定了注册会计师在严重过失情况下才构成犯罪,而《中华人民共和国公司法》和《中华人民共和国注册会计师法》也只是对故意的情况才追究刑事责任,对一般过失行为、或虽然是严重过失,但没有造成严重后果的行为,一般只追究注册会计师的行政和民事责任。在目前的情况下,确定注册会计师是否应当承担责任,应以《中华人民共和国刑法》为标准,因为该法是刑法体系的核心,而其他附属刑罚的内容是对该法典的补充，既然《刑法》对过失构成犯罪有较为明确的规定，就应当按其规定来确定罪与非罪的界限。所以，对注册会计师的严重过失是否应当追究其刑事责任，必须参照现行法规的规定。

四、注册会计师审计法律责任判定的实证调查研究

（一）实证调查结果

1. 关于注册会计师审计法律责任的判定依据

（1）对有关是否知道注册会计师进行审计也有自己的执业标准，就像法官判案依据法律一样，在接受调查的所有人员中，调查结果如下表：

被调查人员 \ 结果	知道	不知道
注册会计师	100%	0%
会计及相关人员	100%	0%
法官和律师	100%	0%
其他人员	80%	20%

（2）对有关如果注册会计师严格按照执业标准（即独立审计准则）进行了自己的审计工作，但也发生了诸如美国安然、银广厦、红光实业等舞弊案，那他应不应该承担法律责任时，在接受调查的所有人员中，调查结果如下表：

被调查人员 \ 结果	应该	不应该
注册会计师	30%	70%
会计及相关人员	30%	70%
法官和律师	10%	90%
其他人员	70%	30%

2. 关于注册会计师审计法律责任的判定逻辑

（1）对关于注册会计师是否应当承担法律责任时，应当依据什么样的标准来衡量，在接受调查的所有人员中，调查结果如下表：

项目 / 被调查人员	审计过程是否存在舞弊情况	审计过程是否严格执行了独立审计准则	审计结果是否对投资者造成了损失	以上述各种情况的结合来进行判断
注册会计师	5%	40%	10%	45%
会计及相关人员	0%	30%	0%	70%
法官和律师	0%	30%	0%	70%
其他人员	10%	10%	0%	80%

（2）对关于在哪种情况下，注册会计师应当承担哪一种或者是哪几种形式的法律责任时，在接受调查的所有人员中，我们把调查结果分为三种情况分别列示如下表：

①行政责任的承担

项目 / 被调查人员	注册会计师主观上具备了独立、公正的态度，并严格遵守了独立审计准则	注册会计师主观上具备了独立、公正的态度，但没有严格遵守独立审计准则	注册会计师形式上严格遵守了独立审计准则，但主观上不具备独立、公正的态度	注册会计师未保持独立、公正的主观态度，并且也没有严格的遵守独立审计准则
审计结果无较大偏差，且信息使用者未受损失	0%	20%	55%	100%
审计结果无较大偏差，但信息使用者因不当使用会计信息而造成损失	5%	25%	67%	100%

第四章　注册会计师审计法律责任的判定

续表

被调查人员＼项目	注册会计师主观上具备了独立、公正的态度，并严格遵守了独立审计准则	注册会计师主观上具备了独立、公正的态度，但没有严格遵守独立审计准则	注册会计师形式上严格遵守了独立审计准则，但主观上不具备独立、公正的态度	注册会计师未保持独立、公正的主观态度，并且也没有严格的遵守独立审计准则
审计结果存在较大偏差，信息使用者也存在受损的客观事实，但损失不是直接源于审计结果的偏差	10%	70%	100%	100%
信息使用者存在损失，且直接源于审计结果的偏差	15%	100%	100%	100%

②民事责任的承担

被调查人员＼项目	注册会计师主观上具备了独立、公正的态度，并严格遵守了独立审计准则	注册会计师主观上具备了独立、公正的态度，但没有严格遵守独立审计准则	注册会计师形式上严格遵守了独立审计准则，但主观上不具备独立、公正的态度	注册会计师未保持独立、公正的主观态度，并且也没有严格的遵守独立审计准则
审计结果无较大偏差，且信息使用者未受损失	0%	4%	4%	4%

续表

被调查人员 \ 项目	注册会计师主观上具备了独立、公正的态度，并严格遵守了独立审计准则	注册会计师主观上具备了独立、公正的态度，但没有严格遵守独立审计准则	注册会计师形式上严格遵守了独立审计准则，但主观上不具备独立、公正的态度	注册会计师未保持独立、公正的主观态度，并且也没有严格的遵守独立审计准则
审计结果无较大偏差，但信息使用者因不当使用会计信息而造成损失	0%	4.5%	4.5%	33%
审计结果存在较大偏差，信息使用者也存在受损的客观事实，但损失不是直接源于审计结果的偏差	3.5%	45%	57%	78%
信息使用者存在损失，且直接源于审计结果的偏差	45%	100%	100%	100%

③刑事责任的承担

被调查人员 \ 项目	注册会计师主观上具备了独立、公正的态度,并严格遵守了独立审计准则	注册会计师主观上具备了独立、公正的态度,但没有严格遵守独立审计准则	注册会计师形式上严格遵守了独立审计准则,但主观上不具备独立、公正的态度	注册会计师未保持独立、公正的主观态度,并且也没有严格的遵守独立审计准则
审计结果无较大偏差,且信息使用者未受损失	0%	0%	0%	2%
审计结果无较大偏差,但信息使用者因不当使用会计信息而造成损失	0%	0%	0%	2%
审计结果存在较大偏差,信息使用者也存在受损的客观事实,但损失不是直接源于审计结果的偏差	0%	1.9%	3%	53%
信息使用者存在损失,且直接源于审计结果的偏差	0%	7%	87%	100%

(二) 实证调查情况分析

(1) 在对专业人士的调查结果中,绝大多数人都表示知道注册会计师审计也有自己的执业标准，这说明很多人对注册会计师审计至少有一些肤浅的认识，并不是一无所知。

(2) 大多数人认为如果注册会计师严格执行了独立审计准则，但仍然发生了诸如银广夏、红光实业等舞弊案，在这种情况下，注册会计师不应当承担法律责任。

(3) 在关于应当依据什么样的标准来衡量注册会计师是否应当承担法律责任时，极少数人选择了应当依据"审计过程是否存在舞弊情况"或者"审计结果是否对投资者造成了损失"，大约有1/3的人认为应当依据"审计过程中是否严格执行了独立审计准则"，而剩余大部分人认为应当结合各种情况来综合考虑，而不应当仅仅考虑某一个层面的问题。

(4) 在问及注册会计师应当在何种情况下承担行政责任时，绝大多数人认为只要注册会计师主观上具备独立、公正的态度，并且审计结果无较大偏差，则注册会计师就可以不用承担行政责任；如果注册会计师主观上虽然具备了独立、公正的态度，但审计结果存在较大偏差，则注册会计师应当承担行政责任；如果注册会计师主观上不具备独立、公正的态度，则注册会计师一般应当承担行政责任。由此可见，注册会计师行政责任的追究与否一般与对执业过程的判断直接相关。

(5) 在问及注册会计师应当在何种情况下承担民事责任时，绝大多数人认为只要审计结果无较大偏差，注册会计师在一般情况下不用承担民事责任；如果审计结果存在较大偏差，注册会计师一般要承担民事责任，即使注册会计师的审计过程无缺陷。由此可见，注册会计师民事责任的追究与否一般与对执业结果的判断直接相关。

(6) 在问及注册会计师应当在何种情况下承担刑事责任时，

绝大多数人认为但注册会计师主观上不具备独立、公正的态度，同时审计结果存在较大偏差，信息使用者受到损失的情况下，注册会计师无可避免地要承担刑事责任。由此可见，注册会计师刑事责任的追究与否有赖于对注册会计师执业过程和执业结果的双重判断。

第五章 注册会计师审计法律责任的规范

一、完善注册会计师审计法律责任的规范体系

（一）现在注册会计师审计法规有关法律责任规定的缺陷分析

1. 规定上的空白

（1）会计师事务所与注册会计师的法律责任分担问题。例如：《律师法》中明确规定了律师事务所赔偿后可以向有故意或者重大过失行为的律师追偿，但《注册会计师法》却没有类似的规定，这就为分清会计师事务所与注册会计师各自的法律责任带来困难，这应当被看成是一种法律规定上的空白。

（2）承担民事法律责任的注册会计师及会计师事务所民事赔偿比例问题。《注册会计师法》第四十二条的规定"会计师事务所违反本法规定，给委托人、其他利害关系人造成损失的，应当依法承担赔偿责任"。《证券法》第二百零一条的规定"为股票的发行、上市交易出具审计报告、资产评估报告或者法律意见书等文件的证券服务机构和人员，违反本法第四十五条的规定买卖股

第五章 注册会计师审计法律责任的规范

票的，责令依法处理非法持有的股票，没收非法所得，并处以买卖股票等值以下的罚款"。从相关的法律条款中可以看出，注册会计师对虚假的财务报告负有连带责任，尤其是连带赔偿责任。毫无疑问，提供了虚假审计报告的注册会计师，同时负有审计责任和连带责任。但注册会计师到底应当承担何种程度的连带法律责任，是我们必须面对的现实问题，注册会计师的民事赔偿责任，在没有一个明确的法律责任分担制度下，是赔偿全部的损失金额还是按损失金额的一定比例赔偿。目前，我国任何一项法规均没有对法律责任的分担问题予以规定，而如果在法律中没有明确说明赔偿比例，就很容易造成司法审判中的"深口袋"逻辑，即采取谁最有能力承担经济赔偿责任就由谁来承担责任的原则。这一责任的分担方式，使得法律责任转移到有经济能力承担的一方，造成过失与法律责任的不相匹配，这将会在一定程度上纵容经济承担能力较差的虚假会计信息的制造者。因此建立法律责任分担制度，可以避免"深口袋理论"的滥用。

也许有人会认为如果注册会计师按照行业准则和相关法律规定尽到了勤勉尽职，注册会计师将不再成为"深口袋"逻辑的牺牲者。但是司法实践当中出现的"深口袋现象"，目前而言，确实加重了注册会计师审计法律责任。实际上当被审计单位出现财务危机或破产情况后，不论是投资人或是债权人还是法官，都倾向于从有支付能力的注册会计师身上获得赔偿，实际上，被审计单位是造假者，应作为第一责任人承担主要责任。但在现实中，法律诉讼案件却总是发生绕过被审计单位而要求注册会计师承担全部或主要责任的情况。除此之外，司法解释文件也没有说明因金融机构出具虚假的资金证明导致注册会计师的验资报告内容与事实不符，并给第三方造成损失的情况下，金融机构和会计师事务所应如何承担各自的责任。法释[1997]10号将金融机构和会计师事务所视为共同承担赔偿责任的民事主体,但仍没有说明赔偿责任应如何划分。

(3) 虚假审计报告认定的法律标准问题

①认定主体机构的不确定。《注册会计师法》第5条中规定:"国务院财政部门和省、自治区、直辖市人民政府财政部门,依法对注册会计师、会计师事务所和注册会计师协会进行监督、指导",按此规定,虚假审计报告的认定机构应是各级财政部门。但是在实际工作中对注册会计师行业进行监管的部门较多,造成对虚假审计报告及注册会计师责任的认定机构也较多,从而带来了虚假审计报告认定中的混乱。因此有必要在相关的法规中明确规定谁是虚假审计报告的认定主体机构,避免再出现政出多门或政出无门的情况。

②缺乏认定程序规范化规定。在相关法规中还应对虚假审计报告及虚假审计报告产生原因的认定设立规范的认定程序,以保证认定结果的客观性和公正性。

③缺乏虚假审计报告的认定标准。虚假审计报告的认定标准是明确注册会计师法律责任过程中非常重要的问题,也是会计界与法律界的诉讼争议中存在分歧与困惑的焦点所在。因为各自职业特点的限制及相互的不了解,对以哪种标准来衡量审计报告的可否信赖,注册会计师和法律专家难以达成共识。

从会计界的观点来看,判定虚假审计报告主要依据于《中华人民共和国注册会计师法》(以下简称《注册会计师法》)。按照《注册会计师法》第二十二条的规定,判断审计报告是否虚假的关键是看其是否严格遵循了执业准则、恪尽职守。从该条可以推导出:如果存在严格遵照执业准则也不能发现的错弊现象,则注册会计师依照本法规定已经尽到了应有的专业注意义务，不应再承担法律责任，换言之，审计报告就不是虚假的。按照《独立审计基本准则》第八条和第九条、《独立审计具体准则第七号——审计报告》以及《独立审计具体准则第八号——错误与舞弊》的规定，会计界对审计报告的真实与否的界定主要是从审计程序角度来认定的。认为由于审计测试及被审计单位内部控制制度固有的限制，注册会计师依照独立审计准则进行审计，并不能保证发现所有的错误与舞弊。由于审计技术本身的一些特点，如抽样审计、重要性判断的运用，以及通过对被审计单位内部控制制度的评价而确定的对其依赖程度等，使得注册会计师即使恪守执业准则，也不能保证发现公司所编制财务报告中全部的虚假或隐瞒之处，也就是说经过审计的财务报告并不意味着已经完全没有错弊，但只要仍在审计重要性标准控制之下，不会影响报告使用者进行决策，就不影响审计意见的客观公正性。即使因第三方经济利益受损而发生诉讼，也只能由被审计单位承担会计责任。也即判定审计报告虚假的关键是：一是执业过程没有恪守执业准则；二是不符合审计重要性要求。

但是，公众常常认为，虚假报告就是内容与事实不符，没有那么多前提条件。法律界也有许多专家对此不理解，认为法律着重的是结果而不是过程，只要结果存在与事实的不符，就应该认定为虚假报告。因此对注册会计师一再以行业准则来解释不能接受，认为注册会计师所强调的执业过程真实合法在法律上不能构成抗辩理由。

在各国法律界的研究及司法实践中，对"虚假报告"的内涵，有这样一个比较一致的观点，即构成法律客观要件的虚假陈述应同时具备两个要件：一是内容上存在虚假陈述，二是虚假陈述具有重大性。我国在《禁止证券欺诈行为暂行办法》中首次确定性地使用了"虚假陈述"一词，其含义涵盖证券公开文件披露的各种不当行为，包括不实陈述、遗漏和误导三种。不实陈述指在信息公开文件中作了"明知不实"或对事实做出错误评价的陈述；遗漏指完全或部分地不公开法定公开事项，或者没有合理根据而不公开法定事项以外的事项；误导性陈述则指公开的事项虽为事实，但由于陈述存在缺陷而使公众产生多种理解，可能形成与事实完全不同的理解。关于重大性问题，目前在法律界依然是一个探讨中的问题，定量性的标准很难找到。但从定性上来讲，大家一般比较认可美国证券法的观点，即能够影响理性投资者进行投资决策，且该信息已经决定性地改变了投资者所获得信息的组合。将该问题延伸至审计报告的认定上，即认为虚假报告的判断标准应该有两个标准：一是审计报告及所附财务报告资料存在虚假陈述内容（存在虚假陈述），二是该虚假陈述足以影响报告使用者据以进行营运决策（虚假陈述具有重大性）。笔者认为，将"存在虚假陈述内容且该内容可能导致报告使用者错误决策"列为认定报告是否虚假报告的法律要件，符合法理。

那么审计重要性与法律判定标准"重大性标准"之间有什么异同呢？根据《独立审计具体准则第10号——审计重要性》的规定，审计重要性指被审计单位会计报表中错报或漏报的严重程度，这一程度在特定环境下可能影响会计报表使用者的判断或决策。对特定的被审计单位，判定的审计重要性越低，需要收集的审计证据越多，而相应的审计风险就越高。对审计重要性的运用，主要取决于注册会计师在审计计划阶段根据对客户的初步评价进行的职业判断和在审计实施过程中根据收集到的客观数据进行的适当调整。审计重要性的运用合理与否一部分取决于注册会计师的职业能力，另一部分取决于是否尽到了合理的专业注意义务。如果这两者均能恪守，则不可能出现导致报告使用者作出错误决策的虚假信息，除非被审计单位提供的财务资料中存在掩饰很好的虚假，而后者则不是注册会计师所能控制的。

从审计重要性和法律重大性的含义来分析，可以发现二者的异曲同工之处。二者在概念上是一致的，均认为可能影响报告使用者进行决策的信息是重要（或重大）的，也是判断报告是否可认定为虚假报告的要件之一。不同的是，审计重要性是贯穿于审计始终的，是在财务报告到达公众之前，由注册会计师运用职业判断对客户财务报告的公允性进行鉴证，对审计重要性判断得准确与否很大程度上取决于注册会计师的专业能力；而法律重大性标准则相对确定一些，它是在财务报告已经到达使用者且已经发生争议时需要考虑的一个指标。此时发生虚假陈述的信息是什么已很清晰，报告使用者据以进行的决策也已经明确，判断该信息的重要性是否足以影响报告使用者的决策相对要客观与简单一些，法律重大性标准更注重的是结果。但法律重要性标准依然是一个主观判断，其中依然蕴涵审计技术要求，对这种判断的作出还需要参考审计重要性。从这一意义来说，如果法律重大性与审计重要性一致，则审计报告依然是客观公允的，不构成虚假报告；如果法律重大性与审计重要性不一致，说明注册会计师或是执业能力不够、或是未能恪尽职守，报告构成虚假报告。由此，我们对虚假报告的认定标准的讨论可以得出一个结论，即虚假报告的认定标准有两个法定要件：其一，报告涉及内容存在虚假性陈述；其二，虚假陈述存在重大性。

综上所述，虽然《注册会计师法》、《证券法》都规定了对虚假报告的处罚,但是目前没有哪部法律明确规定了什么是虚假的审计报告?审计报告是由作为专家的注册会计师在充分调查取证、严格审查的基础上出具的。基于对专家专业技能、职业道德、社会声誉及其执业行为准则的社会普遍接受性等因素考虑,报告使用者不可能不充分信赖专家出具报告的真实性和合法性。报告使用者对被审计单位真实财务状况有知情权,知情权能否实现很大程度上取决于公司与注册会计师。由于报告使用者不能直接接触被审计单位财务资料,其本身在实现知情权的过程中处于弱势地位。由于不论是法律界还是注册会计师行业,都没有一个统一的标准来定义什么是虚假的审计报告,在确定注册会计师的审计法律责任时,注册会计师也不能对所有与事实不符的审计报告负责,法律为了保护处于弱势地位的审计服务使用者,同时为了防止受信人即专家滥用其权力,就要求受信人对审计服务使用者负有信赖义务。因此基于这一法理,法律上也应明确注册会计师应负责的虚假财务报告的认定标准。

(4) 注册会计师法律责任的认定问题。在《会计法》、《注册会计师法》、《证券法》和《刑法》等法律上均规定了注册会计师的法律责任,如《注册会计师法》明确规定注册会计师仅就自身的"重大过失"和"故意"行为对第三者承担法律责任,《刑法》中也明确提出了注册会计师要为"故意"和"重大过失"承担刑事责任。但都不具体。审计上说有两种情况下注册会计师要负法律责任,即过失行为和欺诈行为。前者可能负行政责任或民事责任,或两者兼有;而后者可能要负刑事责任和民事责任。关于"过失"行为,有关法规和《独立审计准则》尚未作出具体规定。在注册会计师考试教材中将"过失"分为普通过失和重大过失,而重大过失有可能被推定为欺诈行为。欺诈行为是指注册会计师以欺骗或坑害他人为目的的一种故意行为，具有不良的动机是欺诈的重要特点。对注册会计师而言，是指明知委托单位的会计报表有重大差错，却允许客户在会计报表上虚假的陈述或遗漏重要信息，并出具无保留意见的审计报告。但是目前却无如何区分"普通过失"和"重大过失"和"故意"等的专业判断标准。

2. 规定上的矛盾

从前述注册会计师承担的三种法律责任的法律条款来看，我们可以看出目前对于注册会计师的法律责任的规定有如下问题：

（1）不同法律规定之间存在矛盾。我国法律中明确规定注册会计师对出具虚假、误导性的审计报告承担法律责任的主要法规有《注册会计师法》、《证券法》、《公司法》、《刑法》及《股票发行与交易管理暂行条例》等。然而，各种法规对注册会计师法律责任的解释存在一定的矛盾。

在《证券法》第一百七十三条和《注册会计师法》第二十一条中，强调注册会计师的工作程序与应承担法律责任之间的因果关系；然而《公司法》《刑法》以及《股票发行与交易管理暂行条例》等有关条文中，则强调注册会计师的工作结果与应承担法律责任之间的联系。按照《证券法》和《注册会计师法》的规定理解，只要注册会计师的工作程序符合有关专业标准的要求，即使其工作结果与实际情况不一致，注册会计师也不一定要承担法律责任。这实际上考虑了注册会计师自身能力局限性的影响，只要求注册会计师对自己的过失行为承担责任。而其他法规判断注册会计师是否承担法律责任的标准，则是注册会计师工作结果与实际情况是否相符，即强调工作结果的真实性。只要注册会计师的审计报告所反映的内容与事实不相符，注册会计师就应当承担法律责任，这实际上把注册会计师的工作结果视为对相关会计信息的绝对保证。而不是合理保证和公允反映。不同法律规定之间的矛盾,给司法审判带来诸多的问题,也造成法官与注册会计师之间的分歧和争执,导致注册会计师审计法律责任加重。

(2) 不同司法解释之间存在矛盾,最高人民法院曾就注册会计师验资赔偿责任先后下发了三个司法解释文件,即法函〔1996〕56号、法释〔1997〕110号和法释〔1998〕13号,对如何确定会计师事务所的赔偿金额作了说明。这三个文件已成为各地司法判决的重要依据。然而,这三个司法解释之间也存在矛盾。法函〔1996〕56号和法释〔1998〕13号,都规定"会计师事务所在其证明金额的范围内承担赔偿责任",法释〔1997〕10号则要求"该验资单位(会计师事务所)应当对公司债务在验资报告不实部分或者虚假资金证明金额以内,承担民事赔偿责任"。按照两种不同的司法解释,对于给第三方造成的损失,会计师事务所的赔偿金额可能会迥然不同。[①] 特别是第三方的经济损失金额很大时,会计师事务所很可能被判决在证明金额内承担赔偿责任。这些法律的不同规定,而相关的司法解释又不一致,使实际司法判决不一。因此协调各法之间的矛盾是目前注册会计师行业较为重要的问题。

3. 规定的不当

(1) 关于注册会计师法律责任的确定依据和界定机构。在西方,审计准则是判定注册会计师法律责任的重要依据。但是在我国,审计准则的地位在法律上却没有得到确认。目前我国关于民事责任和刑事责任的裁定和执行权归属于人民法院。《独立审计准则》被许多法官视为纯粹的行业标准,不足以作为注册会计师

[①] 刘振华:《注册会计师法律责任问题研究》,载自天津《财会月刊》,2001年。

第五章 注册会计师审计法律责任的规范

的辩护依据。

（2）关于注册会计师民事法律责任的规定。随着市场经济向法制化方向发展，民事责任必将成为注册会计师法律责任的最重要内容。然而在我国的《民法》和其他法规中，对于社会审计民事责任的内容规定只有简单地几句，给判定注册会计师审计法律责任带来了诸多不便。我国的许多重要经济法律法规，如《刑法》、《公司法》、《证券法》、《注册会计师法》中，都有关于注册会计师事务所和注册会计师法律责任的条款，但其中涉及行政责任和刑事责任的内容较多，涉及民事责任的规定比较缺乏。比如，根据《证券法》规定，提供虚假会计信息的责任人应承担民事赔偿责任，但对虚假会计信息如何认定、虚假会计信息责任人如何认定等问题没有进行具体地说明，这给相关诉讼案的立案和判决带来了不确定性。

（3）《独立审计准则》的法律地位问题。从形式上看，独立审计准则的权威性好像已经在《注册会计师法》第三十五条和第二十一条确立下来，第二十一条规定，注册会计师执行审计业务，必须按照执业准则、规则确定的工作程序出具报告。第三十五条规定，中国注册会计师协会依法拟订注册会计师执业准则、规则，报国务院财政部门批准后施行。但是独立审计准则毕竟是一个行业规则，在公众眼中，它不免带有行业保护主义的色彩。在少数以注册会计师胜诉而告终的案件中，当注册会计师以独立审计准则的公正性为自己辩护，并且成功地说服法官接受了自己的主张时，原告往往对独立审计准则的公正性提出质疑。关于注册会计师法律责任的确定依据和界定机构，在西方，审计准则是判定注册会计师法律责任的重要依据。但是在我国，审计准则的地位在法律上却没有真正的得到确认。目前我国关于民事责任和刑事责任的裁定和执行权归属于人民法院。

在我国,《注册会计师法》以及一些独立审计准则虽然已经实施数年,但是由于各种各样的原因,它尚未普遍成为法院审理案件的依据。以目前法律界或者公众对注册会计师职业特性的了解程度,他们恐怕还缺乏对独立审计准则本身的理性认识,更谈不上对其进行评判的能力。我们可以借鉴《会计法》对全国统一会计制度的法律定位,在《注册会计师法》中明确独立审计准则的法律地位,否则,难以保障注册会计师的合法权益。我国司法部门在审理注册会计师法律责任的案件时,主要依据的还是处理一般民事和刑事案件的法律,对审计准则不够重视。这与发达国家的做法有很大区别。现在应该创造一定的环境条件,在进一步充实完善现行独立审计准则的前提下,使审计准则成为司法判断的根本依据。

《独立审计准则》是根据《注册会计师法》规定起草,由财政部批准实施的,应属于部门规章。《独立审计准则》应该是目前判断注册会计师在执业过程中是否有违规或过失的唯一技术标准。另外根据国外对注册会计师的保护经验,《独立审计准则》阐述了会计责任与审计责任、合理保证等概念,对于注册会计师有一定的保护作用。但是在实际中法官很少将《独立审计准则》作为判决依据,一方面是由于法官们不了解《独立审计准则》,另一方面是由于《独立审计准则》毕竟是部门规章等级的,不能同《刑法》、《证券法》、《注册会计师法》相提并论。要确定《独立审计准则》的法律地位,就应当在《注册会计师法》中填补这一空白,明确它的重要性。因此《独立审计准则》应当成为重要的司法依据。然而,在目前状况下,《独立审计准则》根本不能起到保护注册会计师的作用,《独立审计准则》被许多法官视为纯粹的行业标准，不足以成为注册会计师的辩护依据。究其原因，司法界不了解《独立审计准则》，甚至也不想了解。毕竟《独立审计准则》不具有同《注册会计师法》相等的法律地位，何况《注册会计师法》还要服从《刑法》和《民法》两个根本法律。我国的《刑法》和《民法》特别是《民法》制定时间较早，当时的社会经济环境与现在已存在较大差别。例如，用《民法》中的"侵权行为"概念来判断注册会计师的执业行为是否承担法律责任，非常勉强。

（4）最高人民法院《关于受理证券市场因虚假陈述引发的民事侵权纠纷案件有关问题的通知》的疑问。《注册会计师法》第四十二条的规定，会计师事务所违反本法规定，给委托人、其他利害关系人造成损失的，应当依法承担赔偿责任。《证券法》第二百零一条的规定"为股票的发行、上市交易出具审计报告、资产评估报告或者法律意见书等文件的证券服务机构和人员，违反本法第四十五条的规定买卖股票的，责令依法处理非法持有的股票，没收违法所得，并处以买卖股票等值以下的罚款"。这些法律都明确阐明了注册会计师的民事赔偿责任。但是最高人民法院却一纸通知，将由最高立法机关所制定的法律的执行范围压缩，而且还设置了前提条例。法院不仅不履行应尽的法律义务，还将皮球踢给证监会，以证监会及其派出机构作出的处罚决定作依据方可提起民事诉讼。这个规定不仅对证券市场的欺诈案件判决不利，也不利于对注册会计师的监管。

2001年4月《最高人民检察院公安部关于经济犯罪案件追诉标准的规定》中，对注册会计师的刑事责任追诉规定仅有损失数额的绝对数：故意提供虚假证明文件给国家、公众或者其他投资者造成的直接经济损失数额在五十万元以上的；重大失实的，造成的直接经济损失数额在一百万元以上的，都应被追诉。这些规定没有损失的相对百分数，这就没有考虑到相同的损失数额在不同的经营规模的公司中所占的重要性是不同的，这不利于在刑事判决中对注册会计师权益的保护。

（5）最高人民法院《关于审理证券市场因虚假陈述引发的民事赔偿案件的若干规定》的疑问。

2003年1月9日，最高人民法院《关于审理证券市场因虚假陈述引发的民事赔偿案件的若干规定》的出台，使中介机构及人员从事证券业务承担民事责任成为现实。但是，即使如此，还是存在疑问：第一，《规定》第十七条规定，证券市场虚假陈述行为分为四种：虚假记载，误导性陈述，重大遗漏和不正当披露。虚假记载是指信息披露义务人在披露信息时，将不存在的事实在信息披露文件中予以记载的行为。误导性陈述是指虚假陈述行为人在信息披露文件中或者通过媒体，作出使投资人对其投资行为发生错误判断并产生重大影响的陈述。重大遗漏是指信息披露义务人在信息披露文件中，未将应当记载的事项完全或者部分予以记载。不正当披露是指信息披露义务人未在适当期限内或者未以法定方式公开披露应当披露的信息。第十七条对虚假陈述的认定有4种情况。对注册会计师来讲，一般只有第2种和第3种。其中很难界定是主观故意还是客观被动。这时的判断是否都属于误导？如何确定"重大"的范围？进一步来讲，这些评判是以协会订立的准则为标准还是以法官个案处理时的判断为准？第二，目前保险公司的职业保险，免责条款太多，实际抗风险作用很小。第三，行政处罚方面缺乏更加具体的规定，不能将警告处分也作为提起民事诉讼的前提。第四，直接责任人的界定问题，直接责任人是签字者还是法人代表？第五，专业责任的界定问题，没有一个专家库或一种专家机制，帮助法官做出正确判断。不能起到对注册会计师的保护作用。第六，行政机构的自由裁量权太宽泛了。行政处罚现在有5种，范围有些偏大。有关行政处罚，"有关"部门包括哪些？何种处罚可提起民事诉讼？都没有具体界定。否则任何一个有行政管理权的部门的随意挑错的"处罚"，都可能成为诉讼的理由。第七，对于第二十四条的责任赔偿范围，应当确定一个统一的范围和标准，否则注册会计师的责任范围将是无边无际的。

（二）完善注册会计师审计法律法规责任规定的建议

注册会计师审计法律责任需要从理论上分析、界定，同时更需要作出法律上的规定。在现实的注册会计师审计法律责任诉讼中，信息需求者往往以民商法的有关规定，强调注册会计师必须对审计结果负责，即只要他们据以做出决策的已审会计信息存在偏差，就要求追究注册会计师的法律责任。注册会计师则认为只要自己在过程上严格遵循了独立审计准则，就不应承担法律责任，二者的期望值不同也导致注册会计师审计法律责任。我们认为，规范注册会计师审计执业的最高纲领是《注册会计师法》。《独立审计准则》及其他一些有关注册会计师执业的规章制度与业务规范的制定，都应以注册会计师法为指导，并形成一个规范体系。就注册会计师审计法律责任而言，在《注册会计师法》中应有纲领性的规定，以作为其他相关规范的指导。

2001年12月，我国有关方面公布了《中华人民共和国注册会计师法（征求意见稿）》（下称"讨论稿"），正广泛征求意见。现在，我们依照上述讨论的问题及观点，就我国注册会计师法中有关法律责任的内容，提些修改意见。

227

1. 应有原则性规定

对注册会计师审计法律责任应有原则性的规定。我国众多的法律、法规都涉及了注册会计师的法律责任，但从内容上来看全是如何惩处注册会计师，而没有保护注册会计师的条款，就连《注册会计师法》也不例外。只规定义务，不予以权利，这对注册会计师是有失公平的。因此，我们认为应使注册会计师尽快摆脱困境的有效途径是，借《注册会计师法》修订之机将已经存在于《独立审计准则》中保护注册会计师的条款补充进来，就法律责任中的责任对象、责任范围和责任程度三个方面给予明确规定，以保护注册会计师免受无谓诉讼的干扰。

第一，责任对象。应当参照其他国家的经验确定审计受益第三者的范围，限定注册会计师承担法律责任的第三者的具体对象范围。

第二，责任范围。建立有关"普通过失"、"重大过失"和"欺诈"的判定标准，并从有利于我国注册会计师事业长远发展的角度出发，在《注册会计师法》，明确规定注册会计师仅就自身的"重大过失"和"欺诈"行为对第三者承担法律责任。

第三，责任程度。在《注册会计师法》中应首先明确会计责任与审计责任，以"法"的高度明确规定注册会计师的审计责任不能替代，减轻或免除被审计单位的会计责任，从而消除法院越过第一被告直接判处会计师事务所赔偿全部经济损失的做法。可参照美国司法中的"比例责任"概念，以减轻注册会计师的责任。①

这种规定既体现出对注册会计师业的约束，也对其予以保

---

① 刘振华：《注册会计师法律责任问题研究》，载自《财会月刊》，2001年。

护。尽管在不同时期、不同条件、不同环境下，是约束还是保护是有倾向性的。但就目前而言，我们认为，约束和保护是同等必要的。讨论稿中似无此规定。所以，应在第一章总则中加以补充：注册会计师对其审计过程及其结果负有法律责任，审计活动的其他参与者对其相关行为及其结果也负有法律责任。这种原则性的规定有利于约束和保护注册会计师的执业活动。

2. 应体现过程与结果的逻辑关系

注册会计师审计法律责任规定应体现出过程与结果逻辑关系及相对细化的内容。讨论稿中对此没有准确而完整地体现出来。如第六章法律责任中很多条款都规定了注册会计师或会计师事务所违反注册会计师法应受到一定行政处罚；若情节严重，则应受到相应严厉的行政处罚；构成犯罪的，依法追究刑事责任。这体现了追究注册会计师的法律责任要考虑其违法问题的严重程度，但是，没有综合考虑审计过程与审计结果两个层面上所形成的违法问题，即使从某一个方面规定注册会计师或会计师事务所应承担的法律责任也缺乏相对细化的内容。对此，我们认为，在第六章中应专门有一条或一款规定出：判定与追究注册会计师或会计师事务所承担法律责任及其形式应依照审计过程与审计结果的逻辑关系，并在其他相关条款对具体情形作出相对细化的规定，如关于"情节严重的"表述，应分别审计过程和审计结果两个方面作出具体而明确的规定，即审计过程严重违法如何处罚，审计结果严重违法如何处罚，二者同时存在如何处罚等，"严重"也应区分不同程度划定不同层次等。

3. 应明确界定会计责任与审计责任

会计责任和审计责任是两种不同性质的责任，不能相互替代。保证会计资料的真实、完整，是被审计单位的会计责任。单位负责人是单位的法定代表人,代表单位依法行使职权,应当对本单位的会计行为负责,是承担会计责任的主体。由于现代审计受其自身的审计技术、审计方法、审计成本等固有审计风险的限制,对于单位负责人的会计造假行为,注册会计师即使具有应有的职业谨慎,有时也很难发现所有的错误和舞弊。因此,注册会计师的审计意见只能合理地保证会计报表使用人确定已审计会计报表的可靠程度,会计报表使用人不能苛求注册会计师对已审计会计报表的真实性、完整性提供绝对保证,不能因为会计报表已经注册会计师审计,就认为注册会计师是会计报表质量的绝对保证人和责任人。也就是说,注册会计师的审计责任不能替代、减轻或免除单位负责人的会计责任。当注册会计师完全遵循了独立审计准则和职业规范时,仍有可能没有发现会计报表中某些错误的漏报,以致出具了与事实不相称的审计报告。这种情况下,由于注册会计师已按职业规范执业,就不能认定是审计失败,也无须承担任何法律责任。而由于注册会计师不具备专业胜任能力或没有尽到应有的职业谨慎,没有依据独立审计准则执业,未实施必要的审计程序并获取充分的审计证据,或与被审计单位合谋舞弊,出具了虚假、错误的审计报告,就必须承担相应的审计责任,注册会计师也不能借口会计报表是由被审计单位负责人提供而不承担过失责任。

  区分会计责任和审计责任既是一个社会共识,也是在审计业务约定书和审计报告中所明确的。所以,企业管理当局造假的会计责任应是第一位的,注册会计师在审计过程中的过错则是第二位的,并不是"各打五十大板"的关系。企业管理当局造假对利害关系人造成的损害,其赔偿标的应以受损额为基础,而注册会计师的赔偿责任,虽然也要参照利害关系人的受损额,但应以他们的过错大小为主要的判断标尺。有人说，企业管理当局的造假手段越高明，注册会计师越有可能犯失察的过错，两者是成反比例的。这也是有一定道理的。

所以在《注册会计师法》中首先应明确会计责任和审计责任之间的区别，以"法"的高度明确规定注册会计师的审计责任不能替代、减轻或免除被审计单位的会计责任，从而消除法院越过第一被告直接判处会计师事务所赔偿全部经济损失的做法。被审计单位应对其提供的会计信息承担会计责任。如果一个单位会计信息严重失真，会计报表存在重大错误、舞弊或违法行为，单位负责人首先要承担会计责任（修订后的《会计法》已对其进行了明确的规定）。注册会计师应对其出具的审计报告负责。会计报表使用者不能苛求注册会计师对已审会计报表的真实性、完整性提供绝对保证。被审计单位的会计责任与注册会计师的审计责任不能互相替代。被审计单位应对会计信息负责，不能因为注册会计师出具了有偏差的审计报告而免除会计责任；注册会计师应对其出具的审计报告负责，不能因为企业提供失真会计信息所承担的会计责任而免除注册会计师的审计责任。注册会计师只承担补偿责任。因此，注册会计师法中应界定审计责任与会计责任，并规定承担主体、条件等。

4. 应防止将会计师事务所的审计责任转嫁于注册会计师

会计师事务所因违法或者过错出具不实或者不当的业务报告，给委托人、其他利害关系人造成损失的，应当依法承担民事责任，法律或法规另有规定除外。会计师和会计师事务所不得免除或者限制因虚假业务报告给当事人造成损失所承担的民事责任。

会计师事务所因其他违法行为或者过错给当事人造成损失

的，由会计师事务所承担赔偿责任，会计师事务所不得免除或者限制因违法行为或者过错给当事人造成损失所承担的民事责任。

会计师事务所是审计业务的受托者，应对审计过程和结果负主要责任，注册会计师负有关问题的具体责任。注册会计师法应区别会计师事务所和注册会计师规定不同的法律责任范围，以防止会计师事务所将其赔偿责任转嫁与注册会计师。并要明确以事务所名义出具的具有法定效力的业务报告均应由合伙人或设立人签发，以防止合伙人或设立人不签发报告，而将执业风险或赔偿责任转嫁给非合伙人注册会计师。

5. 应明确注册会计师所承担民事责任的限度

（1）对注册会计师应承担民事赔偿责任的信息使用者的损失进行明确界定。这种损失只能是已实现的、有形的、直接经济损失。这一损失应符合可补救性、确定性及侵害合法利益的结果三个构成条件。另外，还应对与损失有关的举证责任进行明确的规定。如可参照美国习惯法下的做法：与信息使用者损失有关的证据应由信息使用者提供，而被诉的注册会计师则有责任提供证明原告的损失并非或并非完全因依赖已审会计信息而引起的证据。

（2）对注册会计师赔偿责任的上限进行规定。我国目前注册会计师行业尚处初步发展阶段，事务所抗风险能力较弱（风险基金积累较少），因此，注册会计师法中有必要对注册会计师赔偿责任进行必要的上限限制，以避免因对审计责任的追究而影响行业的壮大和发展。在这方面，可参照西方发达国家的一些做法。比如1992年美国伊利诺伊州立法机关通过一项法律：注册会计师应被裁定对原告承担小于其所遭受损失25%的责任，中止注册会计师已承担原告全部损失50%以上责任的原告的重新诉讼权。另外，在涉及巨额赔偿时，还应对赔偿额规定一定的上限

(如以不影响会计师事务所的持续经营为上限),以免因诉讼影响整个注册会计师行业的发展。

6. 强化会计师事务所的法律责任

(1)应将会计师事务所对委托人和利害关系人承担无限责任作为该法的基本原则和立法宗旨。

(2)应明确任何组织形式的会计师事务所及其合伙人或设立人对因其过错行为发生的债务承担无限责任,其中合伙所合伙人之间应承担无限连带责任,任何事务所中的合伙人或设立人均不能仅以出资额为限承担有限责任,以体现法律的公平原则及责权利对等原则。

(3)为了增强会计师事务所的赔偿能力,提高其社会公信力,保障委托人及利害关系人的利益,应规定凡承办股份公司或其他社会公益性审计业务的事务所均应向保险公司投保注册会计师执业责任险。

除了对《注册会计师法》应有注册会计师审计法律责任的规定提出修改意见外,也不容忽视以下的建议:

(1)协调各法律之间的矛盾。出于行业自身利益和发展的需要,注册会计师行业不应坐等立法及司法机构对有关法律、法规进行修订,中国注册会计师协会应设法积极解决法律之间的矛盾问题。此外,财政部也应当就注册会计师法律责任问题,与有关司法部门进行协调,以保护注册会计师行业的合法权益。

(2)注册会计师行业应更好地完善《独立审计准则》。《独立审计准则》作为注册会计师职业规范体系的重要组成部分,是注册会计师在执行独立审计业务过程中必须遵循的行为准则,是衡量注册会计师审计工作质量的权威性标准,要确立它的法律地位,必须要更好地完善它,使之成为注册会计师审计取信于社会公众的一种保证。并通过完善它，提高注册会计师审计工作质量。对现行的独立审计准则进行系统的修订、完善和补充，建立完善、科学和具备相当权威性的独立审计准则，注册会计师执行业务时才有统一的业务规范，执业水平和业务质量才有统一的衡量标准，《注册会计师法》才能够全面和彻底的贯彻实施。但是应明确《独立审计准则》是注册会计师行动的最低标准，它只能提供一定的保护。无论从社会责任，还是从风险控制的角度，注册会计师都应该对自己有更高的要求，国外的经验就是很好的例证。不过，审计准则的保护作用也取决于注册会计师自身的专业素质和专业能力。我们可以明显看出有些个案中注册会计师的工作确实是"浮在水面"，如果真正用足、用好了审计准则，有些问题是可以提早发现，并对上市公司的会计报表说"不"。实际上，过去及现在查处的几起案件如中国的琼民源、红光实业、黎明股份、郑百文及银广厦事件都表明注册会计师在某些方面犯了"低级错误"，不是欺诈行为，也是重大过失。所以政府有关部门要给予行政处罚，严重的还应移交司法机关。因此，注册会计师行业应当意识到，独立审计准则可能是注册会计师的一把"保护伞"，但它相当脆弱。任何试图以它保护注册会计师利益的努力都应该谨慎行事，它只能作为保护注册会计师合法权益最低而不是最高的标准。

(3) 完善《中国注册会计师质量控制基本准则》、《中国注册会计师职业道德守则》（下称《职业道德准则》）、《职业后续教育准则》。《中国注册会计师质量控制基本准则》是保持独立审计准则得到遵守和落实的重要手段。没有质量控制，独立审计准则的运用只能流于形式，无法达到预期的目的。注册会计师执业质量低下，是带来注册会计师承担法律责任的直接原因。要想审计工作真正达到规定的质量水平,必须实施执业质量控制制度,而质量控制制度则应包括会计师事务所为了确保审计质量达到应有的水平而建立和实施的所有控制政策和程序。我国已经制订并颁布了《中国注册会计师质量控制基本准则》,强调了人员质量、对工作的指导和监督、检查复核等方面的质量控制制度的设立,但从近年来出现的包括银广夏在内的重大事件来看,会计师事务所的质量控制制度存在很大的缺陷,必须进行完善以保证注册会计师的执业质量。完善《中国注册会计师质量控制基本准则》,会计师事务所才能够据此建立起内部控制体系,在面对激烈的同业竞争、广泛的社会监督和法律诉讼的威胁时,保证会计师事务所生存和发展,使注册会计师赢得社会信任。

道德规范与法律规范一样,都是上层建筑的重要组成部分,都是规范人们行为的重要行为准则。注册会计师职业道德规范与注册会计师必须遵循的法律规范之间的关系也不例外。注册会计师职业道德规范与以《中华人民共和国注册会计师法》为核心的规范注册会计师执业行为的有关法律法规一起,共同构成了规范注册会计师执业行为的重要行为准则。

在注册会计师行业,单靠制定与完善《中华人民共和国注册会计师法》以及相应的规范注册会计师执业行为的一系列部门规章,却没有及时明确注册会计师行业的职业道德标准和要求。所导致的结果是,法律的规范并没有防范注册会计师行业的信用危机。无情的事实告诉我们,仅仅依靠市场机制和法律规范是不行的。还要有道德规范的指导,才能重塑中国注册会计师的信誉。

注册会计师的职业道德水平是关系到整个行业能否生存发展的大事,完善《职业道德准则》,以守则形式公布注册会计师所应达到的职业品德、职业纪律、专业胜任能力和职业责任,约束

注册会计师的行为，强化注册会计师的道德意识，让注册会计师成为为社会公众提供高质量的、可以依赖的专业服务的专家，在公众中树立起良好的职业形象和职业信誉。

根据经济发展变化，完善《职业后续教育准则》，注册会计师协会据此规范组织职业后续教育，促使注册会计师接受职业后续教育，掌握和运用相关的新知识、新技能和新法规，满足执业的需要，保证执业的质量，才有能力更好地防范法律责任。

(4) 呼吁有关部门尽快发布《中国注册会计师执业责任处理办法》，明确注册会计师执业责任鉴定委员会人员的组成、鉴定内容、鉴定结论的法律效力等问题。

(5) 建议各级注册会计师协会设立维护注册会计师权益机构，招聘既懂法律，又精通注册会计师业务的高素质人员，开展各种维护注册会计师权益的工作，包括代理诉讼、协调与司法及有关政府部门的关系等。

(6) 注重与《会计法》的协调。新《会计法》的一个重大突破就是实现了会计与审计工作的结合。作为规范两个不同行业但却有密切联系的法律规范，《会计法》和《注册会计师法》应体现两者在工作上的衔接。这一衔接体现在《注册会计师法》中，就是应当分别在两部法律中明确会计责任和审计责任及其各自的依据。

二、注册会计师审计法律责任的规避

(一) 注册会计师审计法律责任规避的必要性

正确划分属于注册会计师的法律责任，是保护我国注册会计师合法权益的重要条件之一。强化注册会计师的责任意识，严格注册会计师的法律责任，以保证其职业道德和执业质量，对证券市场的健康发展至关重要。

诚信是证券市场健康发展的基石，注册会计师只有保持良好的职业操守和应有的谨慎性，出具真实、合法的审计报告，合理规避注册会计师法律责任，才能保障证券市场的健康发展，维护投资者乃至自身的利益。注册会计师的信誉和法律责任犹如一个硬币的两个方面，缺一不可。唯有如此，才能给投资者创造一个安全诚信的投资环境。西方一些国家注册会计师行业发展较早，形成了一系列完善的职业准则体系和细致明确的法律规范，他们的一些经验值得我们借鉴。

注册会计师是证券市场安定发展的经济警察，但目前有些注册会计师却缺乏应有的职业谨慎和职业道德，甚至公然违法违规，这不仅导致了广大投资者巨大的经济损失，更对整个注册会计师行业的产生信任危机，动摇了证券市场稳定发展的基础。因此，做好注册会计师审计法律责任的理论研究，合理规避注册会计师审计法律责任，提高执业质量，保护投资者利益是当务之急。

只有中国注册会计师行业对规避审计法律责任有日益清晰和强化的认识，才能要求每一位注册会计师及每一家会计师事务所依理依法，并以此为出发点，在保护自己的合法权益中不断提高自己的道德素质和技术素质，从而不断提高自己的服务水平和服务质量。

合理规避注册会计师审计法律责任，有利于我国注册会计师职业责任事故民事赔偿纠纷的顺利解决，有利于保护投资者及利害关系人的利益，这对我国注册会计师行业乃至证券市场的健康发展具有极为重要的意义。因此，要健全法制，加强执法程序，对严重违法者，不但要没收非法利润、处以罚款，还要加强执法力度，依法追究违法者刑事责任，绝不姑息养奸，以切实保护投资者的利益，净化我国证券市场的投资环境。当然，令广大投资者欣慰的是，我们也看到了对于目前银广夏的造假案件中，有关政府主管部门已经追究部分注册会计师的刑事责任，这表明了政府对打击造假案件的决心，这对保护投资者的利益和维护证券市场的稳定发展无疑是非常重要的。另外规避注册会计师审计法律责任有利于提高注册会计师的公信力。朱镕基总理将注册会计师的地位和作用概括为：注册会计师为市场经济奠基，注册会计师事业发展的好坏，关系到国家的前途和命运，是千秋万代的事业，要形成以注册会计师为中心的社会监督体系。会计、审计制度及相关中介机构的法律化制度是一个国家经济、金融秩序能否健康运行的重要基础。注册会计师被称为"经济警察"，"独立、客观、公正"是注册会计师的灵魂，社会公信力是注册会计师的实点。当会计师事务所违反注册会计师职业规范体系的要求，导致出具的报告失实，并给委托人、其他利害关系人造成损失时，应当依法承担赔偿责任。因此注册会计师建立规避法律责任的防范措施对注册会计师行业发展有着深远地重要意义。

（二）注册会计师审计法律责任规避措施

要避免和减轻注册会计师承担的法律责任，必须通过政府、法律界、注册会计师行业、企业以及社会公众的共同努力，重建一个健全、良好的社会审计体系。

注册会计师的职业性质决定了它是一个容易遭受法律诉讼的行业。那些蒙受了损失的受害人总想通过追究过错的责任尽可能

第五章 注册会计师审计法律责任的规范

使损失得以补偿。就是在西方国家中，法律诉讼也是困扰会计师职业界的一大难题，会计师行业每年不得不为此而付出大量的精力，支付巨额的赔偿金和购买高昂的职业保险。近几年来，我国注册会计师行业发生了一系列震惊整个行业乃至全社会的案件，如前述提到的银广夏事件等。有些会计师事务所及注册会计师都承担了相应的法律责任。如何避免法律诉讼，已成为我国注册会计师行业非常关注的问题，注册会计师必须掌握防范注册会计师审计法律责任的方法和技巧。

1. 从一般角度规避注册会计师审计法律责任的措施

（1）优化注册会计师的执业环境

①完善相关法律规范，加强民事制裁。从建议修改相关法律入手，在法律中明确注册会计师对被审计单位经营失败的责任，不应归于注册会计师；承担责任的程度应有一定比例上限。同时将《独立审计准则》在判定注册会计师法律责任过程中的主体地位确定下来，并增加其他保护注册会计师的法律条文。由于注册会计师的民事责任日益重要，必须尽快出台有关审计民事责任的法律条文，并且要在更大程度上严肃对待注册会计师的民事责任，形成以民事责任为主、行政和刑事责任为辅的法律责任体系。

②加强对上市公司和注册会计师行业的监督。财政部、证监会、注册会计师协会及其他相关部门应密切关注证券市场，发现违规作假的上市公司和注册会计师，要严惩不贷，绝不姑息，一定要使造假成本高于造假收益。

③设立注册会计师法律责任鉴定委员会。对注册会计师法律责任的鉴定是一个专业化很强、复杂性极大的工作，可以考虑由中国注册会计师协会出面，成立一个法律界、企业界和注册会计

师业内人士组成的法律责任鉴定委员会，专门负责在司法审判中进行责任鉴定。

④改变审计委托方式，建立审计委员会制度。通过从公司治理角度出发，通过审计委员会沟通注册会计师与管理当局之间的分歧和冲突，保护注册会计师的独立性，并向董事会和股东大会报告，不仅有利于完善我国公司法人治理结构，更有助于注册会计师社会审计的实施。

⑤扩大和改进财务报表的披露要求。应加快相关会计准则的出台，要求上市公司披露更多的财务和非财务信息，并加强上市公司管理当局应承担的会计责任。

⑥建立同业复核制度。可以借鉴美国的经验，实施同业复核制度，即由另一家事务所或职业团体指定的检查人员对一家会计师事务所质量控制系统的健全性和执行情况进行调查和评估。

（2）提高注册会计师协会的管理水平。任何国家和地区，其注册会计师行业的发展水平在很大程度上取决于注册会计师协会的管理水平和组织机构设置的科学化程度。我国注册会计师协会自1993年成立以来，先后发布了一系列的行业管理规范，制定了中国独立审计准则和其他职业规范，为行业自律打下了坚实的基础。但从注册会计师行业发展的要求来看，注册会计师协会还必须进行相应的改革和发展。注册会计师协会的职能是服务、监督、管理、协调。其中应加强对各会计师事务所遵守国家法律法规和工作规则的情况、业务制度的执行情况的监督，协同财政部门对那些丧失职业道德、徇私舞弊注册会计师和会计师事务所进行严厉惩处，起到警示作用，促使其他注册会计师恪守职业道德、防止重大欺诈案件的发生。

（3）加大行业宣传力度。注册会计师行业应通过各种方式，加强对自身执业责任的宣传。一方面，取得法律界人士的认同；另一方面，增进社会公众对本行业的了解。近些年来，涉及注册会计师的诉讼案件大量涌现，一方面说明广大社会公众法律意识有所增强，另一方面也说明人们对注册会计师行业还缺乏足够的了解。因此，注册会计师行业应加强自身宣传力度，降低人们对注册会计师审计的过高期望，避免由于曲解独立审计的公允性而导致不必要的诉讼。

（4）改进注册会计师的审计报告方式。为了避免并防止对注册会计师赔偿责任不合理的无限化，有必要完善对注册会计师审计报告方式的规范。建立对不同的审计对象区别使用审计报告、审核报告和审阅报告等不同效力等级的报告方式。审计报告是注册会计师按照约定，履行了审计准则规定的审计程序后，出具的法律责任约束力最强的报告。例如对社会公信力要求很高的上市公司、国家金融机构等单位的审计，必须出具审计报告。审核报告是审计人员对公司的账表进行了核对，验证账表一致的报告，这对小型企业是合适的。审阅报告只是注册会计师审阅了委托人的有关资料后出具的报告。例如企业若干年的盈利预测，审计人员不能也无法对其未来发展或效率、效益做出保证性承诺。

（5）倡导建立合伙制会计师事务所。现在的会计师事务所及其从业人员在执行业务时，往往受行政干预及外界影响而导致虚假报告。实质上的非独立性，正是中介组织的审计违规和犯罪赖以滋生的土壤。因此，从事中介职业的人员，应积极完成会计师事务所、资产评估机构等中介组织的脱钩改制，为避免行政干预，规避审计法律责任创造外部条件。并且鉴于我国目前市场机制的信用平台尚未建立，有必要在相关法律法规中重新倡导并支持事务所采取合伙制或有限责任合伙制，以强化整个注册会计师

行业对于信用风险的认识，树立注册会计师"诚实守信"的公众形象。

（6）转变审计服务观念。注册会计师行业的特殊性，即从客户手中获得劳务报酬而又要对整个报表使用者负责的这种方式，造成了付费与受惠阶层的分离，这就给注册会计师行业带来了两难境地。如果坚持原则，可能得罪付费的客户管理阶层，从而有失去客户的潜在风险，而与客户妥协，又可能要对整个报表使用者负审计法律责任。我国已发生的审计违规和犯罪案件，有相当一部分是注册会计师因注重客户利益，满足客户的不合理要求造成的。因此，注册会计师应采取不偏不倚的立场，遵循独立、客观、公正的原则，站在中立的角度发表审计意见。

2. 从会计师事务所和注册会计师的角度规避注册会计师审计法律责任的措施

（1）注册会计师和会计师事务所预先应采取的对策

①树立良好的职业道德和严格遵循专业标准的要求。注册会计师是否应承担法律责任，关键在于注册会计师是否有过失或欺诈行为，而判别注册会计师是否具有过失的关键在于注册会计师是否遵循专业标准的要求执业。因此，严格遵循专业标准的要求执业、出具审计报告，对于避免法律诉讼或在提起的诉讼中保护注册会计师具有无比的重要性。具体来说，就是会计师事务所及其从业人员在执业过程中是否遵守《中国注册会计师独立审计准则》。从理论上讲，注册会计师严格执行了专业准则，得出的应当是真实的结果。因此，如果注册会计师熟练掌握准则的各项规定及其操作办法，严格依据专业标准的要求执行业务，出具报告，就能有效地避免出具虚假证明报告的可能性，并在法律诉讼中保护注册会计师。

良好的职业道德是注册会计师行业立足社会的根本。由于注册会计师队伍中一些不良风气的存在，特别是注册会计师在执业过程中风险防范意识薄弱，以及某些注册会计师为个人牟取私利而不惜铤而走险的问题，是造成当前虚假报告增加的重要原因之一。因此，要减少审计违规和犯罪行为，就要强化注册会计师的职业道德意识。注册会计师协会应定期考核、评估以督促各事务所和注册会计师加强对自身职业道德的培养和提高；事务所也应定期组织相关培训和教育。严格遵循职业道德和专业标准要求，可以保证建立健全会计师事务所质量控制制度。恪守职业道德，克服短期经济利益的驱使、可以使注册会计师坚持独立、客观、公正的原则，自觉提高自身专业能力。

②建立、健全会计师事务所质量控制制度。会计师事务所不同于一般的企业、公司，质量管理是会计师事务所各项管理工作的核心和关键。如果一个会计师事务所质量管理不严，很有可能因某一个人或一个部门的原因导致整个会计师事务所遭受灭顶之灾。因此，会计师事务所必须建立、健全一套严密、科学的内部质量控制制度，并把这套制度推行到每一个人、每一部门和每一项业务，迫使注册会计师按照专业标准的要求执业，并加强逐级复核力度，以降低执业风险，最大限度地减少和杜绝审计犯罪行为，保证整个会计师事务所的质量。审计报告像其他产品一样，除了要按照生产工艺（审计准则）进行生产外，还要进行质量检验（三级复核），并且因其专业技术的层次性特点而显得更加必要。何况，"智者千虑、必有一失"，因而，必须按照质量控制准则的要求，建立、健全全面的质量控制制度，实行三级复核。

③严格风险控制

A. 风险意识至关重要。注册会计师时刻都要有风险意识，在做每一项业务时，如履薄冰。不仅如此，事务所的合伙人、项目经理在实行三级复核制度时，也要有风险意识，才能在审计过程中，严把质量关，把审计风险控制在合理的范围内，尽量避免法律责任。

B. 要有独立的风险控制部门。会计师事务所应该成立独立的风险控制部门，完善会计师事务所质量控制制度。建立客户风险等级评价和管理制度；建立充分了解和评价被审计单位制度；建立例外事项或重大事项的请示报告制度；建立质量考核评价与奖惩制度；落实三级复核制度；严格遵守注册会计师签名制度；建立技术支持与咨询制度等等。

C. 重大问题应有会诊制度。当注册会计师在审计过程中碰到重大问题时，不应擅自做主，而应该请示项目经理、事务所合伙人，启动重大问题会诊制度，必要时可以寻求律师的帮助，尽量事先防范法律风险。

④遵循执业准则的规范，不能从事不能胜任的委托业务。独立、客观、公正是注册会计师职业道德中的三个最重要的规范。独立要求注册会计师与委托单位之间必须实实在在地毫无利害关系，注册会计师们承担的是对整个社会公众的责任，这就决定了注册会计师必须与委托单位和外部组织之间保持一种超然独立的关系，独立是注册会计师的灵魂，注册会计师只有具备独立性，才能做到客观、公正。目前发现的多数涉及到注册会计师审计法律责任的案例中，都存在着事务所或注册会计师未能保持独立性的情形。因此，不论是事务所还是注册会计师，均应恪守《独立审计准则》，坚决摆脱各种关系困扰，保持审计的独立性，重塑注册会计师行业的社会形象。客观是指注册会计师对有关事项的调查、判断和意见的表述，应当基于客观的立场，以客观事实为

依据，实事求是，不掺杂个人的主观意愿，也不为委托单位或第三者的意见所左右。公正是指注册会计师应当具备正直、诚实的品质，公平正直，不偏不倚地对待利益各方，不以牺牲一方利益为条件而使另一方受益。

同时，注册会计师接受委托从事业务活动，便意味着他有足够的业务能力完成受委托的业务，如果对某项业务整个会计师事务所都无法胜任或不能按时完成的话，会计师事务所应当拒绝接受该项业务的委托。因此，注册会计师应提高业务水平，保证胜任能力。注册会计师要跟上时代的步伐，必须不断学习，以保持和提高专业胜任能力。否则，没有"金刚钻"，就别揽"瓷器活"，没有好的业务水平，注册会计师是难以保证胜任能力的，也就很难规避审计法律责任。

⑤办理职业责任保险或提取风险基金。严格地说，投保责任险，并不是避免审计诉讼的对策，而是注册会计师的一个自我保护措施。但这一措施能帮助注册会计师转嫁风险，避免遭受毁灭性的损失。在西方国家，投保充分的责任保险是会计师事务所一项极为重要的保护措施，尽管保险不能免除注册会计师可能受到的法律诉讼，但能防止或减少诉讼失败时会计师事务所发生的损失。我国《注册会计师法》也规定了会计师事务所应该按照规定建立职业风险基金，办理职业保险，如要求合伙会计师事务所每年提取风险基金数额不少于业务收入的10%，并提取不低于30%的税后利润，作为共同基金，特别是对于从事证券期货等高风险行业的会计师事务所，要求其注册资本、风险基金及事业发展基金总额在300万元以上。与此同时，还应该时刻保持警惕，防止那些执业水平低、职业道德差的注册会计师钻该险种的空子，故意出具虚假的审计报告，将风险转嫁给保险公司或是与委

托人合伙，骗取保险公司的财物。只有客观公正地对待这一新兴事物，才能确保它的成长与发展。

⑥实施责任追究制度。造成审计法律责任的原因会是多方面的，会计师事务所事先就应有相关的责任追究制度：当事务所因虚假报告承担法律责任后，应当依据与内部工作人员的聘用合同和内部责任追究制度，向有重大过错的工作人员追偿；依据与委托人签订的业务约定书，向委托人追偿；依据第三人提供虚假材料的过错，向第三人追偿。有了这相应的制度，才能把责任落到每一位注册会计师的头上，避免出现一位注册会计师犯的错，要整个会计师事务所或其他注册会计师来承担的后果，事先规避审计法律责任。

⑦聘请熟悉注册会计师法律责任的律师担当法律顾问。会计师事务所应尽可能聘请熟悉相关法规及注册会计师法律责任的律师，在执业过程中，无论是对处理审计过程中所遇到的棘手问题，还是对应付已发生的或可能发生的诉讼事项，注册会计师应同本所的律师或外聘律师详细讨论所有潜在的危险情况，并仔细考虑律师的建议。因此，寻求有经验律师的帮助是注册会计师规避法律责任的明智之举。

(2) 注册会计师和会计师事务所审计过程中应采取的对策

①深入了解被审计单位的业务，审慎选择被审计单位

A. 真正了解客户。在接受客户委托之前，一定要真正的了解客户，了解的内容包括客户的公司治理结构、股权结构、实际控制公司的管理者以及他的人品和经营理念、财务理论水平、对财务的重视程度等等。只有这样，会计师事务所及注册会计师才能对客户有一个总体的了解。同时注意了解被审计单位管理人员的品行是否正直诚实，管理人员是否有虚饰报表的可能性，避免

掉入管理人员的陷阱。经常并坦诚的与客户进行交流。注册会计师与委托人之间的交流十分重要，一方面有助于客户理解和同意注册会计师在业务工作中的某些做法，另一方面可以让注册会计师更了解客户的真实想法。

B. 全面评估风险。风险包括有审计风险、经营风险、财务风险、审计重要性水平、审计重点等等，特别对以下类型的客户要全面评估其风险。一是经营扩张型风险企业，这种企业的特征是经营扩张速度快、范围广，其经营的行业涉及到许多不相干的行业，这类型的企业有极大的经营风险，由于规模扩张过快，很容易导致现金流量严重不足，为了弥补资金缺口，经常在股票市场上通过增资扩股或是发行债券方式募集资金；二是财务压力型风险企业，这类企业的特点是一些身负重任的企业，如一些被行政部门下文件要求在三年内扭亏增盈，或者是要完成地方上多少税收任务的企业，面临的财务上的压力要比一般企业大，特别是要把报表做得让上级领导满意。国内外绝大部分涉及注册会计师的诉讼案件都集中在宣告破产被审计单位，因为股东和债权人总想通过起诉所有关系人包括注册会计师来尽可能取得补偿。因此，对那些陷入财务困境的审计单位要特别注意；三是物质及精神激励型风险企业，这类企业主要是经营承包型、租赁型企业，物质及精神上的激励都要靠企业经营来实现的；四是历史掩盖型风险企业，这类型的企业主要是原来就存在着诸多的毛病。

C. 不与不诚信的客户打交道。市场经济要求讲究诚信，注册会计师在与客户打交道的时候，更要注意不与不诚信的客户打交道，不能为了贪图眼前利益，而毁了事务所的声誉。

D. 慎重"接下家"。注册会计师接业务时一定要慎重，别家事务所不愿意接受的业务，千万要当心，这其中可能有问题。别家事务所辞掉的客户,也要当心,这样接下的业务很可能导致注册会计师承担审计法律责任。

②与委托人签订审计业务委托书。《注册会计师法》规定,会计师事务所应与委托人签订委托合同(业务约定书)。业务书的内容没有统一规定,一般包括如下条款:业务约定的目标;服务的性质;业务约定的范围,包括委托人的工作地点、限制和条件(如果有的话);注册会计师、委托人和第三人各自的角色、责任和关系;期望的工作方式,包括主要工作、将来要进行的活动和未来使用的工作方法;交流业务进展和结果的方式;工作计划(何时和什么条件下由谁来做什么);业务撤销和中止的条款;解决诉讼的其他选择,包括仲裁和庭外调解;业务费用的安排。审计业务委托书是确定双方会计责任和审计责任的重要文件。公众往往期望注册会计师能找出报表中所有的错误和舞弊,误认为注册会计师能对报表作出绝对保证。"审计业务约定书"确定了被审计单位才是报表的真实、合法、完整性的负责人,这样,可使注册会计师避免一些不必要的争议。

③注册会计师在审计过程中应保持职业谨慎

A. 执行比较详尽的审计程序。在很多案件中,注册会计师之所以未能发现错误,一个重要的原因就是他们没有执行足够的审计程序,没有深入了解被审计单位所在行业的情况及被审计单位的业务。仅凭对方提供的会计资料,是很难发现被审计单位存在的问题,如银广夏事件中,就是由于注册会计师没有执行比较详尽的审计程序,没有亲自检查银广夏在天津广夏子公司业务的重要证据,如海关报送单、银行对账单等,甚至连重要出口商品单价等都是由被审计单位提供,而没有做取证工作。因此中天勤会计师事务所及相关的注册会计师承担法律责任,也就成为必然。所以，在执行审计程序时，应保持职业谨慎，在必要的情况下，会计师事务所可聘请有关专家协助注册会计师工作。

B. 适当的采取风险基础审计方法。在目前我国大多数企业内部控制较差和管理人员串通舞弊经常存在的情况下，完全采用制度基础审计方法可能会导致审计失败的发生。对此，我们可以参考发达国家普遍采用的风险基础审计方法，根据对风险的评估分配审计资源，重点关注风险较大的领域和范围，以保证审计的真实和完整。

C. 保持应有的职业谨慎。注册会计师完成审计任务必须具备两个起码的要件：科学的审计程序与职业判断力。在审计准则中，审计程序通常都有非常明确的规定，但它不可能解决在特定单位审计过程中出现的问题，并不足以保证审计工作质量。因此，注册会计师在选择有关程序或者对相关证据进行鉴别时，必须始终保持"职业谨慎"，以"适当的关注"在每一个环节上作出谨慎的职业判断。这是司法实践中，法官判断注册会计师是否具有过失的重要依据之一。"职业谨慎"应根据特定时期、特定地域的情况来解释。在目前企业短期投机心态浓厚，假证明、假凭证、假报表等情况盛行的情况下，注册会计师在进行审计业务时，就必须提高对财务报表中的舞弊、欺诈或其他错误的警觉性，而不能仅仅满足于审计要求的每一步程序。否则，我们就很难说注册会计师保持了职业谨慎，对错弊给予了"适当"的关注。

D. 原则问题无讨价还价余地。注册会计师在出具被审计单位的审计报告时，原则问题一定要坚持立场，如注册会计师在审计过程中发现的需要调整的审计差异、对于截止到审计报告日被审计单位仍未调整或披露的期后事项、对于截止至审计报告日被审计单位仍未披露的或有损失，在被审计单位不接受调整或不接受建议的情况下，注册会计师应当坚持原则，根据其重要程度确定是否在审计报告中反映，不存在任何讨价还价的余地。

E. 杜绝"购买审计原则"。注册会计师不能因被审计单位提高审计工作收费标准，而放弃自身应遵守的原则，与独立审计准则背道而驰，迎合被审计单位不合理的意见，出具与事实不相符的审计报告。

F. 详尽地准备和保存工作底稿。如果注册会计师遇到法律诉讼时，工作底稿上就是保护注册会计师的有利证据，审计中不可避免的过失和使人相信的合理解释都能在审计工作底稿中反映。并且审计计划、人员安排和审计程序，也能在工作底稿中体现，因此详尽的准备和保存工作底稿，对成功的规避审计法律责任至关重要。

④形式与实质并重。这里所说的形式是指法律、法规规定的条款。实质是指法律、法规没有规定到的、没有说不可以做的。

A. 有形式必须讲形式。注册会计师在审计过程中，有形式时必须讲形式，遵守法律、法规的规定。

B. 合法不合理应当稳健为重、披露优先。当注册会计师在审计过程中，遇到合法不合理的情况时，为了规避法律责任，应当以稳健为重，披露优先为原则，在审计报告中披露这种合法不合理的情况。

C. 只有实质没有形式——既要请示又要披露。当注册会计师遇到法律、法规没有规定的情况，应当请示会计事务所，以事务所的名义向财政部请示有关问题的解决方式，并且在审计报告中披露这一情况，规避法律责任。

⑤注册会计师应谨慎出谋划策。注册会计师接受委托从事审

第五章 注册会计师审计法律责任的规范

计业务、会计咨询和会计服务业务，是运用自己专业和经验的优势，对被审计单位会计报表的合法性、公允性及会计处理方法的一贯性发表意见，或指导被审计单位进行会计核算或编制会计报表，或向被审计单位提供更为合理、更为科学的建议或方案。注册会计师不得以被审计单位一名管理人员的身份发号施令，不得代行管理决策的职能。注册会计师必须清楚知道：

A. 审计产品的特殊性——公众产品。注册会计师签发的审计报告，不同于其他报告，这种审计报告的意见，是具有鉴证作用，得到了政府及其各部门和社会各界的普遍认可的。审计报告能够在一定程度上对被审计单位的财产、债权人和股东的权益及企业利害关系人的利益起到保护作用，是要对公众负责的。因此，注册会计师在执行审计业务、出具审计报告时应当在实质上和形式上独立于被审计单位和机构。如果注册会计师以被审计单位管理人员的身份出谋划策，就不能够保持与审计单位之间的一种超然独立的关系，而独立是注册会计师的灵魂，注册会计师只有具备独立性，才可能做到客观、公正。这样也很容易出现法律上的纠纷。

B. 审计与咨询存在本质区别。注册会计师从事审计业务、出具审计报告，是注册会计师主要的业务范围，审计业务是属于注册会计师的法定业务。而注册会计师提供咨询业务，是注册会计师发展到一定阶段的产物，它是所有具备条件的中介机构甚至个人都能够从事的非法定业务。即使注册会计师为客户提供咨询业务，也是利用其专门的知识，为客户提供建议或方案，也不是管理决策。安然事件当中，就是由于安达信在从事对安然公司的咨询业务中获得了过多的好处，涉及太多管理性质的决策，使之缺乏独立性，导致安达信在出具安然公司的审计报告时，隐瞒了

太多的问题,事情一旦暴露,也就自然地把安达信和相关的注册会计师拖进了法律纠纷当中,让其不可避免的承担相应的法律责任。

C. 只提形式上合法的建议。注册会计师在提供咨询业务时,也只能提供遵守法律、法规规定内的建议,决不能利用自己的专业知识,为客户提供违反法律的建议,这样做的后果是不可避免的要承担相应的法律责任。

D. 切勿代行管理职能。注册会计师是体检师,不是医师,他不可能开处方,不可能开刀,最多只能是出具体检报告。因此注册会计师提供的建议或方案,只是作为客户管理决策时的依据,不能直接作为管理决策,注册会计师更不能以为自己专业水平有多高,就擅自发表意见,代客户行使管理职能,一旦决策错误或管理上出现失误,注册会计师就不可避免的要承担法律责任。

⑥不得对未来事项的实现程度作出保证。中国证监会发布了《公开发行股票公司信息披露的内容和格式准则》第一号中规定:"注册会计师必须对盈利预测所采用的会计政策和计算方法进行审查并作出报告"。注册会计师对前景财务资料的审核并不是对前景财务资料的准确性及结果能否实现或在多大程度上实现表示确认,提供担保或承担责任。注册会计师能够以客观的态度对过去已经发生的事实做出判断并提出是否公允反映的意见。但未来事项中的不确定因素决定了注册会计师无法收集未来事项演变或结果的证据,无法对将来发生的事实做出客观的判断,因而就不能对其能否实现或可实现程度的大小做出保证,否则,只会加大注册会计师本不应承担的法律责任。

三、注册会计师审计法律责任的解除

（一）注册会计师审计法律责任解除的必要性

（1）解除注册会计师审计法律责任可以排除由于被审计单位方面的原因所导致的法律责任。被审计单位的责任主要有错误、舞弊、违法行为和经营失败。从理论上说，注册会计师只要严格遵守专业标准的要求，保持职业上应有的认真和谨慎，并通过实施适当且必要的审计程序，是可以将会计报表中存在的重大错误、舞弊和违法行为检查出来的。但是由于审计测试及被审计单位内部控制的固有限制，而现代审计又是在内部控制基础上实施的抽样审计。所以注册会计师即使依照独立审计准则进行审计，也不能保证发现所有的错误或舞弊行为。这也就是说，不能要求注册会计师对所有未查出的错报或者遗漏情况负责任，即使未能查出的原因是可能源自注册会计师本身的过错，也不意味着注册会计师对未能查出的会计报表中错报或遗漏承担所有的法律责任。所以，通过解除注册会计师审计法律责任，可以区分被审计单位的会计责任和注册会计师的审计责任，解除不应由注册会计师承担的法律责任。

（2）解除注册会计师审计法律责任可以区分注册会计师承担的法律责任大小。如果是由于注册会计师的责任给被审计单位或第三者造成损失，通过解除注册会计师审计法律责任，可以区分法律责任的大小。因为，注册会计师审计法律责任可能是由违约、普通过失、重大过失或欺诈导致注册会计师承担法律责任。而由不同行为导致的法律责任，要求注册会计师承担的后果是不

一样的,因此,通过解除注册会计师审计法律责任,可以区分注册会计师不同的行为导致的不同的审计法律责任。

(3)解除注册会计师审计法律责任可以避免现实中的"深口袋"现象。实际上当被审计单位出现财务危机或破产情况后,不论是投资人或是债权人还是法官,都倾向于从有支付能力的注册会计师身上获得赔偿,"深口袋"现象加重了注册会计师所应承担的审计法律责任,不利于注册会计师行业的发展。通过解除注册会计师审计法律责任,把注册会计师所应承担的审计法律责任置于一个合理的范围内,一方面可以保护注册会计师的合法权益;另一方面可以避免发生"深口袋"现象。

(4)注册会计师审计法律责任的解除,可以保证注册会计师的合法权益,营造一个公平的环境。由于注册会计师的过失给被审计单位或第三者造成损失,注册会计师应该承担相应的责任,但这并不意味着注册会计师没有权力去解除不应由其承担的法律责任。如果注册会计师不采取任何措施去保护自己的合法权益,由于相关法律的不健全和有关法律的不完善,很容易加重注册会计师应承担的审计法律责任。因此,注册会计师应依据有关的法律,通过解除自身所面临的法律责任,争取自己的合法权益,为自己营造出一个公平的环境。

(5)注册会计师审计法律责任的解除,可以加强与司法界、社会公众的沟通,让他们充分了解注册会计师这一行业。现实中,不论是社会公众还是司法界的法官们,都或多或少的存在着对注册会计师行业的误解,认为注册会计师所出具的无保留审计报告就可以保证被审计单位会计报表不出现一切过失,注册会计师有义务防范一切欺诈与舞弊。一旦被审计单位经营失败或是欺诈、舞弊,便是注册会计师没有尽到应尽的义务造成的,因此,注册会计师也就应该承担这一后果。为了扫除这种偏见，通过公开的法庭辩论，注册会计师可以加强与司法界的沟通，让社会公众了解注册会计师的职责与责任，消除这一偏见。只要有一部分注册会计师勇于解除不应由自己承担的审计法律责任，还可以鼓励一些缺乏勇气去保护自己合法权益的注册会计师，依据相关的法律规定，解除自己的审计法律责任。

（6）通过解除注册会计师审计法律责任，可以发现已颁布的法律法规中存在的不足、不当或矛盾之处，促进相关法律法规的完善，弥补有关的空白。

（7）注册会计师通过解除审计法律责任，可以促进注册会计师行业的发展。解除注册会计师审计法律责任的过程，也是注册会计师勇敢地向客户和社会公众承担社会责任的过程，通过检验注册会计师工作质量可靠与否，可以提高其社会地位，让每一位注册会计师都意识到应该保持职业谨慎、遵守职业道德、保证审计质量，这样既可以向社会公众负责，又可以有效的保护自己，使得每一位注册会计师树立良好的社会责任意识，促进整个注册会计师行业的发展。

（二）注册会计师审计法律责任解除措施

1. 注册会计师自身采取措施

由于注册会计师职业专业技术性强，同时由于其他种种条件的限制，导致举证责任对于原告来说，有着难以完成的证明责任，也不太可能以确凿的证据证明注册会计师的过错。因此，在当前采取的是过错推定原则，即根据损害事实的发生推定行为人有过错，只有行为人证明自己确实无过错时才能免责，这实际上是举证责任的倒置。举证责任的倒置，有利于双方较好的抗辩。

从主观要件来看，注册会计师的抗辩事由是无过错，证明自己无过错；或证明被告有主观恶意。客观条件方面，抗辩事由有四层含义：一为抗辩审计没有出现失败，这包括两层含义，即已审会计报表不存在错报或漏报和虽存在错报或漏报但不具有重要性；二为注册会计师在执业过程中尽到应有的职业谨慎即注册会计师的行为恪尽职守，没有违反《注册会计师法》及相关的规定；三为抗辩原告无损害事实；四为抗辩原告的损害与被告审计失败无因果关系。根据主客观的抗辩事由，注册会计师可以从以下方面解除审计法律责任。

（1）基于注册会计师主观方面的解除措施

①基于作为被告的注册会计师主观方面的解除措施。注册会计师实行推定过错制，按照过错推定原则，若原告能证明其所受的损害是由被告所致，而被告不能证明自己没有过错，则应推定被告有过错并应负民事责任。注册会计师主张抗辩应证明自己已尽应有的职业关注义务，应有职业关注是指"谨慎的注册会计师在计划和实施审计业务必须保持的职业关注"。注册会计师必须证明自己是一个谨慎的执业者，谨慎的执业者具有以下特点：

A. 拥有该职业所需要的一般知识并能与职业保持同步发展；

B. 能做出相当于社会平均水平的判断；

C. 在人格方面代表但不超越社会一般水平。一般而言，判断注册会计师是否已尽职业关注的主要依据是独立审计准则及相关法规。

过错责任的一项基本内容是：在决定侵权行为人所应负的责任时，应考虑行为人的过错程度。如果注册会计师未能保持应有的职业关注而引起过失，由于过失有一般过失、重大过失、推定欺诈之分，故可以过错程度轻进行抗辩。一般过失是指审计人员在执业过程中缺乏合理的关注，即未能严格按照审计准则的要求从事工作；重大过失是指审计人员在执业过程中缺乏最起码的关注，即在审计工作中未能遵守审计准则的最低要求；推定欺诈是指虽无故意欺骗或坑害他人的动机，但却存在极端或异常的过失，注册会计师可以以一般过失对抗重大过失，以重大过失抗辩推定欺诈，以减轻责任。

注册会计师也可以事后知情不算欺诈来抗辩。根据通常的规定，对注册会计师完成业务后发生的未预料事件，注册会计师可以不负法律责任。

②基于作为原告的被审计单位主观方面的解除措施。注册会计师如果能证明受害者在决策时已经知道审计报告虚假是由被审计单位所致，则不承担民事责任。此外，受害者过错是注册会计师减责、免责的抗辩事由。受害者过错有两种形式：对损害发生的过错与对损害扩大的过错。如果损害完全是受害者自己导致的，则注册会计师免责；如果是混合过错（双方对损害的发生都有过错），则注册会计师根据过失相抵的原则，得以减轻相应的法律责任。受害者对损害的扩大有过错，可以构成注册会计师对扩大部分的责任的免责条件。

③基于第三人过错的解除措施。第三人的过错是指除原告和被告之外的第三人，对原告的损害的发生或扩大具有过错。如果原告的损失完全是第三人引起的，则注册会计师得以完全解除自身的法律责任。但当注册会计师有过失时，是因第三因素介入造成损害时，这时除非注册会计师能证明第三因素与注册会计师的过错不具一般可能性介入时才得以解除责任或减轻责任，否则要承担损害的终极赔偿责任。注册会计师对受害者的损害往往与第三因素介入联系在一起，并往往与第三人构成对受害者的共同侵

权,从而对受害者的损失承担连带责任。注册会计师要以共同侵权人无意思联络为由主张比例责任,而得以解除部分法律责任。

(2) 基于客观方面的审计法律责任解除措施

①基于损害事实的解除措施。损害是指权益的受损,是侵害合法利益的结果。如果受害者遭受诉讼的损害是非法利益,则不受法律保护,比如说受害者放高利贷受到的损失,这是受害者自担风险的结果,与注册会计师审计失败可能有事实上的因果关系,但法律不保护非法所得,所以注册会计师可以此抗辩,解除法律责任;此外,根据中国的侵权法规定,损失一般指直接损失。不包括间接损失,对间接损失的诉讼请求也可进行抗辩。

②基于虚假审计报告的解除措施。由于注册会计师在受委托单位固有风险、控制风险、审计技术等因素的影响,对委托单位财务报告的公允真实性做不到百分之百的保证。投资者期望通过注册会计师的审计,来达到对委任单位财务信息"保险"的目的是不可能也不现实的。只要注册会计师尽到了应有的职业谨慎,按审计准则规定的审计程序严格操作,没有发生重大的虚假陈述,则应该免责。另外,虚假审计报告还主要表现在审计意见的不恰当,由于带解释段的无保留意见与保留意见有一定的交叉,一些注册会计师以带解释段的无保留意见代替保留意见引起纷争,这时注册会计师可以审计意见基本恰当进行抗辩;此外,由于目前审计的重要性原则带有一定的主观性,注册会计师可以会计报表虽然存在错弊但不构成重大为由进行抗辩。

③基于因果关系的解除措施。因果关系是注册会计师承担法律责任的必备条件,它是指注册会计师的行为与受益人之间的因果关系。只要第三者证明在证券市场中,因为对注册会计师为上市公司出具无保留意见的审计报告形成了合理的信赖,作出了投

资并因此遭受了损失，而不需要证明被告实施了针对原告的积极侵权行为，则应当认为注册会计师的行为与第三人受到损失之间有因素关系。① 一方面注册会计师的抗辩是：注册会计师对受害者的损害往往是间接损害，也就是说，注册会计师过错是导致受害者损失的间接原因，根据"近因"原则，"远因"是可以得以免责或减责的，尤其是第三因素介入是故意时，因果关系链有可能因此而断掉，注册会计师对最终的损害将不承担责任。另一方面的抗辩是：注册会计师能够证明证券价值下降的全部或一部分不是因为该不实信息披露所致，或者原告在购买该证券时知道信息是不实的，则注册会计师可予减责或免责。

④基于不存在审计失败的解除措施。所谓审计失败，是指注册会计师由于没有遵守公认审计准则而形成或提出了错误的审计意见。与审计失败相关的另一概念是经营失败。所谓的经营风险是指企业由于经济或经营条件，比如经济萧条、决策失误或者同行之间意想不到的激烈竞争等，而无力归还借款或无法达到投资者期望的收益，反映经营风险的极端情况就是经营失败。当经营失败出现时，审计失败可能存在也可能不存在。另外还存在这样的情况，即审计人员确实遵守了审计准则，但却提出了错误的审计意见，这种情况称为审计风险。如果注册会计师未按照独立审计准则的要求开展审计业务，发表了不恰当的审计意见，即存在过错时，则应承担相应的法律责任。在发生经营失败而不存在审计失败时，即注册会计师不存在过错，由于发生经营失败的公司无力偿还公司的债务，这时公众往往指责审计失败，一方面原因是遭受损失的人们希望通过状告注册会计师得到部分补偿，而不

---

① 张蕊著：《注册会计师的民事责任及其抗辩》，《会计研究》，2003年第1期。

去考虑错在何方，另一方面是遭受损失的人们不理解经营失败与审计失败之间的差别，不了解注册会计师的责任，总认为注册会计师在经营失败中是负有责任的。因此，注册会计师应证明自己的工作不存在审计失败，争取减责或免责。

⑤基于不符合"第三者"界定的解除措施。注册会计师对"第三者"的法律责任是指注册会计师在执业过程中，由于自身的过错对企业设立时出资协议的当事人、银行和其他公众股东（包括潜在的投资者），所承担的法律责任。如果提出诉讼的人不属于"第三者"所界定的范围，如与委托单位具有购销业务的客户等，则注册会计师可以免责。①

⑥基于约定免责条款的解除措施。注册会计师为了减轻责任，在审计业务约定书、审计报告中往往写进一些免责条款，在法律上，对于合理的免责条款，具有一定的抗辩力，但对于不合理的免责条款（尤其是格式条款），法律上一般不承认效力，但总之，免责条款也是抗辩的一个理由。

（3）基于双方存在共同过失的解除措施。共同过失即注册会计师与委托人共同发生过失。目前企业会计信息失真的现象较为普通，有些欺诈或串通舞弊手段十分高明，且注册会计师常运用的是抽样审计，有时在审计过程中很难发现被审单位的财务报告的这种虚假性。由于这种情况的发生致第三者受损时，注册会计师应争取共同过失，让原告先追究委托单位的法律责任，再由注册会计师承担补充法律责任。

（4）基于诉讼程序的解除措施。如果原告方有违反法律规定的法定程序的情形，注册会计师可据此争取免责或减责。常见如

---

① 张蕊著：《注册会计师的民事责任及其抗辩》，《会计研究》，2003年第1期。

第五章 注册会计师审计法律责任的规范

以超过诉讼时效抗辩，一旦超过诉讼时效，原告就丧失了胜诉权，注册会计师要避免遭受索赔的法律责任，还要注意下面列述的一些技术性的法律防护，它们能免除或减轻注册会计师的法律责任。比如：追诉时效的法规。法律界关于追诉时效的理论很多，通常对过失、合同和其他一些索赔的追诉时效为2～6年。证券法中明确规定了一个较短的期限，在发生类似的索赔而没有明确的规定时，法庭一般采用一年期限，而且不超过交易发生的三年内。

在研究注册会计师具体的解除措施时，还可以考虑以下一些方面的建议：

第一，充分利用行政复议和行政诉讼来自我保护，维护自身权益。如通过行证复议和诉讼，对行政机关的认定进行辩解，使行政处罚不成立，从而避免进入民事诉讼程序，也可由此增加对行政管理的监督。

第二，最大限度地利用民事诉讼方面的规定。比如：原告的资格限定；因果关系的排除；举证责任方面的除外条款，如允许被告自己证明自己无过错；赔偿范围的规定，如还有哪些机构和个人也有责任；调解程序，如可以把握好时机，适时同意和解，打官司终究不利于自己。这些都需要技巧。关键是如何使自己由被动变为主动。

第三，利用对原告身份的限定。如果原告如借用他人身份证入市或利用国有资金违规非法炒股，均不具备起诉资格。

第四，利用对虚假陈述出现日和更正日之间的才可提起诉讼，对此前和此后的不予受理。

第五，利用前置程序避免起诉。比如对行政处罚提起复议或行政诉讼，若能在复议或诉讼时撤下也可了结。

261

第六，利用公告处罚日避免起诉。

2. 外在措施

面临日益沉重的注册会计师法律责任压力，我国可以参照国际注册会计师联盟（IFAC）辖下注册会计师法律责任工作小组的研究，认为注册会计师的最佳防卫就是好品质绩效（Quality Performance）。比如我国建立的全国统一注册会计师考试、资格注册制度，参加注册会计师全国统一考试成绩全部合格，并从事审计业务工作2年以上的，可向当地省、自治区、直辖市注册会计师协会申请注册。注册会计师协会按规定批准注册的，发给财政部统一制定的《注册会计师资格证书》。注册会计师必须成为注册会计师协会的执业会员。承认协会章程；参加一个会计机构的工作，方可执业。在一定程度上保证了注册会计师队伍的品质。确保了注册会计师具有一定水平的专门技术，能够提供客户高品质的服务。

除此之外，IFAC的注册会计师法律责任工作小组认为还需要采取灌输及教育社会公众下列正确的观念等措施，来挽救国际注册会计师的责任危机。

（1）培养公众的责任意识

（2）驱除关于注册会计师审计的神话

（3）在解释公司财务面貌时，公司董事会与管理阶层应扮演与注册会计师同等重要的角色

（4）企业失败（Business Failure）不等于审计失败（Audit Failure）

（5）对注册会计师索赔并不代表会计师事务所有罪

（6）原告的损失并未反映注册会计师犯错或疏失的程度

（7）财务报表并非一企业未来财务状况的保证

（8）增加注册会计师的责任并不意味着投资人将会得到有用的信息

（9）公司与注册会计师应合作扮演生命共同体的角色

另外，IFAC亦列举八点注册会计师法律责任立法改革的建议。分别是：

（1）解除注册会计师连带赔偿责任制，改采比例赔偿责任制

（2）允许会计师事务所的组织形态有多重的选择

（3）允许注册会计师以与客户签订合同的方式限制责任

（4）制定一套抑制原告随意起诉的方法

（5）立法要求公司必须配置具有专业背景的顾问或董事，对公司较有适当的保障

（6）限制注册会计师对第三人负责的范围

（7）对疏失的专业责任，立法制定赔偿限额

（8）缩短法律时效[1]

以上是国际注册会计师联盟（IFAC）辖下注册会计师法律责任的研究，这些措施不仅包括注册会计师审计法律责任的规避措施，也包括有注册会计师审计法律责任的解除措施，结合国际上的做法，从外在措施上，我国可以采取以下方法来解除注册会计师审计法律责任：

（1）法律上应该建立注册会计师审计法律责任比例赔偿责任制。

（2）允许注册会计师以与客户签订合同的方式限制责任，分清会计责任与审计责任。

---

[1] 转引自飞草：《中国独立审计侵权责任之法理分析》，第五章《独立审计侵权责任抗辩策略与事由》，《中国会计视野》，2001年第11期。

(3) 制定一套抑制原告随意起诉的方法，并限制注册会计师对第三人负责的范围。

在一些涉及注册会计师审计法律责任的案件当中，有许多是第三人为了弥补自身的损失，随意起诉注册会计师，这样做不仅无助于问题的解决，也把注册会计师拖进旷日持久的诉讼当中，既损害了注册会计师的公众形象，又影响了整个行业的发展。制定一套抑制原告随意起诉的方法，并限制注册会计师对第三人负责的范围，有助于注册会计师审计法律责任的解除。

(4) 在《公司法》或其他相关法律中规定，要求公司及为社会提供鉴证服务的机构必须配置具有专业背景的法律顾问，这样对会计师事务所才会有适当的保障。

(5) 对注册会计师因过失导致法律责任，应立法制定赔偿限额。

(6) 缩短法律时效。

四、注册会计师审计法律责任规范的实证调查分析

（一）实证调查结果

1. 关于注册会计师审计法律责任的规范体系

（1）对有关是否知道哪些属于被审计单位会计责任，哪些属于注册会计师审计责任的问卷中，在接受调查的所有人员中，调查结果如下表：

项目 被调查人员	划分清楚	划分不清楚	不知道
注册会计师	100%	0%	0%
会计及相关专业人员	100%	0%	0%
法官及律师	100%	0%	0%
其他人员	20%	67%	13%

（2）对有关法律、法规对审计失败和经营失败划分是否明确的问卷中，在接受调查的所有人员中，调查结果如下表：

项目 被调查人员	明确	不明确	不知道
注册会计师	0%	100%	0%
会计及相关专业人员	0%	100%	0%
法官及律师	0%	100%	0%
其他人员	0%	30%	70%

2. 关于注册会计师审计法律责任的规避与解除

（1）关于该如何减少注册会计师的法律责任，问卷共列举了10个原因，分别为：

　　A．通过发布规章条例，规范上市公司的运行

　　B．增加事务所的收费标准，扩大审计范围，降低风险

　　C．准则制订机构应顺应形式，及时修订完善独立审计准则

　　D．事务所以有限责任的形式执业

　　E．订立比例赔偿制，以降低注册会计师的执业风险

　　F．通过教育或宣传，使社会公众了解审计行业，减少审计期望差中不合理的部分

　　G．加强注册会计师的职业道德培训

　　H．慎选客户，做好事前审计风险的评估

　　I．成立风险基金制或责任保险制

　　J．其他

对于A：

注册会计师中认为A原因非常重要的占90%，认为A原因重要的占10%。

会计及相关人员中认为A原因非常重要的占67%，认为A原因重要的占20%，认为A原因一般的占10%，认为A原因不重要的占3%。

法官及律师认为A原因非常重要的占80%，认为A原因重要的占20%。

其他人员中认为A原因非常重要的占50%，认为A原因重要的占33%，认为A原因一般的占10%，认为A原因不重要的占7%。

对于B：

注册会计师中认为B原因非常重要的占70%，认为B原因重要的占30%。

会计及相关人员中认为B原因非常重要的占50%，认为B原因重要的占30%，认为B原因一般的占20%。

法官及律师认为B原因非常重要的占67%，认为B原因重要的占33%。

其他人员中认为B原因非常重要的占90%，认为B原因重要的占10%。

对于C：

注册会计师中认为C原因非常重要的占100%。

会计及相关人员中认为C原因非常重要的占75%，认为C原因重要的占25%。

法官及律师认为C原因非常重要的占30%，认为C原因重要的占17%，认为C原因一般的占53%。

其他人员中认为C原因非常重要的占33%,认为C原因重要的占7%,认为C原因一般的占40%,认为C原因不重要的占20%。

对于D:

注册会计师中认为D原因非常重要的占9%,认为D原因重要的占17%,认为D原因一般的占74%。

会计及相关人员中认为D原因重要的占25%,认为D原因一般的占14%,认为D原因不重要的占28%,认为D原因无所谓的占33%。

法官及律师认为D原因重要的占10%,认为D原因一般的占47%,认为D原因不重要的占33%,认为D原因非常不重要的占10%。

其他人员中认为D原因非常重要的占3%,认为D原因重要的占7%,认为D原因不重要的占30%,认为D原因非常不重要的占60%。

对于E:

注册会计师中认为E原因非常重要的占87%,认为E原因重要的占13%。

会计及相关人员中认为E原因非常重要的占46%,认为E原因重要的占37%,认为E原因一般的占7%,认为E原因不重要的占10%。

法官及律师认为E原因非常重要的占79%,认为E原因重要的占21%。

其他人员中认为E原因非常重要的占43%,认为E原因重要的占57%。

对于F:

注册会计师中认为F非常重要的占44%,认为F原因重要的占56%。

会计及相关人员中认为F原因非常重要的占40%,认为F原因重要的占25%,认为F原因一般的占12%,认为F原因不重要的占23%。

法官及律师认为F原因非常重要的占8%,认为F原因重要的占15%,认为F原因一般的占42%,认为F原因不重要的占35%。

其他人员中认为F原因非常重要的占3%,认为F原因重要的占8%,认为F原因不重要的占22%,认为F原因非常不重要的占67%。

对于G:

注册会计师中认为G原因非常重要的占16%,认为G原因重要的占23%,认为G原因一般的占43%,认为G原因不重要的占18%。

会计及相关人员中认为G原因非常重要的占22%,认为G原因重要的占25%,认为G原因一般的占13%,认为G原因不重要的占40%。

法官及律师认为G原因非常重要的占60%,认为G原因重要的占35%,认为G原因一般的占5%。

其他人员中认为G原因非常重要的占56%,认为G原因重要的占23%,认为G原因不重要的占14%,认为G原因非常不重要的占7%。

对于H:

注册会计师中认为H原因非常重要的占67%,认为H原因重要的占23%,认为H原因一般的占10%。

第五章　注册会计师审计法律责任的规范

会计及相关人员中认为 H 原因重要的占 45%，认为 H 原因一般的占 43%，认为 H 原因不重要的占 12%。

法官及律师认为 H 原因非常重要的占 43%，认为 H 原因重要的占 50%，认为 H 原因一般的占 7%。

其他人员中认为 H 原因非常重要的占 36%，认为 H 原因重要的占 53%，认为 H 原因一般的占 11%。

对于 I：

注册会计师中认为 I 原因非常重要的占 86%，认为 I 原因重要的占 14%。

会计及相关人员中认为 I 原因非常重要的占 62%，认为 I 原因重要的占 35%，认为 I 原因一般的占 3%。

法官及律师认为 I 原因非常重要的占 53%，认为 I 原因重要的占 37%，认为 I 原因一般的占 10%。

其他人员中认为 I 原因非常重要的占 46%，认为 I 原因重要的占 27%，认为 I 原因一般的占 20%，认为 I 原因不重要的占 7%。

对于 J：

调查对象都没有写明自己的看法。

（2）在对法官及律师、其他人员作单独调查时，对有关依据目前与注册会计师法律责任相关的法律、法规等能否顺利的进行判决的问卷，调查结果如下表：

结果 被调查人员	能	不能	不清楚
法官及律师	10%	90%	0%
其他人员	0%	60%	40%

(3) 在对法官及律师作单独调查时，对有哪些因素影响判案的调查结果如下表：

项目＼结果	非常重要	重要	一般	不重要	非常不重要
法律责任的规定过于原则性	33%	48%	12%	7%	0%
部分法律条文用词过于抽象，令人不易了解其义	0%	0%	56%	14%	30%
不同法律、法规对法律的规定相互矛盾	66%	34%	0%	0%	0%
其他	0%	0%	0%	0%	0%

（二）实证调查情况分析

1. 关于注册会计师审计法律责任的规范体系实证调查情况分析

（1）对有关是否知道哪些属于被审计单位会计责任，哪些属于注册会计师审计责任问卷调查中，前三类调查对象都能够清楚划分被审计单位会计责任与注册会计师审计责任，这说明区分会计责任和审计责任已成为相关专业人士的常识问题。而其他人员划分不清及不知道的占总数的80%，这说明社会公众还没有形成一个区分会计责任和审计责任的社会共识。这也是形成期望差异的原因之一。

（2）对有关法律、法规对审计失败和经营失败划分是否明确的问卷调查中，前三类调查对象都清楚知道审计失败和经营失败，在我国的法律、法规规定不够明确。而其他人员在这一问题上不知道是否明确的占70%，这说明社会公众对注册会计师的审计法律责任具体涉及什么内容没有一个明确的概念。而相关法律、法规规定的空白或不足也导致注册会计师审计法律责任不清。

2. 关于注册会计师审计法律责任的规避与解除实证调查情况分析

（1）关于该如何减少注册会计师法律责任的问卷，实证调查情况分析如下：

①对于 A 通过发布规章条例，规范上市公司的运行，调查对象认为其非常重要、重要分别为：注册会计师 100%、会计及相关人员 87%、法官及律师 100%、其他人员 83%，这说明在这一问题上调查对象达成一个共识，即上市公司的规范运行是有效规避与解除注册会计师审计法律责任的重要途径。

②对于 B 增加事务所的收费标准，扩大审计范围，降低风险，调查对象认为其非常重要、重要分别为：注册会计师 100%、会计及相关人员 80%、法官及律师 100%、其他人员 100%，这说明对于 B，调查对象认为其也是规避与解除法律责任的有效途径。

③对于 C 准则制订机构应顺应形式，及时修订完善独立审计准则，注册会计师、会计及相关人员都认为 100% 重要，而法官及律师认为一般的占 53%，其他人员认为一般或不重要的占 60%，这说明，对于独立审计准则的作用，法律界、社会公众还存在一定的误解，认为独立审计准则不足以使注册会计师规避法律责任。

④对于 D 事务所以有限责任的形式执业，调查对象普遍认为规避和解除法律责任作用不大。

⑤对于 E 订立比例赔偿制，以降低注册会计师的执业风险，调查对象普遍认为该措施能够确实有效的保障各方面的利益。

⑥对于F通过教育或宣传,使社会公众了解审计行业,减少审计期望差中不合理的部分,注册会计师100%认为其非常重要或重要,会计及相关人员也有65%的人认为其重要,而法官及律师77%的认为其一般或不重要,其他人员认为不重要或非常不重要的占89%,这说明在这一措施上专业人士与法律界、社会公众存在分歧,在法律界、社会公众看来,通过教育或宣传,使社会公众了解审计行业,并不能够使注册会计师规避或解除法律责任。

⑦对于G加强注册会计师的职业道德培训,注册会计师认为一般或不重要的占61%,会计及相关人员认为一般或不重要的也占53%,而法官及律师认为其重要的占到95%,其他人员认为其重要的占79%,这说明在这一问题上,双方存在着期望差,注册会计师认为注册会计师行业的道德水平足以规避和解除法律责任,而会计及相关人员、法律界、社会公众则认为注册会计师的职业道德有待加强。

⑧对于H慎选客户,做好事前审计风险的评估,调查对象中的绝大多数都认为它是一种有效规避审计法律责任的方法。

⑨对于I成立风险基金制或责任保险制,调查对象普遍认为这一措施能够有效保障各方面的利益。

⑩对于J其他,调查对象均未发表自己的意见与看法。

(2)对有关依据目前与注册会计师法律责任相关的法律、法规等能否顺利的进行判决的问卷调查中,法官及律师中有90%认为不能顺利进行判决,其他人员中认为不能顺利进行判决的占60%,而有40%不知道。这说明我国目前与注册会计师法律责任相关的法律、法规存在着诸多不足,导致在现实审判当中无法合理运用法律、法规保障当事人的利益,这也说明重新修订相关的法律、法规具有重大的现实意义。

（3）对有哪些因素影响判案的调查中，法律界人士普遍认为法律责任的规定过于原则性，及不同法律、法规对法律责任的规定相互矛盾对判案的影响非常重要或重要的分别占81%、100%，这说明法律、法规的不完善对法律责任的界定及如何判案的影响重大，完善法律、法规是现实迫不及待需解决的问题。而对部分法律条文用词过于抽象，令人不易了解其义，法官及律师认为其影响程度重要的为0%，认为其一般或不重要的占70%，这说明我国的法律条文在用词上存在过于抽象的情况较少，不至于影响到判案。

第六章 结束语

一、所研究的问题及基本结论

从介绍注册会计师审计纠纷与诉讼的现实和理论界对有关问题的分歧切入，引出了我们要研究的课题——注册会计师审计法律责任。对其我们分别研究了注册会计师审计法律责任的形成、形式、评定和规范四个板块的问题。我们以规范性研究为主，附以对有关问题和情况的实证调查。通过调查和研究，我们可以知道：

（1）两权分离后产生了委托受托经济责任，从而产生了所有权监督的需要，注册会计师审计出于满足这一需要应运而生。随着注册会计师审计市场的复杂化，注册会计师法律责任问题逐渐浮现出来；注册会计师审计法律责任的形成分别有社会公众层面上的原因、被审计单位层面上的原因、会计师事务所和注册会计师方上的原因、法律环境层面上的原因和市场机制层面上的原因等；审计期望差距及其形成，构成了注册会计师审计法律责任的形成机理，而这一机理是一个动态平衡的过程；调查结果反映，注册会计师法律责任的增多是各种原因综合的结果。在今后的规范工作中，应注意增进社会各界对注册会计师行业的了解，弥合相关各方对注册会计师承担法律责任问题看法的差异，只有在大家达成共识的基础，规范工作才能顺利进行。

（2）注册会计师因违约、过失或者欺诈给被审计单位或者其他利害关系人造成损失的，按照有关法律和规定，可能被判负担三种形式的法律责任，即行政责任、民事责任和刑事责任。三种法律责任可以单独判处，也可以一并判处。在两种或者三种法律责任并处的情况下，应当首先明确其行政责任，再追究民事责任和刑事责任，在同时需要负担民事责任和刑事责任的情况下，除非特殊情况，执行"先刑后民"的原则。

（3）注册会计师审计法律责任的评定，首先，要有评定依据。法律依据主要是独立审计准则及其他相关法律法规，理论依据主要包括审计独立性和注册会计师对第三者的责任，实务依据主要包括被审计单位和注册会计师的各种行为及其存在依据，由于注册会计师审计法律责任判定的复杂性，我们还建议建立专家鉴定委员会以便于更准确地对注册会计师的各种法律责任加以判定；其次，要有评定的基础。注册会计师的审计责任、注册会计师审计责任的归责原则、注册会计师审计责任的认定程序以及注册会计师应承担责任的分摊等构成了注册会计师法律责任的判定基础；第三，要有评定的逻辑。注册会计师法审计律责任的判定逻辑就是在判定时要同时考虑注册会计师的执业过程和结果。

（4）注册会计师审计法律责任需要得到规范。首先，要完善注册会计师审计法律责任的规范体系，主要是应在有关法规中有原则性规定、体现过程与结果的逻辑关系、明确界定会计责任与审计责任、防止将会计师事务所的审计责任转嫁于注册会计师、规定注册会计师所承担民事责任的限度等；其次，应强化注册会计师审计法律责任的规避，这包括宏观上和微观上两个方面的措施；第三，不当的注册会计师审计法律责任应得到解除，包括注册会计师自身采取的措施和外在的措施。

二、需要进一步研究、处理和解决的问题

进一步研究注册会计师审计法律责任的重要性在于，如果注册会计师在承办业务中未能履行合同条款，或者未能保持应有的职业谨慎，或者故意不作充分披露，出具不实报告，致使有关方面遭受损失，依照有关法律法规，注册会计师或会计师事务所应该承担责任。那么，怎样的法律责任的实施相对于审计质量的提高才是有效的呢？而进一步研究注册会计师审计法律责任可以促进审计质量的提高。注册会计师相关法律对注册会计师审计质量的责任合约安排能否确保高质量的审计，关键在于责任合约安排是否能让作为理性经济人的注册会计师主动地去履行合约安排，这就要求注册会计师违反合约的成本应该大于由此而带来的收益。对于合约责任人来说，他在做出决策之前必须考虑并权衡违约收益和违约成本。违约成本的大小不仅与违约所受处罚力度相关，而且与违约所受处罚概率相关，而违约所受处罚概率又与相对应的监督力度相关，监督力度越大，违约所受处罚概率则越高。西方国家在注册会计师审计质量方面的责任合约安排值得借鉴，例如：在处罚力度方面，美国《证券法》第24条和《证券交易法》第32条规定，对那些明知故犯，对报表作虚伪表述或故意遗漏报表重要事实的注册会计师追究刑事责任。可见，法律责任的实施对注册会计师审计质量提高的促进作用，一方面需要合理的责任合约安排，另一方面则需要这些责任合约安排能够得到切实的实施，两者缺一不可。否则，注册会计师违反合约的成

第六章 结束语

本就会小于由此而带来的收益，法律责任合约安排就起不到规范注册会计师行为、提高注册会计师审计质量的作用。而法律界、注册会计师行业都应该进一步重视这一问题，更加深入的研究注册会计师审计法律责任。

以《中华人民共和国注册会计师法》为核心的规范注册会计师执业行为的有关法律规范，作为我国市场经济法律体系中的重要内容之一，对于保障注册会计师依法执业、维护注册会计师行业的正常管理秩序、保护人民群众财产安全等来说，具有不可或缺的重要作用。特别是在我国全面走向社会主义市场经济的新时期，进一步重视注册会计师审计法律责任的研究，建立新的适应市场经济发展要求的注册会计师法律法规和各种规章制度有着更为迫切的重要意义。在市场经济条件下，包括注册会计师市场在内的各种市场运行机制，实际上就是利用人们原始的追求财富的本能，来推动、优化资源的配置。然而，由于包括注册会计师市场在内的各种市场上的每个人都是利己的，如果国家不能顺应市场经济的要求建立基本的各种市场的运行规则，并将规则法律化，那么市场就会发生混乱，市场经济也就不可能健康发展。从这个意义上说，市场经济就是法制经济，法制经济就必须要有健全、完备的法律体系，作为注册会计师行业来说，进一步研究审计法律责任，也是为健全与完善我国的法律体系作出一份应有的贡献。

因此，对今后出现或发生与注册会计师审计法律责任有关的情况和问题，需要我们进一步研究、处理和解决，以规范注册会计师审计市场，促进注册会计师审计业的发展。

1. 健全现代市场体系

市场运行机制中不合理的情况有：一是公司治理结构存在严

重缺陷。我国上市公司股权结构畸形，国有股东缺位，"内部人控制"现象十分严重。经营者集决策权、管理权、监督权于一身，由被审计人变成了审计委托人。注册会计师在激烈的市场竞争中迁就上市公司，默许上市公司造假，几乎成了一种"理性选择"；二是企业制度改革存在舞弊。我国的上市公司大多是从国有企业转化而来的。根本不具备上市条件的国有企业在短期内摇身一变成为上市公司，为了上市"解困"，只能靠作假账，而作为注册会计师，在体制上也就不可能独立起来，虚假审计报告的出现也就在所难免；三是地方政府不当干预。目前，我国仍然存在着地方保护主义盛行的弊病。为解决地方上的就业、社会稳定和经济发展问题，为了取得更多的财政收入，地方政府往往极力支持和包庇上市公司的造假行为；四是监管不得力。2000年年报中，175家公司的财务报告被注册会计师出具了非标准意见的审计报告，但是仅对部分上市公司进行了调查和惩处。监督体系薄弱，监管手段不成熟，监管人员严重不足，上市公司造假难以被及时发现查处。

存在如此多涉及我国的政治经济体制改革等复杂问题，从长远来看，关键还在于营造一个良好的市场运行机制，发挥市场在资源配置中的作用，健全统一、开放、竞争、有序的现代市场体系。而健全现代市场体系，必须进一步推动资本市场的进一步开放和稳步发展，会计信息是资本市场的血液，注册会计师作为会计信息的监督者，能够提高会计信息的透明度，增强信息的可信度，因此通过健全现代市场体系，要求注册会计师在资源配置中进一步发挥自己的监督作用，解决市场运行机制中的不合理问题。

2. 协调媒体、公众与注册会计师行业三方关系

近来媒体舆论给了注册会计师很大的压力,因为媒体代表了一种社会期望:希望注册会计师能做到满分,但实际上他们只能做到 85 分。这与媒体和公众对会计和审计的理解不够,没能站在新兴证券市场这一特定的社会历史背景中来看问题,对注册会计师的要求有点偏高有关,而目前要解决的也就是要加强三方的沟通,不仅是为注册会计师行业的发展,也同时是为了证券市场良性发展。

注册会计师行业是专业性很强的职业,其风险来源于为客户的服务,而且这种风险永远都有。一旦注册会计师在审计报告上签字,就意味着要承担一定的风险。没有一个事务所敢说自己从没出过错,"五大"也不敢。注册会计师的签字是要对整个社会负责,而不仅仅是对投资者和债权人,特别是执行与上市公司相关的业务,可能有很多的家庭、机构都涉足其中,牵涉的面很广,作为一名负责任的注册会计师应该从这个高度来认识自己的职业特性和社会责任。大家都应该认识到中国证券市场中的问题不是一朝一夕所形成的,它已积累了一定的时期,现在暴露出来,仅仅还是一个折射。现在无论是上市公司的财务信息还是注册会计师的审计报告均面临着一场前所未有的公信力危机。从表面上看这场危机是由注册会计师出具的报告引起的,实际上有着更深层次的原因。证券业界的监管高层也都认为完善上市公司的法人治理结构和提高财务信息的披露标准才是规范证券市场的根本所在。当然加强对中介机构的监管也是必要的,但如果一味地加大注册会计师的法律责任,让注册会计师承担与其职业或与其所处的特定历史阶段不相称的风险,会大大挫伤整个行业的信心,将社会引向另一个极端,把注册会计师变成"过街老鼠"。

这并不能从根本上改善注册会计师的执业环境,也不利于证券市场的健康发展。

　　媒体、公众还有注册会计师都应该认识到,证券市场经历的变革和逐步完善的过程同时也是公司的信用和注册会计师的公众信任度逐步建立的过程。国外成熟的市场有100多年的历史,注册会计师行业也是经历100多年的历史才会有今天"五大"这样的大树。在社会对注册会计师应承担的责任方面,国外主要是采用民事赔偿而少有行政处罚和刑事责任。在法律环境较为完善的英、美,随着审计环境的日趋复杂,"五大"的索赔数量和金额也在不断攀升,从1974～1989年的15年里,"五大"清偿索赔数额为18亿美元;而从1980～1995年的15年间,其索赔金额则上升到95亿美元,当然审计费用的收入上升也较多。由于风险基础审计的广泛应用,注册会计师行业进一步弥合了公众期望差,控制或降低了审计风险。当然这也是注册会计师行业付出了惨痛代价后反省的结果。美国在20世纪的40年代,注册会计师行业也一直强调现代审计主要是对会计报表的认定是否按公认的会计准则表述来发表意见,以抽样审计的局限和内部控制评价来辩解或摆脱责任。而60年代以来,随着竞争的加剧和破产企业的增多,社会公众对审计作用的期望越来越高。美国注册会计师协会的一项调查表明,社会公众认为审计人员应对揭示差错和舞弊行为承担足够的责任。而许多审计诉讼都以注册会计师的失败并偿付大额赔偿而告终。针对这一形势,美国注册会计师协会公布了第53号、第54号准则。揭错查弊成了现代财务审计中与确定会计报表公允表达并重的审计目标,这也是风险基础审计产生的重要原因。由于我国独立审计准则的不完善,对风险的提示不够,部分注册会计师可能仍天真地认为只要是按照审计准则来执

第六章　结束语

行审计程序就可以免除责任,这种想法显然是过时的,审计准则并不能起到绝对的保护作用。公众认识到了这一点,注册会计师更要认清这一点。

3. 研究虚假报告鉴定制度问题

进一步研究注册会计师审计法律责任,明确各方的举证责任,必须解决一个至关重要的难题,即由谁来为虚假审计报告的认定进行鉴定？目前,在理论界有多种意见。其中一种见解比较值得考虑,即建立独立的审计鉴定人名册制度和具体案件的鉴定人三方选任制度。具体来说,就是独立鉴定人名册制度指由司法行政机关会同财政部门、注册会计师协会,将全国范围内的具备审计鉴定资格的注册会计师资料实行名册登记管理,存放于司法机关、注册会计师协会,以备选组成审计鉴定小组；具体案件的鉴定人三方选任制度则指在出现具体的需要鉴定案件时,由纠纷双方当事人分别从名册中挑选同等人数的鉴定人,双方已选定的鉴定人再协商选任一名第三方鉴定人主持鉴定工作,鉴定人均以个人身份参加鉴定,鉴定人的选任不受地区和服务机构限制。[①] 该建议体现了对鉴定独立性的强烈要求。对于该建议中的三方选任制度,的确能够保证鉴定人的独立性与客观性,不受人员、地区与服务机构的影响,但是由诉讼双方当事人各自指定鉴定人有可能因各种原因而在判断时出现争议,这种争议的结果会拖延鉴定时间,给案件的解决造成不利,对司法公正产生不良影响。因此可以考虑对鉴定人的选任直接由诉讼双方在法官的监督下从名册中随机抽取。由于对鉴定人的选任无法事先确定,则鉴

---

① 转引自飞草:《中国独立审计侵权责任之法理分析》,第七章《审计技术鉴定制度》,《中国会计视野》,2001 年第 11 期。

281

定人不存在代表任何一方利益的嫌疑。他们只针对案件本身审验报告的合法性、真实性，这样可以更有效地确保鉴定人实现其超然独立的社会职能。另一种意见是考虑成立一个审计鉴定委员会，负责组织、协调和监督具体案件的鉴定等日常行政性管理工作，以利于鉴定工作的顺利开展。

　　注册会计师行业近年来有个要求：建立一个专业技术鉴定委员会，为审计报告作鉴定。注册会计师行业认为，注册会计师业务专业性很强，需成立专门的鉴定委员会或类似机构，负责对注册会计师出具的报告鉴定真伪。在目前医疗事故鉴定体制遭到强烈批判的背景下，建立审计鉴定委员会不会遭到审计职业界以外的各界反对，目前尚未得知。但有一点是明确的：审计鉴定委员会的权限不会超过改革后的医疗鉴定委员会的权限，注册会计师行业企图通过审计鉴定为自己减责、免责的希望可能会落空；但审计鉴定委员会的建立将有助于法院审理注册会计师审计法律责任损害赔偿案。2001年11月13日财政部部长助理、中注协秘书长李勇在证券市场审计、评估执业质量工作会议的总结会上指出，行业协会会同司法部门成立技术鉴定委员会，准确界定行业会员的法律责任，切实维护会员的合法权益。此言说明成立审计技术鉴定委员会已排上监管部门的议事日程。

　　因此首先必须要清楚建立审计鉴定委员会的必要性。注册会计师承担审计法律责任的要件有审计报告不实、未尽应有的职业关注、损害事实及因果关系。在注册会计师侵权损害赔偿案中，损害事实由原告举证；审计报告不实、未尽应有的职业关注及因果关系证明责任主要由被告（注册会计师）承担；尤其是未尽应有的职业关注实行过错推定的原则，除非注册会计师能证明自身无过错，否则法庭就推定注册会计师未尽应有的职业关注。在这种的证明责任分配背景下,注册会计师本身很难直接在法庭上证明自己无过错,因为原告、法官都是外行,他需要一个权威的鉴定结论支持他的主张。而且注册会计师的服务同样具有专业性、技术性和复杂性的特点,非本专业的专家很难正确地理解注册会计师的执业行为,并就其恰当性作出判断。因此对注册会计师的过错也需要由专家作出鉴定。注册会计师要想证明自己已尽职业关注,一般要寻找独立的第三者证实。常见的做法是申请法院委托其他会计师事务所组成的鉴定小组对其审计工作底稿进行鉴定。但是如果鉴定人不独立、不公正,会影响到鉴定结论的真实性。由于认为会计师事务所往往会偏袒被告,原告、法官常常会怀疑鉴定小组所提交鉴定结论的公正性,所以鉴定人的独立性、公正性是急需解决的问题,解决这个问题最好的方法就是建立独立的审计鉴定人名册制度和具体案件的鉴定人三方选取任制度。

4. 完善注册会计师审计的有关法规和规范

这其中包括协调《注册会计师法》、《公司法》、《证券法》、《刑法》等法律规定对注册会计师法律责任的不同规定,尽量使之趋同。其次还有为使注册会计师合理承担刑事责任,应建议最高检察院和公安部修改《最高人民检察院公安部关于经济犯罪案件追诉标准的规定》,在损失绝对数额的基础上增加相对比例数,损失的相对比例数应考虑企业的资产总额或营业收入等数据。另外根据国外对注册会计师的保护经验,将《独立审计准则》中所阐述的会计责任与审计责任、合理保证等概念列入《注册会计师法》等更高等级的法律中。并且建立"普通过失"、"重大过失"、"故意"和什么是"虚假财务报告"等认定标准。而且作为注册会计师的主管部门财政部和注册会计师协会应和立法机关、司法机关尽量协调、反映,使我国目前的有关注册会计师的法律责任

的规定更完善，以保护注册会计师的权益。

　　根据注册会计师执业环境和自身能力，对各项审计规范也要准确定位，正确界定哪些必须执行而作为准则，哪些参照执行而作为指南。在借鉴国外经验时，应当考虑不同国家法律的特点：英美法系实行的是判例法，不仅审计准则，就是国家法律也不能直接作为法官判案的依据；我国实行的成文法，只要审计准则不与国家法律、法规相抵触，法官可直接作为判案的依据。

参考文献

1. 阎达五、阎金锷《改革中的会计审计论文集》，中国人民大学出版社，1998年。
2. 张建军《审计概念体系研究》，中国财政经济出版社，1997年。
3. 毛岩亮《民间审计责任研究》，东北财经大学出版社，1999年。
4. 李若山、周勤业《注册会计师法律责任理论与实务》，中国时代经济出版社，2002年。
5. 文光伟《注册会计师都法律责任》，企业管理出版社，2002年。
6. 阎金锷《审计理论研究》，中国审计出版社，1992年。
7. 阎至刚《中国注册会计师职业道德与法律责任读本》，北方交通大学出版社，2001年。
8. 李君《论审计的独立性》，立信会计出版社，2000年。
9. 谢荣、李树华、王建春《中国注册会计师职业发展战略》，立信会计出版社，2000年。
10. 陈汉文《注册会计师职业行为准则研究》，中国金融出版社，1999年。
11. 中国注册会计师协会编《中国注册会计师法律责任：案

例与研究》，辽宁人民出版社，1998年。

12. 王立彦、崔谨、徐惠玲《会计师职业道德与责任——理论、规范与案例》，北京大学出版社，2001年。

13. 刘力云《审计风险与控制》，中国审计出版社，1999年。

14. 胡春元《审计风险研究》，东北财经大学出版社，1997年。

15. 周志诚《注册会计师法律责任——中国海峡两岸案例比较研究》，上海财经大学出版社，2001年。

16. 中国注册会计师协会《审计》，经济科学出版社，2005年。

17. 阿尔文·A·阿伦斯等著，张龙平等译《审计与保证服务》，东北财经大学出版社，2005年。

18. 王德升《关于审计"期望差距"的几个问题》，注册会计师通讯，1997年第（6）期。

19. 胡继荣《论审计期望差距的构成要素》，审计研究，2000年第（1）期。

20. 黎仁华《注册会计师的法律责任研究》，财经科学，2001年第（2）期。

21. 陈宋生《浅论受托经济责任及其产生》，江西审计与财务，2001年第（9）期。

22. 陈永利《重塑注会形象重建会计信用——从银广夏事件谈起》，中央财经大学学报，2002年第（3）期。

23. 温天瑾《从注册会计师的角度透视银广夏》，中国审计信息与方法，2001年第（11）期。

24. 刘振华《注册会计师法律责任问题研究》，财会月刊，2001年第（6）期。

25. 李雅静《注册会计师法律责任形成原因的分析》，山西财经大学学报，2001年第（12）期。

26. 万玲《注册会计师法律责任产生的背景及规避措施》，审计信息与方法，2002年第（4）期。

27. 刘燕《法律界与会计界分歧究竟在哪里》，注册会计师通讯，1998年第（7）期。

28. 谢志华《审计职业判断、审计风险与审计责任》，审计研究，2000年第（6）期。

29. 赵保卿《注册会计师法律责任研究》，审计研究，2002年第（3）期。

30. 宛燕如、白玉《上市公司信息披露与注册会计师对第三者的法律责任》，中南民族学院学报（自然科学版），2001年第（9）期。

31. 张蕊《注册会计师的民事责任及其抗辩》，会计研究，2003年第（1）期。

32. 李爽《独立审计准则：注册会计师行业的一把双刃剑》，注册会计师视野，2001年第（10）期。

33. 王鲁兵、卢华丽《注册会计师的法律责任研究》，中国注册会计师，2002年第（3）期。

34. 文建秀《证券市场信息披露中注册会计师的法律责任》，中国注册会计师，2001年第（12）期。

35. 徐志翰、李常青《美国注册会计师的法律风险及其防护》，上海会计，1999年第（4）期。

36. 孙丽虹《CPA行业面对的问题及对策》，中国财经报，2001年9月第6期。

37. 常勋《从注册会计师的鉴证职能说起》，中国注册会计

师，2002年第（3）期。

38. 黄友、何积义《注册会计师行业管理几个问题的思考》，四川会计，2000年第（12）期。

39. 郑朝晖《试论审计诉讼中违约及侵权责任的归责原则及证明责任的分配规则》，中国注册会计师，2000年第（3）期。

40. 中国独立审计侵权责任之法理分析，参见 http：//51ky.com/Study/Article_4695.htm网页。

41. William R. Scott,"FINANCIAL ACCOUNTING THEORY",Prentice-Hall International, Inc, 1997.

42. Van M. Dijk, "*The Influence of Publication of Financal Statements, RISK of Takeover, and Financal Position of the Auditee on Public auditor's Unethical Behaviour*" Journal of Business Ethics, 2000, 12.

附录

注册会计师审计法律责任的调查问卷

第一部分：法律责任问题部分

一、基本问题

1. 您听说过下列哪些上市公司的舞弊案？
   A. 美国安然　　　　B. 银广夏　　　　C. 红光实业
   D. 郑百文　　　　　E. 琼民源

2. 您认为在上述的上市公司的舞弊案中，对这些上市公司进行审计的注册会计师应不应该承担法律责任？
   A. 应该承担主要法律责任　　B. 应该承担连带法律责任
   C. 这些舞弊案是上市公司制造的，应由上市公司承担责任，与注册会计师无关

3. 您认为目前注册会计师行业需承担法律责任的风险：
   A. 极大　　　　　　B. 很大　　　　　C. 一般
   D. 较小　　　　　　E. 很小

二、法律责任的形式

4. 您知道目前规定注册会计师审计法律责任的法律、法规有：

　　A.《中华人民共和国注册会计师法》

　　B.《中华人民共和国证券法》

　　C.《中华人民共和国公司法》

　　D.《中华人民共和国刑法》

　　E.《行政诉讼法》

　　F.《民法通则》

　　G.《违反注册会计师法处罚暂行办法》

　　H.《关于惩治违反公司法的犯罪的决定》

　　I.《其他》（请填写说明）

5. 您认为哪种形式的法律责任对注册会计师最有效？（本题请在右边框内打"√"）

	非常有效	有效	一般	无效
A. 行政责任（批评、记过、吊销营业执照等）	□	□	□	□
B. 民事责任（民事赔偿等）	□	□	□	□
C. 刑事责任（管制、拘役、判刑等）	□	□	□	□

6. 您认为注册会计师的行政责任应由_____承担？

　　A. 仅由注册会计师个人承担

　　B. 仅由事务所承担

　　C. 由注册会计师及事务所共同承担

D. 其他（请填写说明）

7. 您认为注册会计师的民事责任应由_____承担？

  A. 仅由注册会计师个人承担

  B. 仅由事务所承担

  C. 由注册会计师及事务所共同承担

  D. 其他（请填写说明）

8. 您认为注册会计师的刑事责任应由_____承担？

  A. 仅由注册会计师个人承担

  B. 仅由事务所承担

  C. 由注册会计师及事务所共同承担

  D. 其他（请填写说明）

三、法律责任的判定

9. 就像法官判案依据法律一样，您知不知道注册会计师进行审计也有自己的执业标准？

  A. 知道   B. 不知道

10. 如果注册会计师严格按照执业标准（独立审计准则）进行了自己的审计工作，也发生了诸如上述的舞弊案，那他应不应该承担法律责任？

  A. 应该   B. 不应该

11. 您认为判断注册会计师是否应该承担法律责任，应该依据什么样的标准来衡量？

  A. 审计过程是否存在舞弊情况

  B. 审计过程中是否严格地执行了独立审计准则

  C. 审计结果是否对投资者造成了损失

  D. 以上述几种情况的结合来进行判断

(选 A、B、C 选项的请跳至第 13 题，继续回答)

12. 在下列各种情况当中，您认为注册会计师应该承担哪一种或者是哪几种形式的法律责任？（请填写下表）

  A. 行政责任 B. 民事责任 C. 刑事责任

过程层面 结果层面	注册会计师主观上具备了独立、公正的态度，并严格遵守了独立审计准则	注册会计师主观上具备了独立、公正的态度，但没有严格遵守独立审计准则	注册会计师形式上严格的遵守了独立审计准则，但主观上不具备独立、公正的态度	注册会计师未保持独立、公正的主观态度，并且也没有严格遵守独立审计准则
审计结果无较大偏差，且信息使用者未受损失				
审计结果无较大偏差，但信息使用者因不当使用会计信息而造成损失				
审计结果存在较大偏差，信息使用者也存在受损的客观事实，但损失不是直接源于审计结果的偏差				
信息使用者存在损失，且直接源于审计结果的偏差				

四、法律责任的形成

13. 按照你对注册会计师行业的了解，你认为如果注册会计师严格地执行了独立审计准则,能发现被审计公司进行的所有的造假舞弊案吗?

    A. 能   B. 不能

  14. 你认为在目前的诉讼中,注册会计师审计承担法律责任的原因是?(本题请在右边框内打"√")

         非常重要 重要 一般 不重要 非常不重要

A. 审计期望差的存在(社会公众——主要是报表使用人与注册会计师在认识上存在差距)　☐　☐　☐　☐　☐

B. 审计组织之间不规范竞争,压低收费,不能保证严格执行独立审计准则　☐　☐　☐　☐　☐

C. "深口袋"理论　☐　☐　☐　☐　☐

D. 交易类型、交易工具的变化发展,使得审计风险增加　☐　☐　☐　☐　☐

E. 个别的注册会计师素质低下　☐　☐　☐　☐　☐

F. 法律、法规不健全　☐　☐　☐　☐　☐

G. 法院对注册会计师法律责任的看法与注册会计师界看法不同　☐　☐　☐　☐　☐

H. 其他(请写明……)　☐　☐　☐　☐　☐

  15. 您认为由于被审计单位经营失败而对投资者造成了损失,注册会计师要不要承担责任?

    A. 不要   B. 注册会计师要承担部分责任

16. 你认为该如何弥合审计期望差？（本题请在右边框内打"√"）

	非常重要	重要	一般	不重要	非常不重要
A. 准则制订机构及时修订完善独立审计准则	□	□	□	□	□
B. 提高注册会计师的业务素质	□	□	□	□	□
C. 提高注册会计师的道德素质	□	□	□	□	□
D. 向社会公众大力宣传、普及会计审计知识	□	□	□	□	□
E. 其他（请写明……）	□	□	□	□	□

五、法律责任的规范

17. 下面所列举的事项中，您认为哪些属于被审计单位会计责任，哪些属于注册会计师的审计责任？

　　A. 保证会计资料的真实、完整

　　B. 注册会计师不具备专业胜任能力或没有尽到应有的职业谨慎

　　C. 注册会计师没有依据独立审计准则执业

　　D. 注册会计师未实施必要的审计程序并获取充分的审计证据

　　E. 未依法设置会计账簿及进行会计核算

　　F. 编制虚假会计报表

　　G. 社会审计机构发表了审计意见，出具了审计报告，而企业不予采纳

H. 在审计报告中对应予披露或应予揭示的事项不予披露揭示，而出具不恰当意见的审计报告

上述选项中属于被审计单位会计责任的有＿＿＿＿

上述选项中属于注册会计师审计责任的有＿＿＿＿

18. 您认为法律、法规对审计失败和经营失败的划分明确吗？

    A. 明确   B. 不明确   C. 不知道

19. 你认为该如何减少注册会计师的法律责任？（本题请在右边框内打"√"）

	非常重要	重要	一般	不重要	非常不重要
A. 通过发布规章条例，规范上市公司的运行	□	□	□	□	□
B. 增加事务所的收费标准，扩大审计范围，降低风险	□	□	□	□	□
C. 准则制定机构应顺应形式，及时修订完善独立审计准则	□	□	□	□	□
D. 事务所以有限责任合伙制的形式执业	□	□	□	□	□
E. 订立比例赔偿制，以降低注册会计师的执业风险	□	□	□	□	□
F. 通过教育或宣传，使社会公众了解审计行业，减少审计期望差中不合理的部分	□	□	□	□	□
G. 加强注册会计师的职业道德培训	□	□	□	□	□

	非常重要	重要	一般	不重要	非常不重要
H. 慎选客户，做好事前审计风险的评估	□	□	□	□	□
I. 成立风险基金制或责任保险制	□	□	□	□	□
J. 其他（请写明……）	□	□	□	□	□

第二部分：个人基本资料

1. 您的性别：
   A. 男　　　　　B. 女

2. 您的职业：
   A. 注册会计师　B. 会计及相关专业人员
   C. 法官　　　　D. 律师　　　　E. 其他
   （选择 C、D、E 职业的人员请继续回答第 3 题）

3. 您是通过何种渠道来保持对注册会计师行业的关注的？
   A. 工作需要
   B. 投资证券
   C. 通过"银广夏"、"安然"等社会轰动性的案件
   D. 其他（请写明……）
   （选择 C、D 职业的人员请继续回答下面问题）

4. 您认为凭您对会计、审计等专业知识的了解，是否足以胜任注册会计师法律责任的审判工作？
   A. 足够　　　　B. 不足
   C. 十分不足　　D. 不清楚

5. 您认为依据目前与注册会计师法律责任相关的法律、法

规等,能否顺利的进行判决?

  A. 能   B. 不能   C. 不清楚

 6. 您认为主要有哪些因素影响判案?

	非常重要	重要	一般	不重要	非常不重要
A. 法律责任的规定过于原则性	□	□	□	□	□
B. 部分法律条文用词过于抽象,令人不易了解其义	□	□	□	□	□
C. 不同法律、法规对法律责任的规定相互矛盾	□	□	□	□	□

责任编辑：高晓璐
文字编辑：高晓璐
装帧设计：鼎盛怡园
版式设计：书林瀚海

图书再版编目(CIP)数据

注册会计师审计法律责任/赵保卿 谢志华主笔.
-北京：人民出版社，2006.5
ISBN 7-01-005532-7

Ⅰ.注… Ⅱ.①赵… ②谢… Ⅲ.会计师-审计-法律责任-研究-中国 Ⅳ.D922.274

中国版本图书馆 CIP 数据核字(2006)第 038570 号

注册会计师审计法律责任
ZHUCE KUAIJISHI SHENJI FALV ZEREN

赵保卿 谢志华 主笔

人民出版社 出版发行
(100706 北京朝阳门内大街 166 号)
http://www.peoplepress.net

北京瑞古冠中印刷厂印刷 新华书店经销

2006 年 5 月第 1 版 2006 年 5 月北京第 1 次印刷
开本：787 毫米×960 毫米 1/16
字数：260 千字 印张：19.75
ISBN 7-01-005532-7 定价：38.00 元

邮购地址 100706 北京朝阳门内大街 166 号
人民东方图书销售中心 电话(010)65250042 65289539

责任编辑：高晓霞
文字编辑：高晓霞
装帧设计：渠敬尚
版式设计：书林制作

图书在版编目(CIP)数据

生殖会计师事件启示录/彭保峰著.—北京：人民出版社，2006.5
ISBN 7-01-005532-7

Ⅰ.生… Ⅱ.①彭… ②彭… Ⅲ.…会计师事件-启事纪实-海外,中国 Ⅳ.D922.274

中国版本图书馆 CIP 数据核字(2006)第 035570 号

生册会计师事件启示录
ZHOU KUAISHI SHENJI LUXIEKN
彭保峰 彭保峰 著

人 A A 出 版 发 行
(100706 北京朝阳门内大街166号)
http://www.peoplepress.net
北京新华印刷厂印刷·新华书店经销
2006年5月第1版 2006年5月北京第1次印刷
开本：787毫米×960毫米 1/16
印张：26.0千字 印张：16.75
ISBN 7-01-005532-7 定价：38.00元

邮编地址：100706 北京朝阳门内大街166号
人民出版社销售部：电话(010)65250042 65259539